本番直前まで手元におきたい受験生必携の書

2025年版

ユーキャンの社労士これだけ!一問一答集

ユーキャン
自由国民社

おことわり

本書は、原則として令和６年９月１日までに公布され、及び令和７年４月までに施行されることが確定している法令に基づき編集しておりますが、社労士試験は、例年、当該年度の４月中旬に施行されている法令に則り出題されます。

よって、本書の記載内容について、令和６年９月１日より後に公布された法令であって、令和７年度の試験対象となるものについては、『ユーキャンの本』ウェブサイト内「追補（法改正・正誤）」コーナーにてお知らせ致します。

https://www.u-can.co.jp/book/information

※本書では、改元日以降の年について法令上「平成」の表示が残っている場合であっても、すべて「令和」を用いて表示しています。

ユーキャンの
これだけ！一問一答集 ここがポイント！

最終確認の強い味方！

ユーキャンの社労士『これだけ！ 一問一答集』は、試験直前にしっかり確認しておきたい事項を一問一答形式でコンパクトにまとめた問題集です。持ち運びに便利な新書サイズ＆赤シートつきなので、いつでもどこでも手軽に学習できます。

受験対策に必須の基本事項を網羅した777問

過去の本試験の出題傾向に基づいて、繰り返し問われる重要事項を777問の○×問題にしました。解答解説は見開きで掲載しているので、知識の確認がスムーズに行えます。

横断的に学習できるまとめページ

一問一答では体系的に理解しづらい重要項目は、「POINTマスター」のページにまとめてあります。大事なポイントを図表などで横断的に解説しているので、一問一答とあわせて効率よく学習することができます。

本書の使い方

本書は、○×形式の一問一答ページとポイントまとめページで構成されています。問題ページで知識を確認、まとめページで重要ポイントを整理することができます。

1 一問一答で知識を確認

まずは、赤シートで右ページの解答を隠しながら一問一答問題を解き、自分の理解度を確認しましょう。

2 右ページの解説をチェック

間違えた問題はしっかり解説を確認し、確実に理解しましょう。正解した問題も解説を読み、プラスアルファの知識を吸収しましょう。

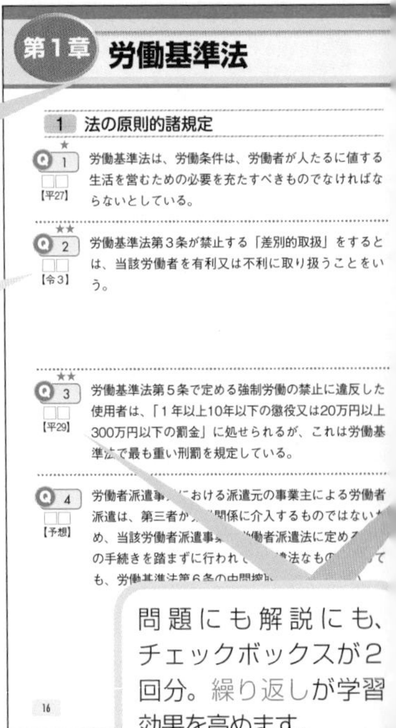

第1章 労働基準法

1 法の原則的諸規定

Q 1 ★ 【平27】 労働基準法は、労働条件は、労働者が人たるに値する生活を営むための必要を充たすべきものでなければならないとしている。

Q 2 ★★ 【令3】 労働基準法第3条が禁止する「差別的取扱」をするとは、当該労働者を有利又は不利に取り扱うことをいう。

Q 3 ★★ 【平29】 労働基準法第5条で定める強制労働の禁止に違反した使用者は、「1年以上10年以下の懲役又は20万円以上300万円以下の罰金」に処せられるが、これは労働基準法で最も重い刑罰を規定している。

Q 4 【予想】 労働者派遣事 における派遣元の事業主による労働者派遣は、第三者か 関係に介入するものではないため、当該労働者派遣事 働者派遣法に定め の手続きを踏まずに行われ 法なもの ても、労働基準法第6条の中間

16

直前期に、これだけ！は押さえておきたい基本事項を問う問題です。

● 出典の明記

【予 想】⇨オリジナル問題です。
【令3】⇒この場合、令和3年度試験で出題されたことを表します。なお、一部改変した過去問題には「改」と付記しています。

● 重要度

高い ★★ ★ 重要度 低い

問題の難易度を踏まえた重要度を三段階で表記。★★、★がついている問題は、確実な正解が求められます。

問題にも解説にも、チェックボックスが2回分。繰り返しが学習効果を高めます。

窪田講師

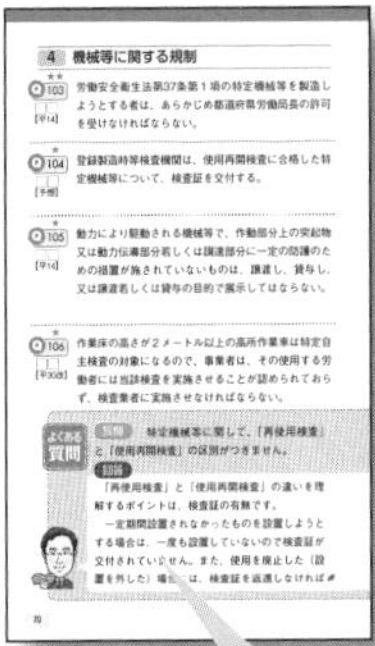

4　機械等に関する規制

★★
103 【平14】 労働安全衛生法第37条第１項の特定機械等を製造しようとする者は、あらかじめ都道府県労働局長の許可を受けなければならない。

★
104 【予想】 登録製造時等検査機関は、使用再開検査に合格した特定機械等について、検査証を交付する。

★
105 【平14】 動力により駆動される機械等で、作動部分上の突起物又は動力伝導部分若しくは調速部分に一定の防護のための措置が施されていないものは、譲渡し、貸与し、又は譲渡若しくは貸与の目的で展示してはならない。

★
106 【平30改】 作業床の高さが２メートル以上の高所作業車は特定自主検査の対象になるので、事業者は、その使用する労働者には当該検査を実施させることが認められておらず、検査業者に実施させなければならない。

よくある質問

質問　特定機械等に関して、「再使用検査」と「使用再開検査」の区別がつきません。

回答
「再使用検査」と「使用再開検査」の違いを理解するポイントは、検査証の有無です。
一定期間設置されなかったものを設置しようとする場合は、一度も設置していないので検査証が交付されていません。また、使用を廃止した（設置を外した）場[illegible]は、検査証を返還しなければ

70

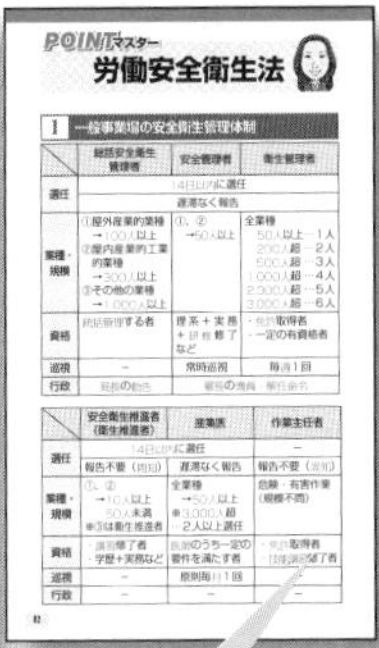

POINTマスター
労働安全衛生法

1　一般事業場の安全衛生管理体制

	総括安全衛生管理者	安全管理者	衛生管理者
選任	14日以内に選任		
	遅滞なく報告		
業種・規模	①屋外産業的業種 →100人以上 ②屋内産業的工業的業種 →300人以上 ③その他の業種 →1,000人以上	①、② →50人以上	全業種 50人以上…1人 200人超…2人 500人超…3人 1,000人超…4人 2,000人超…5人 3,000人超…6人
資格	統括管理する者	理系＋実務＋研修修了など	・免許取得者 ・一定の有資格者
巡視	－	常時巡視	毎週1回
行政	[illegible]	[illegible]	

	安全衛生推進者（衛生推進者）	産業医	作業主任者
選任	14日以内に選任		－
	報告不要（周知）	遅滞なく報告	報告不要（周知）
業種・規模	①、② →10人以上50人未満 ※③は衛生推進者	全業種 →50人以上 ※3,000人超…2人以上選任	危険・有害作業（規模不問）
資格	・講習修了者 ・学歴＋実務など	医師のうち一定の要件を満たす者	・免許取得者 ・技能講習修了者
巡視	－	原則毎月1回	
行政	－	－	－

82

3　まとめページで横断整理

一問一答だけではフォローしきれない重要項目は、まとめページでしっかり確認し、知識を整理しましょう。

『よくある質問』では、ユーキャン通信講座に寄せられた質問事項に窪田講師が回答します。学習者が疑問を持つポイントは共通しているので、必ずチェックしてください。
『POINTマスター』では、重要事項を横断的に整理した図表などを掲載しています。

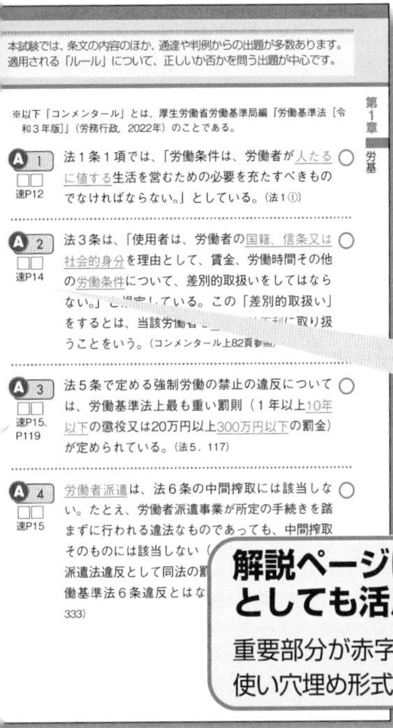

本試験では、条文の内容のほか、通達や判例からの出題が多数あります。適用される「ルール」について、正しいか否かを問う出題が中心です。

第1章 労基

※以下「コンメンタール」とは、厚生労働省労働基準局編『労働基準法［令和３年版］』（労務行政、2022年）のことである。

A 1 □□ 速P12　法１条１項では、「労働条件は、労働者が人たるに値する生活を営むための必要を充たすべきものでなければならない。」としている。（法１①）　○

A 2 □□ 速P14　法３条は、「使用者は、労働者の国籍、信条又は社会的身分を理由として、賃金、労働時間その他の労働条件について、差別的取扱いをしてはならない。」と[illegible]ている。この「差別的取扱い」をするとは、当該労働[illegible]取り扱うことをいう。（コンメンタール上82頁参照）　○

A 3 □□ 速P15、P119　法５条で定める強制労働の禁止の違反については、労働基準法上最も重い罰則（１年以上10年以下の懲役又は20万円以上300万円以下の罰金）が定められている。（法５、117）　○

A 4 □□ 速P15　労働者派遣は、法６条の中間搾取には該当しない。たとえ、労働者派遣事業が所定の手続きを踏まずに行われる違法なものであっても、中間搾取そのものには該当しない（[illegible]派遣法違反として同法の罰[illegible]働基準法６条違反とはな[illegible]333）　○

姉妹本『2025年版 ユーキャンの社労士　速習レッスン』との対応を示しています。例えば「速P66」なら、同書籍の当該科目の66ページに関連事項の説明があることを表します。なお、ⅠⅡⅢは分冊を表し、参照ページが当該科目掲載分冊以外の場合に記載しています。

解説ページは『穴埋め問題集』としても活用できます！

重要部分が赤字になっているので、赤シートを使い穴埋め形式でチェックすることも可能です。

目次

略記について

本書の一問一答問題の解説では、必要に応じて根拠条文の表記を簡略化しています。
（たとえば、「労働基準法 14 条１項１号」であれば、「法 14①一」と表記しています。※項は丸付き数字、号は漢数字）
なお、その章の該当法である場合には単に「法」としていますが、第６章と第 10 章については、法律ごとの区分を行っており、それぞれ略記を用いていますのでご留意ください。

POINTマスター一覧

労働基準法

労働安全衛生法

労働者災害補償保険法

雇用保険法

労働保険徴収法

労務管理その他の労働に関する一般常識

健康保険法

国民年金法

厚生年金保険法

社会保険に関する一般常識

社労士 試験の概要

社労士とは

（1）社労保険労務士法により法制化された資格

社会保険労務士（以下「社労士」という。）は昭和43年（1968年）に施行された「社会保険労務士法」によって法制化された資格です。この法律が成立してから現在に至るまでに、社会保障制度は巨大化・複雑化が進み、企業では労働者の高齢化や労働時間の弾力的な運用、年俸制の導入など、さまざまな労務管理の問題を抱え込むようになりました。このような状況の中、労務、雇用、福利厚生、社会保険のエキスパートとして脚光を浴びているのが社労士です。

（2）社労士の業務

社労士は、企業に勤める以外に独立開業もできる資格です。主な業務は以下の3つです。

1号業務：行政機関への申請書類の作成と、これらの書類の提出の代行・事務代理などの業務を行います。

2号業務：労働社会保険諸法令に基づく帳簿書類の作成業務を行います。

3号業務：労務管理などに関するコンサルタント（相談・指導）業務を行います。

特に3号業務については、複雑な年金制度や、高年齢労働者の活用について適切なアドバイス・事務処理を求める社会的なニーズの高まりに伴い、高齢化の進展した社会では欠くことのできないコンサルタントとしての活躍が期待されています。また、裁判外紛争解決（ADR）の手続きの代理（特定社労士のみに認められる）や社労士が法人を設立することが認められたこともあり、社労士の重要性は高まっています。

※以下は令和6年度の試験実施要領をもとに記述しています。令和7年度試験につきましては、必ず試験センター（P15参照）にご確認ください。

受験資格（区分：1～6学歴、7～11実務試験、12～14試験合格、15～16過去受験）

1．学校教育法による大学、短期大学、専門職大学、専門職短期大学若しくは高等専門学校（5年制）を卒業した者又は専門職大学の前期課程を修了した者

2．上記の大学（短期大学を除く）において62単位以上の卒業要件単位を修得した者。上記の大学（短期大学を除く）において一般教養科目と専門教育科目等との区分けをしているものにおいて一般教養科目36単位以上を修得し、かつ、専門教育科目等の単位を加えて合計48単位以上の卒業要件単位を修得した者

3．旧高等学校令による高等学校高等科、旧大学令による大学予科又は旧専門学校令による専門学校を卒業し、又は修了した者

4．前記1.又は3.に掲げる学校等以外で、厚生労働大臣が認めた学校等を卒業し又は所定の課程を修了した者

5．修業年限が2年以上で、かつ、課程の修了に必要な総授業時間数が1,700時間（62単位）以上の専修学校の専門課程を修了した者

6．全国社会保険労務士会連合会において、個別の受験資格審査により、学校教育法に定める短期大学を卒業した者と同等以上の学力があると認められる者（各種学校等）

7．労働社会保険諸法令の規定に基づいて設立された法人の役員（非常勤の者を除く）又は従業者として同法令の実施事務に従事した期間が通算して3年以上になる者

8．国又は地方公共団体の公務員として行政事務に従事した

期間及び行政執行法人、特定地方独立行政法人又は日本郵政公社の役員又は職員として行政事務に相当する事務に従事した期間が通算して３年以上になる者。全国健康保険協会、日本年金機構の役員（非常勤の者を除く）又は従業者として社会保険諸法令の実施事務に従事した期間が通算して３年以上になる者（社会保険庁の職員として行政事務に従事した期間を含む）

9．社会保険労務士若しくは社会保険労務士法人又は弁護士、弁護士法人若しくは弁護士・外国法事務弁護士共同法人の業務の補助の事務に従事した期間が通算して３年以上になる者

10．労働組合の役員として労働組合の業務に専ら従事（専従）した期間が通算して３年以上になる者又は会社その他の法人（法人でない社団又は財団を含み、労働組合を除く。以下「法人等」という。）の役員として労務を担当した期間が通算して３年以上になる者

11．労働組合の職員又は法人等若しくは事業を営む個人の従業者として労働社会保険諸法令に関する事務に従事した期間が通算して３年以上になる者

12．社会保険労務士試験以外の国家試験のうち厚生労働大臣が認めた国家試験に合格した者

13．司法試験予備試験、旧法の規程による司法試験の第一次試験、旧司法試験の第一次試験又は高等試験予備試験に合格した者

14．行政書士試験に合格した者

15．直近の過去３回のいずれかの社会保険労務士試験の受験票又は成績（結果）通知書を所持している者

16．社会保険労務士試験 試験科目の一部免除決定通知書を所持している者

※ご不明な点は、試験センター（P15参照）にお問い合わせください。

試験概要

○試験科目と出題数

試験科目	選択式出題数	択一式出題数	章
①労働基準法	1問	7問	1
労働安全衛生法		3問	2
②労働者災害補償保険法	1問	7問	3
③雇用保険法	1問	7問	4
④労働保険の保険料の徴収等に関する法律※		6問	5
⑤労務管理その他の労働に関する一般常識	1問	5問	6
⑥社会保険に関する一般常識	1問	5問	10
⑦健康保険法	1問	10問	7
⑧厚生年金保険法	1問	10問	9
⑨国民年金法	1問	10問	8

※労働保険の保険料の徴収等に関する法律については、選択式の出題はない。

○出題形式

選択式８問と択一式70問が出題されます。選択式は、１問につき５つの空欄に20個の語群からそれぞれにあてはまるものを選びます。択一式は５つの肢から正解肢１つを選びます。いずれも、マークシート方式です。

○試験までのスケジュール

4月中旬	受験案内の公表
4月中旬～ 5月末日	受験申込みの受付期間
8月の 第4日曜日	試験日（選択式　80分 　　　　択一式 210分）
10月上旬	合格発表

○受験申込み等

※以下は、令和6年度の試験実施要領をもとに記述しています。
令和7年度試験につきましては、必ず試験センターにご確認ください。

受験申込みは、「インターネット申込み」が原則であり、当面、「郵送申込み（別途「受験案内の請求」が必要）」でも受け付けることとされています。

令和6年度の受験申込みの受付期間は4月15日～5月31日、受験手数料は15,000円（払込みに係る手数料は受験申込者負担）でした。

受験申込みの際の必要書類は、①顔写真、②受験資格証明書、③免除資格証明書（免除資格に該当する者）その他の必要書類です。

○試験地

1北海道　2宮城県　3群馬県　4埼玉県　5千葉県
6東京都　7神奈川県　8石川県　9静岡県　10愛知県
11京都府　12大阪府　13兵庫県　14岡山県　15広島県
16香川県　17福岡県　18熊本県　19沖縄県

受験申込み時に、上記の都道府県から希望試験地を選びます。

○配点と合格基準点

配点は、選択式が各空欄1点で、1科目5点満点、合計で40点満点、択一式が各問1点で、1科目10点満点、合計で70点満点となります。

合格基準点は、以下のとおりです（令和5年度）。なお、合格基準点は試験の難易度に応じて、実施年度ごとに変動します。

選択式：総得点26点以上かつ各科目3点以上

択一式：総得点45点以上かつ各科目4点以上

○受験者数と合格率

年度	申込者数	受験者数	合格者数	合格率
令和元年度	49,570名	38,428名	2,525名	6.6%
令和2年度	49,250名	34,845名	2,237名	6.4%
令和3年度	50,433名	37,306名	2,937名	7.9%
令和4年度	52,251名	40,633名	2,134名	5.3%
令和5年度	53,292名	42,741名	2,720名	6.4%

受験に関するお問い合わせ

受験資格・受験手続などでご不明な点は、全国社会保険労務士会連合会 試験センターにお問い合わせください。

〒103-8347　東京都中央区日本橋本石町3－2－12

社会保険労務士会館　5階

電話：03-6225-4880〔受付時間は9：30～17：30（土日祝除く）〕

FAX：03-6225-4883（お問い合わせの際は必ず連絡先を明記してください。）

WEB 社会保険労務士試験オフィシャルサイト：

https://www.sharosi-siken.or.jp

第1章　労働基準法

1　法の原則的諸規定

★
Q 1
□□
【平27】

労働基準法は、労働条件は、労働者が人たるに値する生活を営むための必要を充たすべきものでなければならないとしている。

★★
Q 2
□□
【令3】

労働基準法第３条が禁止する「差別的取扱」をするとは、当該労働者を有利又は不利に取り扱うことをいう。

★★
Q 3
□□
【平29】

労働基準法第５条で定める強制労働の禁止に違反した使用者は、「１年以上10年以下の懲役又は20万円以上300万円以下の罰金」に処せられるが、これは労働基準法で最も重い刑罰を規定している。

Q 4
□□
【予想】

労働者派遣事業における派遣元の事業主による労働者派遣は、第三者が労働関係に介入するものではないため、当該労働者派遣事業が労働者派遣法に定める所定の手続きを踏まずに行われている違法なものであっても、労働基準法第６条の中間搾取には該当しない。

本試験では、条文の内容のほか、通達や判例からの出題が多数あります。
適用される「ルール」について、正しいか否かを問う出題が中心です。

※以下「コンメンタール」とは、厚生労働省労働基準局編『労働基準法［令和３年版］』（労務行政，2022年）のことである。

A 1 □□ 速P12

法１条１項では、「労働条件は、労働者が人たるに値する生活を営むための必要を充たすべきものでなければならない。」としている。（法１①）

○

A 2 □□ 速P14

法３条は、「使用者は、労働者の国籍、信条又は社会的身分を理由として、賃金、労働時間その他の労働条件について、差別的取扱いをしてはならない。」と規定している。この「差別的取扱い」をするとは、当該労働者を有利又は不利に取り扱うことをいう。（コンメンタール上82頁参照）

○

A 3 □□ 速P15、P119

法５条で定める強制労働の禁止の違反については、労働基準法上最も重い罰則（１年以上10年以下の懲役又は20万円以上300万円以下の罰金）が定められている。（法５、117）

○

A 4 □□ 速P15

労働者派遣は、法６条の中間搾取には該当しない。たとえ、労働者派遣事業が所定の手続きを踏まずに行われる違法なものであっても、中間搾取そのものには該当しない（この場合には、労働者派遣法違反として同法の罰則が適用されるが、労働基準法６条違反とはならない。）。（昭61.6.6基発333）

○

★
Q 5
□□
【平29】

労働者（従業員）が「公職に就任することが会社業務の遂行を著しく阻害する虞れのある場合においても、普通解雇に附するは格別、同条項〔当該会社の就業規則における従業員が会社の承認を得ないで公職に就任したときは懲戒解雇する旨の条項〕を適用して従業員を懲戒解雇に附することは、許されないものといわなければならない。」とするのが、最高裁判所の判例である。

★
Q 6
□□
【予想】

船員法第１条第１項に規定する船員については、同法の適用による保護を受けるため、労働基準法が適用されることはない。

★
Q 7
□□
【平30】

いわゆるインターンシップにおける学生については、インターンシップにおいての実習が、見学や体験的なものであり使用者から業務に係る指揮命令を受けていると解されないなど使用従属関係が認められない場合でも、不測の事態における学生の生命、身体等の安全を確保する限りにおいて、労働基準法第９条に規定される労働者に該当するとされている。

★★
Q 8
□□
【令５】

労働基準法第10条にいう「使用者」は、企業内で比較的地位の高い者として一律に決まるものであるから、同法第９条にいう「労働者」に該当する者が、同時に同法第10条にいう「使用者」に該当することはない。

A 5 □□ 速P16

法７条（公民権行使の保障）は、労働者に対して、労働時間中における公民としての権利の行使及び公の職務の執行を保障したものである。最高裁判所は、使用者の承認を得ずに公職に就任した者を懲戒解雇に附する旨の就業規則の条項は、法７条の趣旨に反し、無効であり、公職に就任することが会社業務の遂行を著しく阻害するおそれがある場合においても、普通解雇に附することは別として、懲戒解雇に附することは、許されないと判示した。（最判 昭38.6.21十和田観光電鉄事件） ○

A 6 □□ 速P17

船員法に規定する船員については、労働基準法の一部の規定の適用が除外されているにすぎない。船員にも、労働基準法の総則（法１～11）及び罰則は適用される。（法116①） ×

A 7 □□ 速P18

インターンシップにおける学生は、インターンシップにおいての実習が、見学や体験的なものであり使用者から指揮命令を受けていると解されないなど使用従属関係が認められない場合には、労働者に該当しない。（平9.9.18基発636） ×

A 8 □□ 速P18

法10条にいう「使用者」は、企業内で比較的地位の高い者として一律に決まるものではない。法９条にいう「労働者」であっても、その者が同時にある事項について権限と責任をもっていれば、その事項については、その者が「使用者」となる場合がある。（コンメンタール上167頁参照） ×

2 労働契約の締結

★
Q 9
□□
【平27】

労働協約に定める基準に違反する労働契約の部分を無効とする労働組合法第16条とは異なり、労働基準法第13条は、労働基準法で定める基準に達しない労働条件を定める労働契約は、その部分については無効とすると定めている。

★
Q 10
□□
【令3】

労働基準法第14条にいう「一定の事業の完了に必要な期間を定める」労働契約については、3年（同条第1項の各号のいずれかに該当する労働契約にあっては、5年）を超える期間について締結することが可能であるが、その場合には、その事業が有期的事業であることが客観的に明らかであり、その事業の終期までの期間を定める契約であることが必要である。

★
Q 11
□□
【令5】

労働基準法第14条第1項に規定する期間を超える期間を定めた労働契約を締結した場合は、同条違反となり、当該労働契約は、期間の定めのない労働契約となる。

★★
Q 12
□□
【令6】

使用者は、労働基準法第15条第1項の規定により、労働者に対して労働契約の締結と有期労働契約（期間の定めのある労働契約）の更新のタイミングごとに、「就業の場所及び従事すべき業務に関する事項」に加え、「就業の場所及び従事すべき業務の変更の範囲」についても明示しなければならない。

A 9 □□ 速P20、ⅢP12

無効となるのは、労働組合法では、「労働協約に定める基準（規範的部分）に違反する労働契約の部分」であるのに対し、労働基準法では、「この法律で定める基準に達しない労働条件を定める労働契約の部分」となっている。（法13、労組法16）。 ○

A 10 □□ 速P21

「一定の事業の完了に必要な期間を定める」労働契約とは、たとえば、４年間で完了する土木工事において、技師を４年間の契約で雇い入れる場合のように、①その事業が有期的事業であることが客観的に明らかな場合であり、②その事業の終期までの期間を定める契約であることが必要となる。（法14①、コンメンタール上221～222頁参照） ○

A 11 □□ 速P21

有期労働契約の契約期間の上限は、原則として３年（特定の２種類の労働契約にあっては、５年）である。この期間を超える期間を定めた労働契約を締結した場合は、契約期間が３年（又は５年）の労働契約を締結したものと自動的に修正される。（平15基発1022001、コンメンタール上235頁参照） ×

A 12 □□ 速P24

「就業の場所及び従事すべき業務に関する事項（就業の場所及び従事すべき業務の変更の範囲を含む。）」は、労働条件のいわゆる絶対的明示事項の１つである。（則５①一の三、平11.1.29基発45、令５基発1012-2） ○

★
Q 13
□□
【平29】

明示された労働条件と異なるために労働契約を解除し帰郷する労働者について、労働基準法第15条第３項に基づいて使用者が負担しなければならない旅費は労働者本人の分であって、家族の分は含まれない。

★
Q 14
□□
【平30】

債務不履行によって使用者が損害を被った場合、現実に生じた損害について賠償を請求する旨を労働契約の締結に当たり約定することは、労働基準法第16条により禁止されている。

★
Q 15
□□
【令４】

「前借金」とは、労働契約の締結の際又はその後に、労働することを条件として使用者から借り入れ、将来の賃金により弁済することを約する金銭をいい、労働基準法第17条は前借金そのものを全面的に禁止している。

★
Q 16
□□
【予想】

使用者が労働契約に附随して貯蓄の契約をさせ、又は貯蓄金を管理する契約をすることは、全面的に禁止されている。

A 13 □□ 速P25

帰郷旅費は、①明示された労働条件が事実と相違する場合に即時に労働契約を解除し、②契約解除の日から14日以内に帰郷する労働者について負担するものである。その旅費には、就業のため移転した家族の旅費も含まれる。（法15③、昭22.9.13発基17）

×

A 14 □□ 速P26

法16条（賠償予定の禁止）は、金額を予定することを禁止するのであって、現実に生じた損害について賠償を請求すること又はその旨を約定する（取り決める）ことを禁止する趣旨ではないと解されている。（法16、コンメンタール上250頁参照）

×

A 15 □□ 速P26

法17条（前借金相殺の禁止）は、前借金そのものは禁止しておらず、単に賃金と前借金を相殺することを禁止するにとどめたものである。なお、設問前半の「前借金」については正しい内容である。（法17、コンメンタール上255頁参照）

×

A 16 □□ 速P27

労働契約に附随して貯蓄の契約をさせ、又は貯蓄金を管理する契約をすることは、強制貯金に該当し、全面的に禁止されている。（法18①）

○

3 労働契約の終了

★
Q 17
□□
【令元】

使用者は、女性労働者が出産予定日より６週間（多胎妊娠の場合にあっては、14週間）前以内であっても、当該労働者が労働基準法第65条に基づく産前の休業を請求しないで就労している場合は、労働基準法第19条による解雇制限を受けない。

★★
Q 18
□□
【平27】

使用者は、労働者が業務上負傷し、又は疾病にかかり療養のために休業する期間及びその後の30日間は、労働基準法第81条の規定によって打切補償を支払う場合、又は天災事変その他やむを得ない事由のために事業の継続が不可能となりその事由について行政官庁の認定を受けた場合を除き、労働者を解雇してはならない。

★
Q 19
□□
【令元】

使用者は、労働者を解雇しようとする場合においては、少なくとも30日前にその予告をしなければならないが、予告期間の計算は労働日で計算されるので、休業日は当該予告期間には含まれない。

★★
Q 20
□□
【平26改】

ある年の９月30日の終了をもって、解雇予告手当を支払うことなく労働者を解雇しようとする使用者が同年９月１日に当該労働者にその予告をする場合は、労働基準法第20条第１項に抵触しない。

A 17
□□
速P31

法19条では、産前産後の女性が法65条の規定によって休業する期間及びその後30日間の解雇を禁止している。設問のように、休業しないで就労している場合は、使用者は、解雇制限を受けない。（法19①）

○

A 18
□□
速P30、P31

使用者は、労働者が業務上負傷し、又は疾病にかかり療養のために休業する期間及びその後の30日間は、労働者を解雇してはならない。ただし、打切補償を支払う場合又は天災事変その他やむを得ない事由のために事業の継続が不可能となりその事由について行政官庁の認定を受けた場合は、解雇することができる。（法19）

○

A 19
□□
速P33

予告期間の計算は、「労働日」ではなく、「暦日」で計算される。したがって、休業日も予告期間に含まれる。（法20①、コンメンタール上303頁参照）

×

A 20
□□
速P33

解雇予告期間は、原則として、解雇予告日の翌日から解雇日までの期間が丸30日間でなければならない。したがって、９月１日に解雇予告をする場合には、９月２日から10月１日までの30日間が解雇予告期間となり、「10月１日」が最短での解雇日となる。つまり、設問のように、９月30日の終了をもって、解雇予告手当を支払うことなく労働者を解雇することは、労働基準法20条１項に抵触する（この場合には、平均賃金の１日分の解雇予告手当の支払いが必要）。（法20①）

×

★
Q21 □□ 【令5】

従来の取引事業場が休業状態となり、発注品がないために事業が金融難に陥った場合には、労働基準法第19条及び第20条にいう「やむを得ない事由のために事業の継続が不可能となつた場合」に該当しない。

★
Q22 □□ 【平24】

使用者が労働者を解雇しようとする日の30日前に解雇の予告をしたところ、当該労働者が、予告の日から５日目に業務上の負傷をし療養のため２日間休業した。当該業務上の負傷による休業期間は当該解雇の予告期間の中に納まっているので、当該負傷については労働基準法第19条の適用はなく、当該解雇の効力は、当初の予告どおりの日に発生する。

★
Q23 □□ 【令2】

使用者の行った解雇予告の意思表示は、一般的には取り消すことができないが、労働者が具体的事情の下に自由な判断によって同意を与えた場合には、取り消すことができる。

よくある質問

質問　「使用者は、ある労働者を８月31日をもって解雇するため、同月15日に解雇の予告をする場合には、平均賃金の14日分の解雇予告手当を支払わなければならない。」（平24－３ウ：解答○）

　この過去問について、どうして14日分になるのかが分かりません。

回答

　解雇予告期間が30日に不足する日数分の平均賃金を解雇予告手当として支払えばよいからです。

A 21 ○

□□
速P31、P33

①事業主の法令違反による強制収容又は資材等の没収、②税金の滞納処分を受けたことによる事業廃止、③経営上の見通しの誤りや取引先が休業状態となったことに起因する金融難等は、「やむを得ない事由」に該当しない。（昭63.3.14基発150）

A 22 ×

□□
速P34

解雇予告期間中に解雇制限事由（業務上の傷病による休業など）が生じた場合には、解雇の効力は、当初の予告どおりの日には発生しない。つまり、予告期間が満了しても解雇することはできない。この場合は、解雇制限期間（設問の場合は、休業期間の２日間とその後30日間）の経過とともに解雇の効力が発生する。（昭26.6.25基収2609）

A 23 ○

□□
速P34

使用者が行った解雇予告の意思表示は、労働者が具体的事情の下に自由な判断によって同意を与えた場合には、取り消すことができる。なお、労働者が解雇予告の取消しに同意しない場合は、予告期間の満了によって、解雇されたものとして労働契約は終了する。（昭25.9.21基収2824）

8月31日をもって解雇する場合には、本来であれば、その30日前である８月１日に解雇予告をしなければなりません。ところが、過去問では８月15日に解雇予告をしていることから、この場合の解雇予告期間は、８月16日から８月31日までの16日間となります。この解雇予告期間が30日に何日不足しているのかを考えればよいわけです。30日に不足する日数は、「30日－16日＝14日」です。したがって、14日分の平均賃金を解雇予告手当として支払えばよいのです。

★
Q 24
□□
【平23】

労働基準法第20条所定の予告期間及び予告手当は、6か月の期間を定めて使用される者が、期間の途中で解雇される場合には適用されることはない。

★★
Q 25
□□
【予想】

就業規則により採用された日から3ヵ月の期間が試みの使用期間と定められている労働者を解雇する場合において、使用者は、当該労働者が当該試みの使用期間の経過後14日を超えて引き続き使用されるに至ったときに限り、労働基準法第20条の解雇の予告又は予告手当の支払いを要する。

★★
Q 26
□□
【令4】

労働基準法第22条第1項に基づいて交付される証明書は、労働者が同項に定める法定記載事項の一部のみが記入された証明書を請求した場合でも、法定記載事項をすべて記入しなければならない。

★
Q 27
□□
【予想】

使用者は、あらかじめ第三者と謀り、労働者の就業を妨げることを目的として、労働者の国籍、信条、社会的身分、労働組合運動その他これらに準ずる事項について、通信をしてはならない。

★
Q 28
□□
【令2】

使用者は、労働者の死亡又は退職の場合において、権利者の請求があった場合においては、7日以内に賃金を支払い、労働者の権利に属する金品を返還しなければならないが、この賃金又は金品に関して争いがある場合においては、使用者は、異議のない部分を、7日以内に支払い、又は返還しなければならない。

A 24 □□ 速P35

期間を定めて使用される者について解雇予告等の規定が適用除外とされるのは、2ヵ月以内の期間を定めて使用される場合である。したがって、設問の者を解雇する場合には、解雇予告等をする必要がある。(法21二) ×

A 25 □□ 速P35

「『試みの使用期間の経過後』14日を超えて」ではない。試みの使用期間の長さにかかわらず、14日を超えて引き続き使用されるに至ったとき(使用開始から15日目以後)は、使用者は、解雇の予告又は予告手当の支払いを要する。(法21、昭24.5.14基収1498) ×

A 26 □□ 速P37

設問の証明書(退職時の証明書)には、労働者の請求した事項のみを記入しなければならず、労働者の請求しない事項は、たとえ法定記載事項であっても記入してはならない。(法22③) ×

A 27 □□ 速P38

使用者は、あらかじめ第三者と謀り、労働者の就業を妨げることを目的として、労働者の①国籍、②信条、③社会的身分又は④労働組合運動に関する通信をしてはならない。これら以外の事項の通信は禁止されない。(法22④、昭22.12.15基発502) ×

A 28 □□ 速P38

使用者は、労働者の死亡又は退職の場合において、権利者の請求があった場合には、7日以内に賃金を支払い、労働者の権利に属する金品を返還しなければならない。賃金又は金品に関して争いがある場合には、異議のない部分を7日以内に支払い、又は返還しなければならない。(法23) ○

4 賃金

★

Q 29

□□

【令元】

私有自動車を社用に提供する者に対し、社用に用いた場合のガソリン代は走行距離に応じて支給される旨が就業規則等に定められている場合、当該ガソリン代は、労働基準法第11条にいう「賃金」に当たる。

★★

Q 30

□□

【予想】

平均賃金の計算において、労働者が労働基準法第39条に基づいて年次有給休暇を取得した期間は、その日数及びその期間中の賃金を同法第12条第１項及び第２項に規定する期間及び賃金の総額から除外する。

★★

Q 31

□□

【令３】

賃金を通貨以外のもので支払うことができる旨の労働協約の定めがある場合には、当該労働協約の適用を受けない労働者を含め当該事業場のすべての労働者について、賃金を通貨以外のもので支払うことができる。

★★

Q 32

□□

【予想】

使用者は、資金移動業者口座への賃金の資金移動（賃金のデジタル払い）を行う場合には、労働者が預貯金口座への振込み等による賃金の支払いを選択することができるようにするとともに、労働者に対し、所定の事項を説明した上で、その同意を得なければならない。

Q 33

□□

【平24】

１か月の賃金支払額（賃金の一部を控除して支払う場合には、控除後の額）に生じた千円未満の端数を翌月の賃金支払日に繰り越して支払うことは、労働基準法第24条違反としては取り扱わないこととされている。

A 29
□□
速P40

設問にあるような社用に用いた場合のガソリン代は、実費弁償として支払われる性格のものであるため、労働基準法上の「賃金」には該当しない。（昭28.2.10基収6212）

×

A 30
□□
速P41、P42

平均賃金の計算において、年次有給休暇を取得した期間の日数及びその期間中の賃金を除外する旨の規定は存在しない。（法12③）

×

A 31
□□
速P44

労働協約の定めにより、賃金を通貨以外のもので支払うことが許されるのは、当該労働協約の適用を受ける労働者に限られる。（法24①、昭63.3.14基発150）

×

A 32
□□
速P44

使用者は、賃金のデジタル払いを行う場合には、①労働者が預貯金口座への振込み等による賃金の支払いを選択することができるようにするとともに、②所定の事項を説明した上で、③労働者の同意を得なければならない。（則７の２①）

○

A 33
□□
速P44

１ヵ月の賃金支払額については、賃金支払いの便宜上の取扱いとして、①100円未満の端数を四捨五入して支払うこと、②1,000円未満の端数を翌月の賃金支払日に繰り越して支払うことが認められている。設問は②についてである。（昭63.3.14基発150）

○

★
Q 34
□□
【令4】

労働基準法第25条により労働者が非常時払を請求しうる事由の１つである「疾病」とは、業務上の疾病、負傷であると業務外のいわゆる私傷病であるとを問わない。

★
Q 35
□□
【令元】

労働基準法第26条に定める休業手当は、賃金とは性質を異にする特別の手当であり、その支払については労働基準法第24条の規定は適用されない。

Q 36
□□
【平26】

いわゆる出来高払制の保障給を定めた労働基準法第27条の趣旨は、月給等の定額給制度ではなく、出来高払制で使用している労働者について、その出来高や成果に応じた賃金の支払を保障しようとすることにある。

よくある質問

質問　「休業手当」は賃金に該当するということですが、「休業補償費」は賃金ではないとなっています。両者の違いがよく分かりません。

回答

休業手当と休業補償費は、名称がよく似ていますが、これらを受ける労働者が労働することができる状態にあるか否かという観点から、その違いを捉えるとよいでしょう。

休業手当とは、使用者の責めに帰すべき事由に

A 34 □□ 速P46

法25条の非常時払を請求しうる事由には、出産、疾病、災害その他厚生労働省令で定める非常の場合（結婚、死亡、1週間以上にわたる帰郷）があるが、ここでいう「疾病」については、業務上・外を問わない。（コンメンタール上373頁参照） ○

A 35 □□ 速P46

休業手当は、賃金と解されるため、その支払いについては法24条の規定（賃金支払5原則）が適用される。（昭25.4.6基収207） ×

A 36 □□ 速P47

出来高払制の保障給の趣旨は、労働者が就業して得られた出来高が少ない場合であっても、労働した時間に応じた一定額の賃金の支払いを保障しようとすることにある。「出来高や成果」に応じた賃金の支払いを保障しようとするものではない。（法27、コンメンタール上387頁参照） ×

より、労働者が労働することができる状態にあるにもかかわらず休業した場合に支払われるものです。使用者の都合で休まざるを得なかった部分の賃金の一部を支払うものであるため、休業手当は賃金に該当します。

休業補償費とは、労働者が業務上の傷病により労働することができない状態となって休業した場合に支払われるものです。あくまで業務上の災害について使用者が行う補償（償い）であるため、休業補償費は賃金に該当しません。

5 労働時間・休憩・休日の原則等

★
Q 37
□□
【予想】

労働基準法上の労働時間とは、労働者が使用者の指揮命令下に置かれている時間をいうが、労働時間に該当するか否かは、労働契約、就業規則、労働協約等の定めにより決定すべきものであるとするのが最高裁判所の判例である。

★
Q 38
□□
【平26】

労働基準法上の労働時間に関する規定の適用につき、労働時間は、同一事業主に属する異なった事業場において労働する場合のみでなく、事業主を異にする事業場において労働する場合も、通算される。

★
Q 39
□□
【令６】

使用者は、労働基準法第33条の「災害その他避けることのできない事由」に該当する場合であっても、同法第34条の休憩時間を与えなければならない。

★
Q 40
□□
【予想】

労働者が休日に労働を行った後に、その代償としてその後の特定の労働日の労働義務を免除するいわゆる代休を与えた場合には、当該休日は労働日となり、休日に労働させたことにはならない。

Q 41
□□
【平27】

労働基準法第41条第２号により、労働時間等に関する規定が適用除外される「機密の事務を取り扱う者」とは、必ずしも秘密書類を取り扱う者を意味するものでなく、秘書その他職務が経営者又は監督若しくは管理の地位にある者の活動と一体不可分であって、厳格な労働時間管理になじまない者をいう。

A 37
□□
速P50

最高裁判所の判例によれば、労働時間に該当するか否かは、労働者の行為が使用者の指揮命令下に置かれたものと評価することができるか否かにより客観的に定まるものであり、労働契約、就業規則、労働協約等の定めにより決定されるべきものではない。（最判 平12.3.9三菱重工長崎造船所事件）

×

A 38
□□
速P50

労働時間は、事業場を異にする場合においても、労働時間に関する規定の適用については通算される。この規定は、事業主を異にする場合にも適用される。（法38①、昭23.5.14基発769）

○

A 39
□□
速P51

災害その他避けることのできない事由に該当する場合（非常災害時）であっても、法34条の休憩時間の付与は必要である。（法33①、コンメンタール上485頁参照）

○

A 40
□□
速P53

代休を与えた場合でも、現に休日に行われた労働は休日労働に該当する。一方、就業規則に定める休日の振替規定によりあらかじめ休日を振り替える場合には、休日労働とはならない。（昭23.4.19基収1397）

×

A 41
□□
速P54

「機密の事務を取り扱う者」とは、秘書その他職務が経営者又は監督若しくは管理の地位にある者の活動と一体不可分であって、厳格な労働時間管理になじまない者をいう。（昭22.9.13発基17）

○

6　みなし労働時間制

★
Q 42
□□
【令元】

労働基準法第38条の２に定めるいわゆる事業場外労働のみなし労働時間制に関する労使協定で定める時間が法定労働時間以下である場合には、当該労使協定を所轄労働基準監督署長に届け出る必要はない。

★
Q 43
□□
【予想】

専門業務型裁量労働制においては、適用される労働者の同意を得なければならないが、企画業務型裁量労働制においては、適用される労働者の同意を得ることは、労働基準法上求められていない。

★
Q 44
□□
【平22】

労働基準法第38条の４第１項に定めるいわゆる労使委員会は、同条が定めるいわゆる企画業務型裁量労働制の実施に関する決議のほか、労働時間・休憩及び年次有給休暇に関する労働基準法上の労使協定に代替する決議を行うことができるものとされている。

よくある質問

質問　専門業務型裁量労働制では労使協定の締結が要件となっていますが、企画業務型裁量労働制では労使委員会の決議が要件となっています。なぜ、労使協定ではないのですか？

回答

企画業務型裁量労働制は、対象業務の範囲が明確ではなく、使用者がこれを拡大解釈する可能性があるため、要件を厳しくしているのです。

専門業務型裁量労働制は、対象業務が20種類

A 42 □□ 速P58

事業場外労働のみなし労働時間制における「当該業務の遂行に通常必要とされる時間」は、労使協定で定めることができる。この定めた時間が法定労働時間以下である場合には、当該労使協定は、届け出ることを要しない。（法38の2②、則24の2③）

〇

A 43 □□ 速P59、P61

専門業務型裁量労働制のほか、企画業務型裁量労働制においても、適用される労働者の同意を得なければならない。なお、労働者は同意を撤回することもできる。（法38の4①六、則24の2の2③一）

×

A 44 □□ 速P62、P78

労使委員会は、その委員の5分の4以上の多数による議決により、労使協定に代わる決議（代替決議）をすることができる。なお、①貯蓄金管理協定、②賃金全額払いの例外に係る労使協定は、代替決議の対象となっていない。（法38の4⑤）

〇

の専門業務に限定され、その範囲が明確です。これに対して、企画業務型裁量労働制は、対象業務の範囲が明確ではありません。法律上に一定の範囲が定められていますが、最終的には「使用者が具体的な指示をしないこととする業務」です。したがって、使用者がこれを不当に拡大解釈し、対象業務の範囲を広げてしまう危険性があります。それを防止するため、労使協定よりも厳しい労使委員会の決議（委員の5分の4以上の多数による議決による決議）を要件としています。

7 変形労働時間制等

★

Q 45

□□
【予想】

1ヵ月単位の変形労働時間制については、当該変形期間を平均し1週間あたりの労働時間が40時間の範囲内であっても、使用者は、当該変形期間の途中において、業務の都合によって任意に労働時間を変更することができない。

★★

Q 46

□□
【令元】

1か月単位の変形労働時間制は、就業規則その他これに準ずるものによる定めだけでは足りず、例えば当該事業場に労働者の過半数で組織する労働組合がある場合においてはその労働組合と書面により協定し、かつ、当該協定を所轄労働基準監督署長に届け出ることによって、採用することができる。

★

Q 47

□□
【予想】

対象期間を3ヵ月とする1年単位の変形労働時間制については、労働日数についての限度は特に設けられておらず、労働基準法第35条に定める休日が与えられていれば足りる。

★★

Q 48

□□
【平30】

いわゆる一年単位の変形労働時間制においては、隔日勤務のタクシー運転者等暫定措置の対象とされているものを除き、1日の労働時間の限度は10時間、1週間の労働時間の限度は54時間とされている。

A 45
□□
速P65

1ヵ月単位の変形労働時間制では、あらかじめ変形期間における各日・各週の労働時間を特定しておく必要がある。変形期間の途中に、使用者が業務の都合によって任意に労働時間を変更するような制度はこれに該当しない。（昭63.1.1基発1）

○

A 46
□□
速P65

就業規則その他これに準ずるものによる定めだけでも足りる。1ヵ月単位の変形労働時間制は、労使協定又は就業規則その他これに準ずるもののいずれかにより、採用することができる。なお、労使協定により採用した場合には、これを所轄労働基準監督署長に届け出なければならない。（法32の2、則12の2の2②）

×

A 47
□□
速P68

1年単位の変形労働時間制に係る労働日数の限度は、対象期間の長さの区分に応じて、次のとおりである。（則12の4③、平11.1.29基発45）

①対象期間が3ヵ月超……1年あたり280日

②対象期間が3ヵ月以内……特別な限度なし（原則として週1回の休日が与えられていればよい。）

○

A 48
□□
速P69

1年単位の変形労働時間制における労働時間の限度は、暫定措置の対象とされているものを除き、1日について10時間、1週間について52時間である。（法32の4③、則12の4④、則附66）

×

★
Q 49
□□
【平28】

労働基準法第32条の５に定めるいわゆる一週間単位の非定型的変形労働時間制は、小売業、旅館、料理店若しくは飲食店の事業の事業場、又は、常時使用する労働者の数が30人未満の事業場、のいずれか１つに該当する事業場であれば採用することができる。

★★
Q 50
□□
【予想】

１週間単位の非定型的変形労働時間制については、日ごとの業務の繁閑を予測することが困難な事業に認められる制度であるため、１日の労働時間の上限は定められていない。

★
Q 51
□□
【平28】

労働基準法第32条の３に定めるいわゆるフレックスタイム制は、始業及び終業の時刻の両方を労働者の決定に委ねることを要件としており、始業時刻又は終業時刻の一方についてのみ労働者の決定に委ねるものは本条に含まれない。

★★
Q 52
□□
【予想】

労働基準法第32条の３に規定するフレックスタイム制を採用する場合には、清算期間の長さにかかわらず、労使協定を締結する必要があるが、使用者は、これを行政官庁に届け出る必要はない。

A 49
□□
速P70

1週間単位の非定型的変形労働時間制は、①小売業、旅館、料理店又は飲食店の事業の事業場であって、かつ、②常時使用する労働者の数が30人未満のものにおいて採用することができる。いずれか1つに該当するのみでは、採用することができない。（法32の5①、則12の5①②）

×

A 50
□□
速P70

1週間単位の非定型的変形労働時間制では、1日10時間、1週間40時間を限度として、労働させることができる。つまり、1日の労働時間については、上限が定められている。（法32の5①）

×

A 51
□□
速P70、P71

フレックスタイム制を採用する場合には、就業規則その他これに準ずるものにおいて、始業時刻及び終業時刻を労働者の決定に委ねる旨を明確に定めなければならない。この場合には、始業時刻及び終業時刻の両方を労働者の決定に委ねる必要があり、始業時刻又は終業時刻の一方についてのみ労働者の決定に委ねるものは、フレックスタイム制に該当しない。（昭63.1.1基発1）

○

A 52
□□
速P72

フレックスタイム制に係る労使協定は、清算期間が1ヵ月を超える場合には、行政官庁（所轄労働基準監督署長）に届け出なければならない（清算期間が1ヵ月以内の場合には、労使協定の届出は不要）。（法32の3④）

×

8 時間外・休日労働、割増賃金等

★
Q 53
□□
【予想】

災害その他避けることのできない事由によって、臨時の必要がある場合においては、使用者は、あらかじめ行政官庁に届け出ることにより、その必要の限度において、時間外労働又は休日労働をさせることができる。

★★
Q 54
□□
【令２改】

労働基準法第36条第３項に定める「労働時間を延長して労働させることができる時間」に関する「限度時間」は、原則として、１か月について45時間及び１年について360時間とされている。

★
Q 55
□□
【予想】

行政官庁は、厚生労働大臣が定める指針に適合しない36協定について、その内容を変更することができる。

★
Q 56
□□
【平25改】

使用者が、事業場の労働者の過半数で組織する労働組合と締結した36協定を行政官庁に届け出た場合、その協定が有する労働基準法上の効力は、当該組合の組合員でない他の労働者にも及ぶ。

よくある質問

質問　管理監督者等の労働時間等の適用除外者に対しても深夜業の割増賃金を支払う必要があるようですが、適用除外者なら関係ないのでは？

回答

深夜業の規定は、「労働の時間帯」に関するものであり、「労働の時間数」に関するものではないため、管理監督者等に対しても適用されます。

A 53 □□ 速P74

非常災害時に時間外・休日労働をさせる場合には、行政官庁の許可を受けなければならない。ただし、事態急迫のために許可を受ける暇がないときは、事後に遅滞なく届出をすれば足りる。（法33①） ×

A 54 □□ 速P76

時間外労働に係る「限度時間」は、原則として、1ヵ月について45時間及び1年について360時間である。（法36④） ○

A 55 □□ 速P77

行政官庁は、指針に適合しない36協定であっても、その締結当事者に対して、必要な助言及び指導を行うことができるにすぎない。（法36⑨） ×

A 56 □□ 速P77

労使協定の効力は、その事業場の全労働者に対して及ぶため、使用者が過半数労働組合と締結した労使協定の効力は、当該労働組合の組合員でない他の労働者にも及ぶ。（昭23.4.5基発535） ○

> 管理監督者等について適用が除外されるのは、「労働時間、休憩及び休日」に関する規定のみです。つまり、管理監督者等については、1日8時間・1週40時間という「労働の時間数」の制限は適用されませんが、午後10時から午前5時までの「労働の時間帯」に関する制限である深夜業の規定は適用されます。したがって、深夜業の割増賃金を支払う必要があります。

★
Q 57
□□
【平29】

休日労働が、８時間を超え、深夜業に該当しない場合の割増賃金は、休日労働と時間外労働の割増率を合算しなければならない。

★
Q 58
□□
【平23】

労働基準法第37条に定める割増賃金の基礎となる賃金（算定基礎賃金）はいわゆる通常の賃金であり、家族手当は算定基礎賃金に含めないことが原則であるから、家族数に関係なく一律に支給されている手当は、算定基礎賃金に含める必要はない。

★★
Q 59
□□
【予想】

事業場の規模を問わず、時間外労働及び休日労働の時間が１ヵ月について60時間を超えた場合の当該労働に係る割増賃金率は、５割以上の率とされている。

★
Q 60
□□
【令４】

労働基準法第37条第３項に基づくいわゆる代替休暇を与えることができる期間は、同法第33条又は同法第36条第１項の規定によって延長して労働させた時間が１か月について60時間を超えた当該１か月の末日の翌日から２か月以内の範囲内で、労使協定で定めた期間とされている。

A 57 □□ 速P79

休日労働に係る割増賃金率については、当該休日労働が８時間を超える場合であっても、深夜業に該当しない限り、休日労働に係る割増賃金率（３割５分以上の率）のみで差し支えない。（法37①、割賃令、昭22.11.21基発366）

×

A 58 □□ 速P81

家族数に関係なく一律に支給されている手当は、割増賃金の基礎から除外される家族手当に該当しない。なお、割増賃金の基礎から除外される賃金は、①家族手当、②通勤手当、③別居手当、④子女教育手当、⑤住宅手当、⑥臨時に支払われた賃金、⑦１ヵ月を超える期間ごとに支払われる賃金である。（昭22.11.5基発231）

×

A 59 □□ 速P81

割増賃金率が５割以上となるのは、１ヵ月について60時間を超えて時間外労働をさせた場合である。休日労働の時間は含まれない。（法37①）

×

A 60 □□ 速P82

代替休暇を与えることができる期間については、特に長い時間外労働が行われた月から一定の近接した期間に与えられることによって労働者の休息の機会とする観点から、時間外労働が１ヵ月について「60時間を超えた当該１ヵ月の末日の翌日から２ヵ月以内」の範囲内で、労使協定で定める必要がある。（則19の２①三、平21基発0529001）

○

9 年次有給休暇

★★
Q 61
□□
【平28】

年次有給休暇を取得した日は、出勤率の計算においては、出勤したものとして取り扱う。

★★
Q 62
□□
【令４】

年次有給休暇の権利は、「労基法39条１、２項の要件が充足されることによつて法律上当然に労働者に生ずる権利ということはできず、労働者の請求をまつて始めて生ずるものと解すべき」であり、「年次〔有給〕休暇の成立要件として、労働者による『休暇の請求』や、これに対する使用者の『承認』を要する」とするのが、最高裁判所の判例である。

★★
Q 63
□□
【平22改】

年次有給休暇の時間単位での取得は、労働基準法第39条第４項所定の事項を記載した就業規則の定めを置くことを要件に、年10日の範囲内で認められている。

★
Q 64
□□
【平28】

育児介護休業法に基づく育児休業申出後には、育児休業期間中の日について年次有給休暇を請求する余地はないが、育児休業申出前に育児休業期間中の日について時季指定や労使協定に基づく計画付与が行われた場合には、当該日には年次有給休暇を取得したものと解され、当該日に係る賃金支払日については、使用者に所要の賃金支払いの義務が生じるものとされている。

A 61
□□
速P85

出勤率の計算において、出勤したものとみなす期間・日を簡述すると、①業務上傷病の療養休業期間、②産前産後休業期間、③育児・介護休業期間、④年次有給休暇の取得日、⑤労働者の責めに帰すべき事由によらない不就労日（一定のものを除く。）である。（昭22.9.13発基17）

○

A 62
□□
速P85

最高裁判所の判例では、年次有給休暇の権利について、①法39条1、2項の要件（継続勤務及び出勤率）が充足されることによって法律上当然に労働者に生ずる権利であって、労働者の請求をまってはじめて生ずるものではないこと、②年次有給休暇の成立要件として、労働者による『休暇の請求』や、これに対する使用者の『承認』の観念を容れる余地はないこと、が示された。（最判 昭48.3.2 白石営林署事件）

×

A 63
□□
速P87

時間単位年休は、労使協定において法所定の事項を定めることを要件に、年5日の範囲内で付与することが認められている。（法39④）

×

A 64
□□
速P89

年次有給休暇は、労働義務のある日についてのみ請求できるものであるから、育児休業申出後には、育児休業期間中の日について年次有給休暇を請求する余地はない。ただし、育児休業申出前に育児休業期間中の日について時季指定や計画的付与が行われた場合には、当該日に年次有給休暇を取得したものと解される。（平3.12.20基発712）

○

★
Q 65
□□
【令3】

労働基準法第39条に従って、労働者が日を単位とする有給休暇を請求したとき、使用者は時季変更権を行使して、日単位による取得の請求を時間単位に変更することができる。

★★
Q 66
□□
【平22】

労働基準法第39条第６項に定める年次有給休暇の計画的付与は、当該事業場の労使協定に基づいて年次有給休暇を計画的に付与しようとするものであり、個々の労働者ごとに付与時期を異なるものとすることなく、事業場全体で一斉に付与しなければならない。

★
Q 67
□□
【予想】

使用者は、年次有給休暇（付与しなければならない有給休暇の日数が10労働日以上である労働者に係るものに限る。）の日数のうち５日については、基準日から１年以内の期間に、労働者ごとにその時季を定めることにより与えなければならない。

★★
Q 68
□□
【平25改】

労働基準法第39条の規定による年次有給休暇の期間又は時間については、平均賃金、所定労働時間労働した場合に支払われる通常の賃金又は健康保険法第40条第１項に定める標準報酬月額の30分の１に相当する金額のいずれかを、年次有給休暇を取得した労働者の指定するところに従い支払わなければならない。

A 65 □□ 速P89

使用者は、労働者から請求された時季に年次有給休暇を与えることが事業の正常な運営を妨げる場合においては、時季変更権を行使して、他の時季にこれを与えることができる。ただし、労働者が日単位による取得を請求した場合に、これを時間単位に変更することはできない。（平21基発0529001） ×

A 66 □□ 速P89

年次有給休暇の計画的付与の方式には、①事業場全体の一斉付与方式、②班別の交替制付与方式、③年次有給休暇付与計画表による個人別付与方式等がある。事業場全体で一斉に付与しなければならないものではない。（昭63.1.1基発1） ×

A 67 □□ 速P90

使用者は、年次有給休暇（（基準日に新たに）付与すべき年次有給休暇の日数が10労働日以上の労働者に係るものに限る。）の日数のうち5日については、基準日から1年以内の期間に、労働者ごとにその時季を指定して付与しなければならない。（法39⑦） ○

A 68 □□ 速P91

年次有給休暇日の賃金は、①平均賃金又は②所定労働時間労働した場合に支払われる通常の賃金、③健康保険法に定める標準報酬月額の30分の1に相当する額（労使協定の締結が必要）のうち、就業規則等によりいずれか特定したものとされる。つまり、年次有給休暇中の賃金を、労働者が指定するところに従い支払うことはできない。（法39⑨、コンメンタール上663頁参照） ×

10 年少者等の保護

★★
Q 69
□□
【平29】

使用者は、児童の年齢を証明する戸籍証明書を事業場に備え付けることを条件として、満13歳以上15歳未満の児童を使用することができる。

★
Q 70
□□
【予想】

親権者又は後見人は、賃金の支払方法が未成年者に不利であると認める場合においては、未成年者の賃金を代わって受け取ることができる。

★
Q 71
□□
【平30改】

使用者は、労働基準法に定める最低年齢を満たした満18歳に満たない者には、労働基準法第36条の協定によって時間外労働を行わせることはできないが、同法第33条の定めに従い、災害等による臨時の必要がある場合に時間外労働を行わせることは禁止されていない。

★
Q 72
□□
【平23】

満18歳に満たない年少者については、労働基準法第32条の2のいわゆる1か月単位の変形労働時間制を適用することはできないが、同法第32条の3のいわゆるフレックスタイム制を適用することはできる。

よくある質問

質問 児童の法定労働時間は「修学時間を通算して1週間40時間、1日7時間」となっていますが、どういう意味でしょうか？

回答

修学時間と労働時間を合わせた時間が「1週間40時間・1日7時間」までという意味です。

修学時間とは、学校で授業を受けている時間の

A 69
□□
速P93、P94

満13歳以上15歳未満の児童を使用するためには、行政官庁の許可を受けること等が条件となる。戸籍証明書を備え付けなければならないが、それのみでは児童を使用することはできない。（法56②）

×

A 70
□□
速P95

親権者又は後見人は、未成年者の賃金を代わって受け取ってはならない。設問のような例外はない。（法59）

×

A 71
□□
速P95、P96

満18歳に満たない者については、36協定に基づく時間外労働・休日労働を行わせることはできない。一方、非常災害時における時間外労働・休日労働を行わせることはできる。（法60①）

○

A 72
□□
速P95、P96

年少者（児童を除く。）には、一定の範囲内で1ヵ月単位の変形労働時間制及び1年単位の変形労働時間制を適用することができるが、フレックスタイム制及び1週間単位の非定型的変形労働時間制を適用することはできない。（法60①③二、平6.1.4基発1）

×

➚ことで「授業開始の時刻から授業終了の時刻までの時間から休憩時間を除いた時間」と解されています。

たとえば、1日の修学時間が5時間である日に労働させることができる時間は2時間までです。授業のない日であれば7時間まで労働させることができます。さらに、1週間の修学時間が30時間であれば、その週に労働させることができる時間は10時間までです。

11 妊産婦等の保護

Q 73
□□
【令2】

使用者は、女性を、さく岩機、鋲打機等身体に著しい振動を与える機械器具を用いて行う業務に就かせてはならない。

★
Q 74
□□
【令5】

女性労働者が妊娠中絶を行った場合、産前6週間の休業の問題は発生しないが、妊娠4か月（1か月28日として計算する。）以後行った場合には、産後の休業について定めた労働基準法第65条第2項の適用がある。

★
Q 75
□□
【令3】

労働基準法第65条第3項は原則として妊娠中の女性が請求した業務に転換させる趣旨であるが、新たに軽易な業務を創設して与える義務まで課したものではない。

★
Q 76
□□
【予想】

生後満1年に達しない生児を育てる労働者が、1日2回各々少なくとも30分の育児時間を請求した場合においては、使用者は、当該育児時間中はその労働者を使用してはならない。

★
Q 77
□□
【平26】

労働基準法第68条に定めるいわゆる生理日の休暇の日数については、生理期間、その間の苦痛の程度あるいは就労の難易は各人によって異なるものであり、客観的な一般的基準は定められない。したがって、就業規則その他によりその日数を限定することは許されない。

A 73
□□
速P100

「身体に著しい振動を与える機械器具を用いて行う業務」については、妊娠中の女性及び産後1年を経過しない女性を就かせてはならないが、それ以外の女性（一般女性）を就かせることはできる。（法64の3①②、女性則2、3）

×

A 74
□□
速P101

産前休業は「（自然の）出産予定日」を基準とするため、妊娠中絶を行った場合は、産前6週間の休業の問題は発生しない（取得不可）。一方、産後休業は、「現実の出産日」を基準とするため、妊娠4ヵ月以後に妊娠中絶を行った場合は、産後8週間の休業の対象となる。（昭26.4.2婦発113）

○

A 75
□□
速P101

法65条3項は、妊娠中の女性が請求した業務に転換させる趣旨であるが、使用者に対し、新たに軽易な業務を創設して与える義務まで課したものではない。（昭61.3.20基発151・婦発69）

○

A 76
□□
速P102

1日に2回各々30分、生後1年に達しない生児を育てるための育児時間を請求することができるのは、女性のみである。男性も含んだ「労働者」を対象とした制度ではない。（法67）

×

A 77
□□
速P103

就業規則等により生理休暇の日数を限定することは許されない。なお、有給の生理休暇の日数を就業規則等に定めておく（限定する）ことは、それ以上の生理休暇を与えることが明らかにされていれば、差し支えないとされている。（昭23.5.5基発682）

○

12 就業規則、寄宿舎その他

★★
Q 78
□□
【令元】

労働基準法第89条に定める「常時10人以上の労働者」の算定において、1週間の所定労働時間が20時間未満の労働者は0.5人として換算するものとされている。

★
Q 79
□□
【令3】

欠勤（病気事故）したときに、その日を労働者の請求により年次有給休暇に振り替える取扱いが制度として確立している場合には、当該取扱いについて就業規則に規定する必要はない。

★
Q 80
□□
【令3】

就業規則中に懲戒処分を受けた場合は昇給させないという欠格条件を定めることは、労働基準法第91条に違反する。

★★
Q 81
□□
【平25】

行政官庁は、就業規則が当該事業場について適用される労働協約に抵触する場合には、当該就業規則の変更を命ずることができる。

Q 82
□□
【予想】

使用者は、事業の種類にかかわらず、常時10人以上の労働者を就業させる事業の附属寄宿舎を設置し、移転し、又は変更しようとする場合においては、厚生労働省令で定める危害防止等に関する基準に従い定めた計画を、工事着手14日前までに、所轄労働基準監督署長に届け出なければならない。

A 78
□□
速P105

設問のように取り扱う規定はない。１週間の所定労働時間にかかわらず、常時使用される労働者であれば、たとえパートタイム労働者やアルバイト等であっても、１人として算定される。（法89）

×

A 79
□□
速P106

制度として確立している場合には、就業規則に規定する必要がある。設問のような取扱いが制度として確立している場合には、「当該事業場の労働者のすべてに適用される定め」（労働者のすべてがその適用を受ける可能性があるものも含む。）として、就業規則の相対的必要記載事項に該当するためである。（法89十、昭23.12.25基収4281）

×

A 80
□□
速P108

懲戒処分を受けた場合は昇給させないという欠格条件を定めることは、減給の制裁の制限規定である法91条に違反しない。いわゆる昇給停止は、減給の制裁には該当しない。（昭26.3.31基収938）

×

A 81
□□
速P109

行政官庁（所轄労働基準監督署長）は、法令又は労働協約に抵触する就業規則の変更を命ずることができる。（法92②）

○

A 82
□□
速P110

使用者は、①常時10人以上の労働者を就業させる事業（業種は不問）、②厚生労働省令で定める危険有害な事業（労働者数は不問）の附属寄宿舎の設置、移転又は変更をする際には、工事着手14日前までに、その計画を所轄労働基準監督署長に届け出なければならない。設問は、①についてである。（法96の２①、事業附属寄宿舎規程３の２①）

○

13 監督機関、雑則、罰則

Q 83
□□
【令2】

使用者は、事業を開始した場合又は廃止した場合は、遅滞なくその旨を労働基準法施行規則の定めに従い所轄労働基準監督署長に報告しなければならない。

★★
Q 84
□□
【令2】

労働基準法第106条により使用者に課せられている法令等の周知義務は、労働基準法、労働基準法に基づく命令及び就業規則については、その要旨を労働者に周知させればよい。

Q 85
□□
【平26改】

賃金台帳に関し、使用者は、労働基準法第33条若しくは第36条第１項の規定によって労働時間を延長し、若しくは休日に労働させた場合又は午後10時から午前５時までの間に労働させた場合には、その延長時間数、休日労働時間数及び深夜労働時間数を、労働者各人別に、賃金台帳に記入しなければならず、また、同様に、基本給、手当その他賃金の種類ごとにその額も賃金台帳に記入しなければならないこととされている。

★
Q 86
□□
【予想】

労働基準法第114条の規定に基づき裁判所が付加金の支払いを命ずることができるのは、同法第20条（解雇予告手当）、第26条（休業手当）若しくは第37条（割増賃金）の規定に違反した使用者又は第39条第９項の規定における賃金（年次有給休暇中の賃金）を支払わなかった使用者に限られている。

A 83 □□ 速P115

事業を廃止した場合は、報告の対象となっていない。報告が必要なのは次の場合である。（則57①） ×

①事業を開始した場合

②寄宿舎において火災等の事故が発生した場合

③労働者が寄宿舎内で負傷し、窒息し、又は急性中毒にかかり、死亡し又は休業した場合

④社内預金の受入れをする場合（管理状況）

A 84 □□ 速P115

使用者は、労働基準法及びこれに基づく命令についてはその要旨を、就業規則、労使協定及び労使委員会の決議についてはその全文を、労働者に周知させなければならない。（法106①） ×

A 85 □□ 速P116

賃金台帳の記入事項には、労働者各人に係る①氏名、②性別、③賃金計算期間、④労働日数、⑤労働時間数、⑥時間外労働時間数、休日労働時間数及び深夜労働時間数、⑦基本給、手当その他賃金の種類ごとにその額、⑧賃金の一部を控除した場合には、その額がある。設問は、上記⑥⑦についてである。（則54①） ○

A 86 □□ 速P117

裁判所による付加金の支払いの命令は、①解雇予告手当、②休業手当又は③割増賃金の規定に違反した使用者のほか、④年次有給休暇の規定による賃金を支払わなかった使用者に対して行われる。（法114） ○

POINTマスター

労働基準法

1 有期労働契約の期間の上限

期間の定めがある契約は、次の期間が最長期間となる。

原則	3年
例外	①一定の事業の完了に必要な期間を定めるもの ②認定職業訓練のため長期の訓練期間を要するもの →①②ともに、終期まで ③高度の専門的知識等を有する労働者又は満60歳以上の労働者との間に締結されるもの →5年

★上記③の高度の専門的知識等を有する労働者（主なもの）

- ・博士の学位を有する者
- ・一定の12種類の資格（公認会計士、医師、弁護士等のほか、社会保険労務士が含まれる。）のいずれかを有する者
- ・契約期間中の支払いが確実に見込まれる１年あたりの賃金額が1,075万円以上であり、一定の農林水産業等の技術者、システムエンジニア等の業務に就こうとする者等

2 労働条件の絶対的明示事項

①	労働契約の期間に関する事項
②	有期労働契約を更新する場合の基準に関する事項（更新上限の定めがある場合には当該上限を含む。）
③	就業の場所・従事すべき業務に関する事項（就業の場所・従事すべき業務の変更の範囲を含む。）
④	始業・終業の時刻、所定労働時間を超える労働の有無、休憩・休日・休暇、交替勤務の就業時転換に関する事項
⑤	賃金（退職手当、賞与等を除く。）の決定・計算・支払いの方法、賃金の締切り・支払時期、昇給に関する事項
⑥	退職に関する事項（解雇の事由を含む。）

★上記の明示方法＝書面の交付等（昇給に関する事項を除く。）

3 解雇制限・解雇予告の原則と例外

	原則	例外
解雇制限	①業務上傷病の休業期間 ＋30日間	a．打切補償の支払い b．事業継続不可能＋認定
解雇制限	②産前産後の休業期間 ＋30日間	a．なし b．事業継続不可能＋認定
解雇予告	次のいずれかの方法による ①少なくとも30日前の予告 ②30日分以上の予告手当 ③上記①②の併用	次の場合は即時解雇可能 a．事業継続不可能＋認定 b．労働者の責めに帰すべき事由＋認定

4 賃金支払5原則とその例外

原則	例外
通貨払い	①法令による別段の定めがある場合 ②労働協約による別段の定めがある場合 ③口座振込み等（労働者の同意が必要） →退職手当は小切手等での支払いも可
直接払い	法令上の例外なし（使者への支払い等は可）
全額払い	①法令による別段の定めがある場合 ②労使協定を締結した場合（届出は不要）
毎月１回以上・一定期日払い	①臨時に支払われる賃金、賞与 ②１ヵ月を超える期間に基づく精勤手当等

5 みなし労働時間制の種類と要件

種類	主な要件
①事業場外労働	労働時間を算定し難い場合
②専門業務型裁量労働制	労使協定の締結（届出も必要）
③企画業務型裁量労働制	労使委員会の決議（出席委員の５分の４以上の議決が必要）とその届出

6 変形労働時間制等のまとめ

種類(略称)	導入の要件	労働時間の範囲・限度等
1ヵ月単位の変形制	労使協定又は就業規則	週平均40時間（特例44時間）以下 ※1日・1週間の限度時間なし
1年単位の変形制	労使協定	必ず週平均40時間以下 限度時間／1日10時間・週52時間
1週間単位の変形制	労使協定	必ず週40時間以下 限度時間／1日10時間・週40時間
フレックスタイム制	労使協定及び就業規則	週平均40時間（特例44時間）以下 ※清算期間1ヵ月超は必ず週平均40時間＋各月の週平均50時間以下

7 労使協定のまとめ

労働基準法上の労使協定	届出	有効期間
①貯蓄金管理（任意貯金）	○	×
②賃金の一部控除（賃金全額払いの例外）	×	×
③休憩時間の一斉付与の例外	×	×
④事業場外労働のみなし労働時間制	△※1	○
⑤専門業務型裁量労働制	○	○
⑥1ヵ月単位の変形労働時間制	○	○
⑦1年単位の変形労働時間制	○	○
⑧1週間単位の非定型的変形労働時間制	○	×
⑨フレックスタイム制	△※2	△※2
⑩時間外・休日労働（36協定）	○	○
⑪割増賃金の支払いに代わる代替休暇の付与	×	×
⑫年次有給休暇の時間単位付与	×	×
⑬年次有給休暇の計画的付与	×	×
⑭年次有給休暇中の賃金	×	×

※1：みなし労働時間が法定労働時間を超える場合のみ届出要。
※2：清算期間が1ヵ月を超える場合のみ届出・有効期間要。

8 主な判例チェック

□使用者の承認を得ないで公職に就任した者を懲戒解雇する旨の就業規則の条項は、無効と解される。十和田観光電鉄事件

□使用者が所定の予告期間をおかず、又は予告手当の支払いをしないで解雇の通知をした場合、その通知は即時解雇としては効力を生じないが、使用者が即時解雇を固執する趣旨でない限り、通知後30日の期間を経過するか、予告手当の支払いをしたときから解雇の効力を生ずる。細谷服装事件

□賃金の過払いを精算・調整するため、後に支払われるべき賃金から過払い分を控除するという適正な賃金の額を支払うための手段たる相殺（調整的相殺）は、その行使の時期、方法、金額等からみて労働者の経済生活の安定との関係上不当と認められないものであれば、法24条１項（賃金全額払いの規定）の禁止するところではない。福島県教組事件

□法26条の「使用者の責めに帰すべき事由」は、取引における一般原則たる過失責任主義とは異なる観点をも踏まえた概念というべきであって、民法536条２項の「債権者の責めに帰すべき事由」よりも広く、使用者側に起因する経営、管理上の障害を含むものと解するのが相当である。ノース・ウエスト航空事件

□法32条の労働時間とは、労働者が使用者の指揮命令下に置かれている時間をいい、この労働時間に該当するか否かは、客観的に定まるものであって、就業規則等の定めいかんにより決定されるべきものではない。三菱重工長崎造船所事件

□新たな就業規則の作成・変更によって、既得の権利を奪い、労働者に不利益な労働条件を一方的に課することは、原則として許されないが、当該規則条項が合理的なものである限り、個々の労働者において、これに同意しないことを理由として、その適用を拒否することは許されない。秋北バス事件

□使用者が労働者を懲戒するためには、あらかじめ就業規則において懲戒の種別及び事由を定めておくことを要する（拘束力を生ずるためには、その内容を労働者に周知させる手続が採られていることを要する。）。フジ興産事件

第2章 労働安全衛生法

1 総則等

★★
Q 87
□□
【平28改】

労働安全衛生法における「事業者」は、労働基準法第10条に規定する「使用者」とはその概念を異にしている。

★
Q 88
□□
【平29】

労働安全衛生法は、原材料を製造し、又は輸入する者にも、これらの物の製造又は輸入に際して、これらの物が使用されることによる労働災害の発生の防止に資するよう努めることを求めている。

★★
Q 89
□□
【予想】

二以上の建設業に属する事業の事業者が、一の場所において行われる当該事業の仕事を共同連帯して請け負った場合は、そのうちの1人を代表者として定め、遅滞なく、厚生労働大臣に届け出なければならない。

よくある質問

質問 「発注者」と「注文者」とは、別の者を指しているのでしょうか？　違いがよく分かりません。

回答

「発注者」とは、「注文者」のうち、自分は誰からも仕事を請け負わないで、他人に仕事を注文している者のことで、建設工事の「施主」にあたります。たとえば、A市が市道の舗装工事をB建設

「一般事業場の安全衛生管理体制」、「健康診断、面接指導等」から多く出題されます。重要度の高い問題を確実に得点できるようにしましょう。

A 87 □□ 速P127

労働安全衛生法における「事業者」とは、法人企業であれば当該法人そのものを、個人企業であれば事業経営主を指している。これは、労働基準法における「使用者」とは異なる概念である。（法2三、昭47.9.18発基91） ○

A 88 □□ 速P128

原材料の製造者又は輸入者は、これらの物の製造又は輸入の段階において、これらの物が使用されることによる労働災害の発生の防止に資するように努めなければならない。（法3②） ○

A 89 □□ 速P128

設問のいわゆるジョイント・ベンチャーについては、事業者のうちの１人を代表者として定め、仕事開始日の14日前までに、都道府県労働局長に届け出なければならない。（法5①、則1②） ×

会社に注文すれば、Ａ市が「発注者」です。

これに対して「注文者」とは、仕事の全部又は一部を他人に請け負わせている者のことです。たとえば、ビルの建設が「発注者」から注文され、その仕事を請け負ったＡ（元請事業者）から、その仕事の一部がＢ、Ｃ、Ｄ…と順次下請事業者に注文されるような場合には、ＡはＢに対する注文者、ＢはＣに対する注文者、ＣはＤに対する注文者…ということになります。

2 安全衛生管理体制

★★
Q 90
□□
【平24改】

常時120人の労働者を使用する清掃業の事業場の事業者は、総括安全衛生管理者を選任する義務がある。

★
Q 91
□□
【平22改】

安全管理者は、労働安全コンサルタントのほか、第1種安全管理者免許又は安全工学安全管理者免許を有する者の中から選任しなければならない。

★★
Q 92
□□
【平23】

常時70人の労働者を使用する運送業の事業場においては衛生管理者を選任しなければならないが、衛生管理者は少なくとも毎週1回作業場等を巡視しなければならない。

★
Q 93
□□
【平26】

事業者は、常時1,000人を超える労働者を使用する事業場にあっては、衛生管理者のうち少なくとも1人を専任の衛生管理者としなければならない。

Q 94
□□
【予想】

産業医は、事業者に対し、労働者の健康管理等について必要な勧告をすることができる。当該勧告を受けた事業者は、その内容等を衛生委員会又は安全衛生委員会に報告しなければならない。

A 90 □□ 速P132

総括安全衛生管理者を選任する義務がある事業場の規模（常用労働者数）は、屋外産業的業種（林・鉱・建設・運送・清掃業）の場合は100人以上である。（法10①、令2一） ○

A 91 □□ 速P133

安全管理者は、労働安全コンサルタントのほか、一定の資格を有する者のうちから選任しなければならないが、第1種安全管理者免許及び安全工学安全管理者免許というものは存在しない。（法11①、則5） ×

A 92 □□ 速P134

常時50人以上の労働者を使用する事業場においては、その業種にかかわらず、衛生管理者の選任義務がある。また、衛生管理者の作業場等の巡視頻度は、少なくとも毎週1回とされている。（法12①、令4、則11①） ○

A 93 □□ 速P134

次の①又は②の事業場の衛生管理者については、少なくとも1人を専任の衛生管理者とすることが必要である。（則7①五イ） ○

①常時1,000人を超える労働者を使用する事業場

②常時500人を超える労働者を使用する事業場で、坑内労働等健康上特に有害な業務に常時30人以上の労働者を従事させるもの

A 94 □□ 速P135

産業医は、事業者に対し、労働者の健康管理等について必要な勧告をすることができ、これを受けた事業者は、その内容等を衛生委員会又は安全衛生委員会に報告しなければならない。（法13⑤⑥） ○

Q 95

□□
【平26】

事業者は、産業医を選任すべき事業場以外の事業場については、労働安全衛生法第13条第１項に定める労働者の健康管理等を行うのに必要な医学に関する知識を有する医師又は労働者の健康管理等を行うのに必要な知識を有する保健師に労働者の健康管理等の全部又は一部を行わせるように努めなければならない。

★

Q 96

□□
【令４】

労働安全衛生法第14条において、作業主任者は、選任を必要とする作業について、経験、知識、技能を勘案し、適任と判断される者のうちから、事業者が選任することと規定されている。

★

Q 97

□□
【令４】

衛生委員会は、企業全体で常時50人以上の労働者を使用する企業において、当該企業全体を統括管理する事業場に設置しなければならないとされている。

★

Q 98

□□
【予想】

ずい道等の建設の仕事を行う特定元方事業者は、その労働者及び関係請負人の労働者が常時40人であるときは、統括安全衛生責任者を選任する必要はない。

A 95 □□ 速P135

事業者は、産業医の選任義務のない事業場については、労働者の健康管理等を行うのに必要な医学に関する知識を有する医師又は労働者の健康管理等を行うのに必要な知識を有する保健師に労働者の健康管理等の全部又は一部を行わせるように努めなければならない。（法13の２①、則15の２①）

○

A 96 □□ 速P136

作業主任者は、「①都道府県労働局長の免許を受けた者又は②都道府県労働局長の登録を受けた者が行う技能講習を修了した者」のうちから、選任しなければならない。（法14）

×

A 97 □□ 速P138

衛生委員会については、企業全体ではなく、事業場単位で規模の要件を判断することとされており、「常時50人以上の労働者を使用する事業場ごと」に設置しなければならない（安全委員会も同様に、事業場単位で設置する。）。（法18①、令９）

×

A 98 □□ 速P140

統括安全衛生責任者を選任すべき作業現場の規模（関係請負人の労働者を含む労働者数）は、次のとおりである。設問はこのうちの②に該当するため、統括安全衛生責任者の選任が必要である。

（法15①、令７②）

①下記②以外の建設・造船の仕事
　→常時50人以上

②ずい道等の建設、一定の場所での橋梁の建設、圧気工法による作業を行う仕事
　→常時30人以上

×

3 労働者の危害防止の措置

Q 99
□□
【令3改】

事業者は、作業方法又は作業手順を新規に採用し、又は変更したときは、1ヵ月以内に建設物、設備、原材料、ガス、蒸気、粉じん等による、又は作業行動その他業務に起因する危険性又は有害性等を調査し、その結果に基づいて、労働安全衛生法又はこれに基づく命令の規定による措置を講ずるほか、労働者の危険又は健康障害を防止するため必要な措置を講ずるように努めなければならない。

★★
Q 100
□□
【予想】

元方事業者は、関係請負人が、当該仕事に関し、労働安全衛生法又は同法に基づく命令の規定に違反しないよう必要な指導を行わなければならないが、関係請負人の労働者に対しては、このような指導を直接行ってはならない。

★
Q 101
□□
【平22】

製造業に属する事業の元方事業者は、その労働者及び関係請負人の労働者の作業が同一の場所において行われることによって生ずる労働災害を防止するため、作業間の連絡及び調整を行うことに関する措置等の必要な措置を講じなければならない。

★
Q 102
□□
【平24】

重量が1つで0.5トンである貨物を発送しようとする者は、所定の除外事由に該当する場合を除き、当該貨物に見やすく、かつ、容易に消滅しない方法でその重量を表示しなければならない。

A 99 □□ 速P148 ×

設問の危険性又は有害性等の調査及びその結果に基づく措置は、作業方法又は作業手順を「新規に採用し、又は変更するとき」に、講ずるように努めなければならない。「新規に採用し、変更したときは、1ヵ月以内に」ではない。（法28の2①、則24の11①）

A 100 □□ 速P148 ×

元方事業者は、関係請負人及び関係請負人の労働者が、当該仕事に関し、労働安全衛生法又は同法に基づく命令の規定に違反しないよう必要な指導を行わなければならない。関係請負人だけでなく、関係請負人の労働者に対しても、必要な指導を直接行わなければならない。（法29①）

A 101 □□ 速P149 ○

製造業の元方事業者の講ずべき措置である。この規定で義務づけている措置の内容は、作業間の連絡及び調整を行うことに関する措置等のみである。（法30の2①）

A 102 □□ 速P150 ×

一の貨物で、重量が1トン以上のものを発送しようとする者は、包装されていない貨物で、その重量が一見して明らかであるものを発送しようとするときを除き、見やすく、かつ、容易に消滅しない方法で、当該貨物にその重量を表示しなければならない。（法35）

4　機械等に関する規制

★★
Q 103
□□
【平25改】

つり上げ荷重が５トンの移動式クレーンは、労働安全衛生法第37条第１項の規定に基づき、製造しようとする者が、あらかじめ都道府県労働局長の許可を受けなければならない機械等に該当する。

★
Q 104
□□
【予想】

登録製造時等検査機関は、使用再開検査に合格した特定機械等について、検査証を交付する。

★
Q 105
□□
【令元改】

墜落制止用器具は、労働安全衛生法第42条により、厚生労働大臣が定める規格又は安全装置を具備しなければ、譲渡し、貸与し、又は設置してはならない機械等に該当する。

★
Q 106
□□
【平30改】

作業床の高さが２メートル以上の高所作業車は特定自主検査の対象になるので、事業者は、その使用する労働者には当該検査を実施させることが認められておらず、検査業者に実施させなければならない。

よくある質問

質問　特定機械等に関して、「再使用検査」と「使用再開検査」の区別がつきません。

回答

「再使用検査」と「使用再開検査」の違いを理解するポイントは、検査証の有無です。

一定期間設置されなかったものを設置しようとする場合は、一度も設置していないので検査証が交付されていません。また、使用を廃止した（設置を外した）場合には、検査証を返還しなければ

A 103 □□ 速P152、P153

つり上げ荷重が3トン以上の移動式クレーンは、特定機械等に該当し、その製造について、あらかじめ都道府県労働局長の許可を受けなければならない。（法37①、令12）

○

A 104 □□ 速P154

使用再開検査に合格した特定機械等については、労働基準監督署長が検査証に裏書を行う。（法39③）

×

A 105 □□ 速P155、P156

墜落制止用器具は、厚生労働大臣が定める規格又は安全装置を具備しなければ、譲渡し、貸与し、又は設置してはならない。（法42、令13③二十八）

○

A 106 □□ 速P158

特定自主検査は、検査業者のほか、事業者の使用する労働者で厚生労働省令で定める資格を有するものに実施させることも認められている。（法45②、令15②）

×

➚なりません。いずれの場合も検査証がありませんので、再使用検査を受けて新たに検査証の交付を受けます。

一方、いったん設置された特定機械等の検査証の有効期間内に、所轄労働基準監督署長に休止報告をすると、検査証の返還義務がありません。これが「使用の休止」です。使用を休止した特定機械等を再び使用しようとする場合には、使用再開検査を受け、検査証に検査期日及び検査結果についての裏書を受けることになります。

5 危険物及び有害物に関する規制

★★
Q107
□□
【予想】

ジクロルベンジジン等の労働者に重度の健康障害を生ずるおそれのある物で、政令で定めるものを製造しようとする者は、あらかじめ、厚生労働大臣の許可を受けなければならない。

★
Q108
□□
【予想】

ベンゼンを容器に入れて譲渡する者は、その名称、人体に及ぼす作用、貯蔵又は取扱い上の注意等一定の事項をその容器に表示しなければならないが、当該物を取り扱う労働者に注意を喚起するための標章については、表示するよう努めることで足りる。

★
Q109
□□
【予想】

労働安全衛生法第57条の２第１項の通知対象物を譲渡し、又は提供する者は、通知事項のうち「人体に及ぼす作用」について、直近の確認を行った日から起算して３年以内ごとに１回、最新の科学的知見に基づき、変更を行う必要性の有無を確認し、変更を行う必要があると認めるときは、当該確認をした日から１年以内に、当該事項に変更を行わなければならない。

Q110
□□
【令３】

労働安全衛生法では、化学物質による労働者の健康障害を防止するため、新規化学物質を製造し、又は輸入しようとする事業者は、あらかじめ、厚生労働省令で定めるところにより、厚生労働大臣の定める基準に従って有害性の調査（当該新規化学物質が労働者の健康に与える影響についての調査をいう。）を行うよう努めなければならないとされている。

A 107 □□ 速P161

ジクロルベンジジン等の労働者に重度の健康障害を生ずるおそれのある物で、政令で定めるものの製造については、厚生労働大臣の許可が必要である。（法56①）

○

A 108 □□ 速P161

設問の表示等の義務の規定では、①名称、人体に及ぼす作用、貯蔵又は取扱い上の注意等一定の事項、②当該物を取り扱う労働者に注意を喚起するための標章で厚生労働大臣が定めるもののすべての表示を義務づけている。（法57①）

×

A 109 □□ 速P162

通知事項のうち「人体に及ぼす作用」については、５年以内ごとに１回、最新の科学的知見に基づき、変更を行う必要性の有無を確認し、変更を行う必要があると認めるときは、当該確認をした日から１年以内に、当該事項に変更（更新）を行わなければならない。（則34の２の５②）

×

A 110 □□ 速P164

化学物質による労働者の健康障害を防止するため、新規化学物質を製造し、又は輸入しようとする事業者は、あらかじめ、厚生労働省令で定めるところにより、厚生労働大臣の定める基準に従って有害性の調査を行わなければならない。（法57の4①）

×

6 安全衛生教育等

★★
Q111
□□
【令2改】

事業者は、臨時に使用する労働者を雇い入れたときは、当該労働者に対し、その従事する業務に関する安全衛生教育を行うよう努めなければならない。

★
Q112
□□
【平26】

労働安全衛生法第59条第1項に規定するいわゆる雇入れ時の安全衛生教育は、派遣労働者については、当該労働者が従事する「当該業務に関する安全又は衛生のために必要な事項」（労働安全衛生規則第35条第1項第8号）も含めて、派遣元の事業者がその実施義務を負っている。

★
Q113
□□
【予想】

事業者は、危険又は有害な業務で、厚生労働省令で定めるものに労働者を就かせるときは、その業務に関する特別の安全衛生教育を行わなければならないが、これを行ったときは、当該教育の受講者、科目等の記録を作成して、5年間保存しておかなければならない。

★
Q114
□□
【令2】

事業者は、その事業場の業種が金属製品製造業に該当するときは、新たに職務に就くこととなった職長その他の作業中の労働者を直接指導又は監督する者（作業主任者を除く。）に対し、作業方法の決定及び労働者の配置に関すること等について、厚生労働省令で定めるところにより、安全又は衛生のための教育を行わなければならない。

★
Q115
□□
【平28】

作業床の高さが5メートルの高所作業車の運転（道路上を走行させる運転を除く。）の業務は、高所作業車運転技能講習を修了した者でなければその業務に就くことはできない。

A 111 □□ 速P166

雇入れ時の安全衛生教育は、すべての労働者（臨時に雇用する者を含む。）に対し、行わなければならない。（法59①、則35①）

×

A 112 □□ 速P166

派遣労働者に関する安全衛生教育の実施義務は、次の事業者に課せられている。（派遣法45、昭61.6.6基発333）

- 雇入れ時の教育→派遣元のみ
- 作業内容変更時の教育→派遣元及び派遣先
- 特別教育、職長等教育→派遣先のみ

○

A 113 □□ 速P167

一定の危険有害業務に労働者を就かせるときは、事業者は、特別教育を行い、当該教育の受講者、科目等の記録を作成して、3年間保存しておかなければならない。（法59③、則38）

×

A 114 □□ 速P167、P168

事業者は、その事業場の業種が金属製品製造業その他の政令で定めるものに該当するときは、新たに職務に就くこととなった職長その他の作業中の労働者を直接指導又は監督する者（作業主任者を除く。）に対し、作業方法の決定及び労働者の配置に関すること等について、職長等教育を行わなければならない。（法60、令19二）

○

A 115 □□ 速P169

高所作業車運転技能講習を修了した者でなければ就くことができないのは、作業床の高さが10メートル以上の高所作業車の運転の業務である。（法61①、令20十五、則41、則別表第3）

×

7 健康診断、面接指導等

★
Q 116
□□
【平23】

都道府県労働局長は、労働安全衛生法第65条の規定により、作業環境の改善により労働者の健康を保持する必要があると認めるときは、労働衛生指導医の意見に基づき、作業環境測定を実施すべき作業場その他必要な事項を記載した文書により、事業者に対し、作業環境測定の実施その他必要な事項を指示することができる。

★
Q 117
□□
【令５】

事業者は、常時使用する労働者を雇い入れるときは、当該労働者に対し、所定の項目について医師による健康診断を行わなければならないが、医師による健康診断を受けた後、６月を経過しない者を雇い入れる場合において、その者が当該健康診断の結果を証明する書面を提出したときは、当該健康診断の項目に相当する項目については、この限りでない。

★★
Q 118
□□
【平27】

事業者は、深夜業を含む業務に常時従事する労働者については、当該業務への配置替えの際及び６月以内ごとに１回、定期に、労働安全衛生規則に定める項目について健康診断を実施しなければならない。

★★
Q 119
□□
【令元】

事業者は、常時使用する労働者に対し、定期に、所定の項目について医師による健康診断を行わなければならないとされているが、その費用については、事業者が全額負担すべきことまでは求められていない。

A 116 □□ 速P169

事業者に対し、作業環境測定の実施その他必要な事項を指示することができるのは、都道府県労働局長である。この指示は、都道府県労働局長が作業環境の改善により労働者の健康を保持する必要があると認めるときに、労働衛生指導医の意見に基づいて行うことができる。（法65⑤、則42の3）

○

A 117 □□ 速P172

事業者は、常時使用する労働者を雇い入れるときは、医師による雇入れ時の健康診断を行わなければならない。ただし、医師による健康診断を受けた後、3ヵ月を経過しない者を雇い入れる場合において、その者が当該健康診断の結果を証明する書面を提出したときは、その項目について雇入れ時の健康診断を省略することができる。（則43）

×

A 118 □□ 速P174

特定業務従事者の健康診断である。その対象者は、特定業務（深夜業を含む業務等）に常時従事する労働者であり、実施時期は、①配置替えの際、②6ヵ月以内ごとに1回（定期に）である。（則13①三ヌ、45①）

○

A 119 □□ 速P177

労働安全衛生法で事業者に実施義務を課している健康診断（一般健康診断、有害業務従事者の健康診断等）の費用は、当然に事業者が全額負担すべきものとされている。（則44①、昭47.9.18基発602）

×

★
Q 120
□□
【令5】

労働者は、労働安全衛生法の規定により事業者が行う健康診断を受けなければならない。ただし、事業者の指定した医師又は歯科医師が行う健康診断を受けることを希望しない場合において、その旨を明らかにする書面を事業者に提出したときは、この限りでない。

★
Q 121
□□
【予想】

事業者は、一般健康診断又は自発的健康診断を受けた労働者に対して、その結果のいかんにかかわらず、医師又は保健師による保健指導を行うように努めなければならない。

Q 122
□□
【平27】

派遣就業のために派遣され就業している労働者に対して労働安全衛生法第66条の８第１項に基づき行う医師による面接指導については、当該労働者が派遣され就業している派遣先事業場の事業者にその実施義務が課せられている。

★★
Q 123
□□
【平25】

事業者は、面接指導の結果に基づき、当該労働者の健康を保持するために必要な措置について、面接指導が行われた後、遅滞なく、医師の意見を聴かなければならない。

★★
Q 124
□□
【平30】

常時50人以上の労働者を使用する事業者は、常時使用する労働者に対し、１年以内ごとに１回、定期に、ストレスチェックを行わなければならない。

A 120 □□ 速P177

「その旨（希望しない旨）を明らかにする書面」ではなく、労働者の希望する（自ら選択する）医師又は歯科医師による健康診断を受け、「その結果を証明する書面」（受診した健康診断の結果証明書）を事業者に提出する必要がある。（法66⑤） ×

A 121 □□ 速P179

事業者は、一般健康診断又は自発的健康診断の結果、特に健康の保持に努める必要があると認める労働者に対し、医師又は保健師による保健指導を行うように努めなければならない。（法66の７①） ×

A 122 □□ 速P179

派遣労働者に対する面接指導（長時間労働者に対する面接指導）については、派遣元事業場の事業者にその実施義務が課せられている。（平21基発0331010） ×

A 123 □□ 速P181

事業者は、長時間労働者に対する面接指導の結果に基づき、当該労働者の健康を保持するために必要な措置について、医師の意見を聴かなければならない。この意見聴取は、面接指導が行われた後、遅滞なく行わなければならない。なお、事業者は、面接指導の結果の記録を作成して、これを５年間保存しなければならない。（法66の８④、則52の７等） ○

A 124 □□ 速P182

常時50人以上の労働者を使用する事業者は、常時使用する労働者に対し、１年以内ごとに１回、定期に、ストレスチェックを行わなければならない。つまり、産業医の選任義務のある事業者に実施義務がある。（法66の10①、法附４、令５、則52の９） ○

8 監督等

★
Q125
□□
【予想】

都道府県労働局長は、事業場の施設その他の事項について、労働災害の防止を図るため総合的な改善措置を講ずる必要があると認めるとき（労働安全衛生法第78条第１項の規定により厚生労働大臣が同項の厚生労働省令で定める場合に該当すると認めるときを除く。）は、事業者に対し、当該事業場の安全衛生改善計画を作成すべきことを指示することができる。

★
Q126
□□
【令６改】

事業者は、建設業に属する事業の仕事（重大な労働災害を生ずるおそれがある特に大規模な仕事で、厚生労働省令で定めるものを除く。）で、厚生労働省令で定めるものを開始しようとするときは、その計画を当該仕事の開始の日の14日前までに、労働基準監督署長に届け出なければならない。

★★
Q127
□□
【平29改】

労働者が事業場内における負傷により休業した場合は、その負傷が明らかに業務に起因するものではないと判断される場合であっても、事業者は、労働安全衛生規則第97条の労働者死傷病報告として、所定の事項を所轄労働基準監督署長に報告しなければならない。

★
Q128
□□
【令３】

事業者は、労働安全衛生法及びこれに基づく命令の要旨を各作業場の見やすい場所に掲示し、又は備え付けることその他の厚生労働省令で定める方法により、労働者に周知させなければならないが、この義務は常時10人以上の労働者を使用する事業場に課せられている。

A 125
□□
速P187

都道府県労働局長は、事業場の施設その他の事項について、労働災害の防止を図るため総合的な改善措置を講ずる必要があると認めるとき（一定の場合を除く。）は、安全衛生改善計画作成指示書により、事業者に対し、当該事業場の安全衛生改善計画を作成すべきことを指示することができる。（法79①）

○

A 126
□□
速P188

建設業に属する事業の仕事の計画については、原則として、当該仕事の開始の日の14日前までに、労働基準監督署長に届け出なければならない。なお、このうち「特に大規模」な仕事の計画については、当該仕事の開始の日の30日前までに、厚生労働大臣に届け出なければならない。（法88③）

○

A 127
□□
速P190

労働者死傷病報告は、労働者が労働災害その他就業中又は事業場内若しくはその附属建設物内における負傷、窒息又は急性中毒により死亡し、又は休業したときに、遅滞なく、電子情報処理組織を使用して、所定の事項を報告するものである。この報告にあたって、負傷等が業務に起因するものであるか否かは問われない。（則97①）

○

A 128
□□
速P190

法令等の周知義務は、事業場の規模にかかわらず、すべての事業場に課せられている。事業者は、労働安全衛生法及びこれに基づく命令の要旨を常時各作業場の見やすい所に掲示し、又は備え付けること等の方法により、労働者に周知させなければならない。（法101①）

×

POINTマスター

労働安全衛生法

1 一般事業場の安全衛生管理体制

	総括安全衛生管理者	安全管理者	衛生管理者
選任	14日以内に選任		
	遅滞なく報告		
業種・規模	①屋外産業的業種 →100人以上 ②屋内産業的工業的業種 →300人以上 ③その他の業種 →1,000人以上	①、② →50人以上	全業種 50人以上…1人 200人超…2人 500人超…3人 1,000人超…4人 2,000人超…5人 3,000人超…6人
資格	統括管理する者	理系＋実務＋研修修了など	・免許取得者 ・一定の有資格者
巡視	－	常時巡視	毎週1回
行政	局長の勧告	署長の増員・解任命令	

	安全衛生推進者（衛生推進者）	産業医	作業主任者
選任	14日以内に選任		－
	報告不要（周知）	遅滞なく報告	報告不要（周知）
業種・規模	①、② →10人以上 50人未満 ※③は衛生推進者	全業種 →50人以上 ※3,000人超 …2人以上選任	危険・有害作業 （規模不問）
資格	・講習修了者 ・学歴＋実務など	医師のうち一定の要件を満たす者	・免許取得者 ・技能講習修了者
巡視	－	原則毎月1回	－
行政	－	－	－

2 下請混在作業現場の安全衛生管理体制

	統括安全衛生責任者	元方安全衛生管理者	店社安全衛生管理者
業種	建設・造船業	建設業	建設業
規模	50人以上 ※ずい道・一定の橋梁等の建設、圧気工法作業→30人以上		・ずい道・一定の橋梁等の建設、圧気工法作業 →20人以上30人未満 ・鉄骨造・鉄骨鉄筋コンクリート造建設 →20人以上50人未満
巡視	（統括管理）	（技術的事項の管理）	毎月１回
行政	局長の勧告	署長の増員・解任命令	−

★統括安全衛生責任者を選任すべき作業現場では、下請負人が安全衛生責任者を選任しなければならない。

3 特定機械等のまとめ

特定機械等の種類	移動式	検査		検査証	
		製造時	設置時	交付者※	有効期間
①ボイラー	×	○	○	署長	１年
移動式ボイラー	○	○	×	検査機関	１年
②第１種圧力容器	×	○	○	署長	１年
移動式第１種圧力容器	○	○	×	検査機関	１年
③クレーン(つり上げ荷重3トン以上)	×	×	○	署長	２年
④移動式クレーン(つり上げ荷重3トン以上)	○	○	×	局長	２年
⑤デリック(つり上げ荷重2トン以上)	×	×	○	署長	２年
⑥エレベーター(積載荷重1トン以上)	×	×	○	署長	１年
⑦建設用リフト(ガイドレール高18m以上)	×	×	○	署長	設置〜廃止
⑧ゴンドラ	○	○	×	局長	１年

※検査機関＝登録製造時等検査機関

4 安全衛生教育のまとめ

種類	対象者	記録保存義務
雇入れ時・作業内容変更時の教育	全業種・全労働者	なし
特別教育	危険有害業務に就く労働者	あり（3年間）
職長等教育	新たに職務に就く職長等（作業主任者を除く）	なし

★十分な知識・技能を有する労働者→その事項・科目を省略可能

5 面接指導のまとめ

	長時間労働者に対する面接指導	ストレスチェックの結果に基づく面接指導
対象者	①時間外・休日労働時間が月80時間を超え、かつ、疲労の蓄積が認められる労働者であって、事業者に申出をしたもの ②新技術・商品等の研究開発業務に従事する労働者であって時間外・休日労働時間が月100時間を超えるもの ③高度プロフェッショナル制度の適用労働者であって週40時間を超える健康管理時間が月100時間を超えるもの	所定の要件に該当する労働者（高ストレス者）で事業者に申出をしたもの
罰則	あり※	なし
記録・保存	結果の記録を作成して、5年間保存（義務）	
医師からの意見聴取	面接指導後、遅滞なく、医師の意見を聴く（義務）	

※②③の者に面接指導を実施しない事業者が罰則の対象

6 主な届出・報告のまとめ

届出・報告		期限	届出・報告先
共同企業体（ジョイント・ベンチャー）の代表者の届出		14日前	局長
定期健康診断の結果報告（常用労働者数50人以上）		遅滞なく	署長
計画の届出	危険有害作業を必要とする一定の機械等の設置等	30日前	署長
	建設・土石採取業の仕事	14日前	署長
	特に大規模な建設業の仕事	30日前	大臣
事故報告		遅滞なく	署長
労働者死傷病報告		遅滞なく※	署長
疾病の報告		遅滞なく	局長

※休業４日未満の場合→四半期ごとに最後の月の翌月末日まで

7 主な実施主体のまとめ

	種類	実施主体
機械等に関する規制	製造の許可	局長
	製造時等検査	局長 ※特別特定機械等 →登録製造時等検査機関
	設置時等検査	署長
	性能検査	登録性能検査機関
	特定自主検査	資格を有する労働者又は検査業者
有害物に関する規制	製造等禁止物質の例外（試験研究）許可	局長
	製造許可物質の製造許可	大臣
就業制限	免許	局長
	技能講習	局長の登録を受けた者（登録教習機関）
健康診断等	臨時の健康診断の指示	局長
	健康管理手帳の交付	局長

第3章 労働者災害補償保険法

1 総論、適用の範囲

★★
Q 129
□□
【予想】

労働者災害補償保険は、業務上の事由、複数事業労働者の２以上の事業の業務を要因とする事由又は通勤による労働者の負傷、疾病、障害、死亡等に対して迅速かつ公正な保護をするため、必要な保険給付を行う。

Q 130
□□
【平22】

特別支給金の支給は、社会復帰促進等事業として行われるものであるが、その事務は所轄労働基準監督署長が行う。

★
Q 131
□□
【平29】

労災保険法は、市の経営する水道事業の非常勤職員には適用されない。

★
Q 132
□□
【予想】

農業法人の事業であって、常時使用する労働者が２人であるものは、労災保険の暫定任意適用事業に該当する。

★★
Q 133
□□
【平30】

試みの使用期間中の者にも労災保険法は適用される。

本試験での出題の中心は、治ゆ前・障害・遺族などの保険給付です。そのほか、業務災害・通勤災害・通則からも多く出題されます。

A 129 □□ 速P198

労災保険の保険給付の対象は、業務上の事由、複数事業労働者の２以上の事業の業務を要因とする事由又は通勤による労働者の負傷、疾病、障害、死亡等である。（法１） ○

A 130 □□ 速P201

所轄労働基準監督署長は、保険給付（二次健康診断等給付を除く。）、特別支給金の支給に関する事務等を行う。二次健康診断等給付に関する事務は、所轄都道府県労働局長が行う。（則１③） ○

A 131 □□ 速P201

地方公務員であって現業部門の非常勤職員に該当する設問の者には、地方公務員災害補償法が適用されないため、労災保険法が適用される。（法３②、地方公務員災害補償法２①、67②） ×

A 132 □□ 速P202

暫定任意適用事業に該当するのは、個人経営の農林水産の事業のうち一定のものである。法人の事業は、事業の種類及び常時使用する労働者数を問わず、強制適用事業に該当する。（整備令17） ×

A 133 □□ 速P203

労災保険法は、適用事業に使用される者のうち、労働基準法上の労働者（又は船員法上の船員）に該当するすべての者に対して、適用される。（法３①、労基法９） ○

2 業務災害等

★

Q134

□□

【令元】

派遣労働者に係る業務災害の認定に当たっては、派遣元事業場と派遣先事業場との間の往復の行為については、それが派遣元事業主又は派遣先事業主の業務命令によるものであれば一般に業務遂行性が認められるものとして取り扱うこととされている。

★

Q135

□□

【令3】

業務上右大腿骨を骨折し入院治療を続けて骨折部のゆ合がほぼ完全となりマッサージのみを受けていた労働者が、見舞いに来た友人のモーターバイクに乗って運転中に車体と共に転倒し、右大腿部を再度骨折した場合、業務災害と認められない。

Q136

□□

【予想】

新たに採用された労働者が、採用日以後の日において、その採用に伴う移転のため住所又は居所から採用事業場等に赴く途上に発生した災害は、業務上の事由による災害と認められることはない。

★★

Q137

□□

【令4】

工場に勤務する労働者が、作業終了後に更衣を済ませ、班長に挨拶して職場を出て、工場の階段を降りる途中に足を踏み外して転落して負傷した場合、業務災害と認められる。

A 134 □□ 速P205

派遣元事業場と派遣先事業場との間の往復の行為の業務遂行性は、一般に、それが派遣元事業主又は派遣先事業主の業務命令によるものであるときに認められる。(昭61.6.30発労徴41・基発383) ○

A 135 □□ 速P205

設問の再骨折は、事業主の支配下にない労働者の私的行為に基づくものであり、当初の骨折との間に因果関係がないものである。したがって、業務災害と認められない。(昭32.12.25基収6636号) ○

A 136 □□ 速P206

赴任途上における災害は、赴任先事業主の命令に基づき行われる赴任であって社会通念上合理的な経路及び方法による赴任であること等の要件に該当するものであれば、業務上の事由による災害と認められる。(平3.2.1基発75) ×

A 137 □□ 速P206

事業場施設内における業務終了後の退勤で業務と接続しているものは、業務に通常付随する後始末行為と認められる。また、設問の負傷は、労働者の積極的な私的行為又は恣意行為によるものと認められず、加えて通常発生しうるような負傷であるため、業務災害と認められる。(昭50.12.25基収1724) ○

Q 138
□□
【平29】

企業に所属して、労働契約に基づき労働者として野球を行う者が、企業の代表選手として実業団野球大会に出場するのに備え、事業主が定めた練習計画以外の自主的な運動をしていた際に負傷した場合、業務上として取り扱われる。

★
Q 139
□□
【令１改】

脳血管疾患及び虚血性心疾患等の認定基準において、特に過重な業務とは、日常業務に比較して特に過重な身体的、精神的負荷を生じさせたと客観的に認められる業務をいうものであり、ここでいう日常業務とは、通常の所定労働時間内の所定業務内容をいう。

★
Q 140
□□
【平30改】

心理的負荷による精神障害の認定基準において、業務による強い心理的負荷とは、精神障害を発病した労働者がその出来事及び出来事後の状況が持続する程度を主観的にどう受け止めたかという観点から評価されるものであるとされている。

★
Q 141
□□
【予想】

複数事業労働者の疾病について保険給付が行われるためには、複数事業労働者を使用するいずれかの事業における業務上の負荷のみをもって、業務と当該疾病との間に因果関係が認められなければならない。

A 138
□□
速P206

事業主が定めた練習計画以外に、労働者の意思による自主的な運動をしていた際の負傷は、業務上として取り扱われない。（平12.5.18基発366）

×

A 139
□□
速P207

「特に過重な業務」とは、日常業務に比較して特に過重な身体的、精神的負荷を生じさせたと客観的に認められる業務をいう。また、ここでいう「日常業務」とは、通常の所定労働時間内の所定業務内容をいう。（令３基発0914第１）

○

A 140
□□
速P208

業務による強い心理的負荷とは、精神障害を発病した労働者がその出来事及び出来事後の状況が持続する程度を「主観的にどう受け止めたかではなく、同種の労働者が一般的にどう受け止めるか」という観点から評価されるものであるとされている。（令５基発0901第２）

×

A 141
□□
速P209

いずれかの事業における業務上の負荷のみでは因果関係が認められない場合であっても、複数事業労働者を使用する全事業の業務上の負荷を総合的に評価して労災認定を行う。これにより労災認定がされれば、複数業務要因災害を支給事由とする保険給付の対象となる。（令２基発0821第１）

×

3 通勤災害

★
Q 142
□□
【令6】

長年営業に従事している労働者が、通常通りの時刻に通常通りの経路を徒歩で勤務先に向かっている途中に突然倒れ、急性心不全で死亡した場合、通勤災害と認められる。

★★
Q 143
□□
【平25】

通勤の途中、経路上で遭遇した事故において、転倒したタンクローリーから流れ出す有害物質により急性中毒にかかった場合は、通勤によるものと認められる。

★★
Q 144
□□
【予想】

労働者が、就業に関し、合理的な経路及び方法により住居と就業の場所との間を往復する行為は、それが同時に業務の性質を有するものであっても、労災保険法に定める通勤とされる。

よくある質問

質問　住居間の移動が通勤に該当するのは、住居と就業の場所との間の往復と同じ日に行われる住居間の移動に限られるのでしょうか？

回答

同じ日に行われる住居間の移動に限りません。

単身赴任者の帰省先住居と赴任先住居間の移動など「住居と就業の場所との間の往復に先行し、又は後続する住居間の移動」は、就業との関連性が認められれば、通勤に該当します。

A 142 □□ 速P211

設問の急性心不全は、「通勤に通常伴う危険が具体化したもの」とは認められない。したがって、通勤災害とは認められない。（昭50.6.9基収4039） ×

A 143 □□ 速P211

設問の急性中毒は、「通勤に通常伴う危険」が具体化したものとして、通勤によるもの（通勤による疾病）と認められる。（昭48.11.22基発644） ○

A 144 □□ 速P212

通勤とは、労働者が、就業に関し、住居と就業の場所との間の往復などの所定の移動を、合理的な経路及び方法により行うことをいう。ただし、その移動行為が業務の性質を有するものであるときは、通勤とされない。（法7②） ×

具体的には、「①帰省先住居から赴任先住居への移動」が業務に就く当日又は前日に行われた場合、「②赴任先住居から帰省先住居への移動」が業務に従事した当日又は翌日に行われた場合は、就業との関連性が認められます。なお、①が前々日以前に行われた場合、②が翌々日以後に行われた場合は、交通機関の状況等の合理的理由があるときに限り、就業との関連性が認められます。

★
Q 145
□□
【令4】

アパートの２階の一部屋に居住する労働者が、いつも会社に向かって自宅を出発する時刻に、出勤するべく靴を履いて自室のドアから出て１階に降りようとした時に、足が滑り転倒して負傷した場合、通勤災害に当たらない。

★★
Q 146
□□
【令元】

派遣労働者に係る通勤災害の認定に当たっては、派遣元事業主又は派遣先事業主の指揮命令により業務を開始し、又は終了する場所が「就業の場所」となるため、派遣労働者の住居と派遣元事業場又は派遣先事業場との間の往復の行為は、一般に「通勤」となるものとして取り扱うこととされている。

★★
Q 147
□□
【平28】

労災保険法第７条に規定する通勤の途中で合理的経路を逸脱した場合でも、日常生活上必要な行為であって厚生労働省令で定めるものをやむを得ない事由により行うための最小限度のものである場合は、当該逸脱の間も含め同条の通勤とする。

★
Q 148
□□
【令３】

従業員が業務終了後に通勤経路の駅に近い自動車教習所で教習を受けて駅から自宅に帰る途中で交通事故に遭い負傷した。この従業員の勤める会社では、従業員が免許取得のため自動車教習所に通う場合、奨励金として費用の一部を負担している。この場合は、通勤災害と認められる。

A 145 □□ 速P213

アパートについては、労働者が居住する自室のドア（外戸）が住居と通勤経路との境界であるので、ドアから出て1階に降りようとした時にした負傷は、通勤経路上の災害として通勤災害に当たる。（昭49.4.9基収314）

×

A 146 □□ 速P213

派遣労働者に係る通勤災害の認定にあたっては、派遣元事業主又は派遣先事業主の指揮命令により業務を開始し、又は終了する場所が、通勤に係る就業の場所となる。したがって、派遣労働者の住居と派遣元事業場又は派遣先事業場との間の往復の行為は、一般に通勤となる。（昭61.6.30発労徴41・基発383）

○

A 147 □□ 速P213

逸脱又は中断が、日常生活上必要な行為であって厚生労働省令で定めるものをやむを得ない事由により行うための最小限度のものである場合においては、その前後の移動は通勤とするが、当該逸脱又は中断の間は通勤としない。（法7③）

×

A 148 □□ 速P209

自動車教習所で教習を受ける行為は「日常生活上必要な行為」には該当しない。したがって、設問の負傷は、逸脱又は中断後の移動中に生じたものとなり、通勤災害と認められない。（昭48.11.22基発644）

×

4 給付基礎日額

★
Q 149
□□
【平27】

年金たる保険給付の支給に係る給付基礎日額に１円未満の端数があるときは、その端数については切り捨てる。

★★
Q 150
□□
【平21改】

給付基礎日額は、原則として、労働基準法第12条の平均賃金に相当する額とされ、この場合において、同条第１項の平均賃金を算定すべき事由の発生した日は、業務災害、複数業務要因災害及び通勤災害による負傷若しくは死亡の原因である事故が発生した日又は業務災害、複数業務要因災害及び通勤災害による疾病の発生が診断によって確定した日である。

★
Q 151
□□
【予想】

休業給付基礎日額のスライド改定は、原則として、四半期ごとの平均給与額が、算定事由発生日の属する四半期の平均給与額の100分の120を超え、又は100分の80を下るに至った場合に、行われる。

Q 152
□□
【予想】

年金たる保険給付の額の算定の基礎として用いる給付基礎日額については、算定事由発生日の属する年度の翌々年度の８月から、年齢階層別の最低限度額及び最高限度額が適用される。

A 149 □□ 速P216

給付基礎日額の端数処理は、１円未満の端数を１円に切り上げることにより行う。（法８の５）

×

A 150 □□ 速P217

平均賃金を算定すべき事由の発生した日（算定事由発生日）は、次の①又は②のいずれかである。（法８①）

①負傷又は死亡の原因である事故が発生した日
②診断によって疾病の発生が確定した日

○

A 151 □□ 速P219

休業給付基礎日額のスライド改定は、四半期の平均給与額が、算定事由発生日の属する四半期の平均給与額の100分の110を超え、又は100分の90を下るに至った場合に、行われる。（法８の２①）

×

A 152 □□ 速P221

年金給付基礎日額について年齢階層別の最低限度額・最高限度額は、年金たる保険給付が支給される最初の月から適用される。なお、スライド制は、算定事由発生日の属する年度の翌々年度の８月以後の分として支給する年金たる保険給付について、適用される。（法８の３②）

×

5 傷病に関する保険給付

★
Q 153
□□
【令元改】

療養を受ける病院が指定病院等に該当しないときは、厚生労働大臣が健康保険法に基づき指定する病院であっても、療養の給付は行われない。

★★
Q 154
□□
【平27】

療養補償給付たる療養の給付を受けようとする者は、厚生労働省令に規定された事項を記載した請求書を、直接、所轄労働基準監督署長に提出しなければならない。

★★
Q 155
□□
【平30】

療養補償給付としての療養の給付の範囲には、病院又は診療所における療養に伴う世話その他の看護のうち、政府が必要と認めるものは含まれるが、居宅における療養に伴う世話その他の看護が含まれることはない。

★
Q 156
□□
【令元】

病院等の付属施設で、医師が直接指導のもとに行う温泉療養については、療養補償給付の対象となることがある。

★
Q 157
□□
【平25】

休業補償給付は、労働者が業務上の傷病により療養のため労働不能の状態にあって賃金を受けることができない場合であれば、出勤停止の懲戒処分のため雇用契約上賃金請求権が発生しない日についても支給される。

A 153
□□
速P223

健康保険法に基づく指定を受けた病院等であっても、労災保険の指定病院等でない病院等においては、療養の給付は行われない。（則11①）

○

A 154
□□
速P223

療養の給付に係る請求書は、当該療養の給付を受けようとする指定病院等を経由して所轄労働基準監督署長に提出しなければならない。なお、療養の費用の支給を受けようとする者は、所定の事項を記載した請求書を、直接、所轄労働基準監督署長に提出しなければならない。（則12①）

×

A 155
□□
速P224

療養補償給付としての療養の給付の範囲は、①診察、②薬剤又は治療材料の支給、③処置、手術その他の治療、④居宅における療養上の管理及びその療養に伴う世話その他の看護、⑤病院又は診療所への入院及びその療養に伴う世話その他の看護、⑥移送であって、政府が必要と認めるものである。（法13②四五）

×

A 156
□□
速P224

医師が直接の指導を行わない温泉療養は、療養補償給付の対象とならないが、病院等の付属施設で医師が直接指導のもとに行う温泉療養は、その対象となることがある。（昭25.10.6 基発916）

○

A 157
□□
速P225

休業補償給付は、労働者が業務上の傷病により療養のため労働不能の状態にあって賃金を受けることができない場合に支給されるものであり、雇用契約上賃金請求権を有しない日についても、支給される。（最判 昭58.10.13浜松労基署長事件）

○

★★
Q158
□□
【予想】

休業給付が支給されない休業の初日から第３日目までの待期期間について、事業主は労働基準法に基づく休業補償の義務を負う。

★
Q159
□□
【平30改】

業務上の傷病により、所定労働時間の一部分についてのみ労働する日の休業補償給付の額は、療養開始後１年６か月未満の場合には、休業給付基礎日額から当該労働する日に対して支払われる賃金の額を控除して得た額の100分の60に相当する額である。

★
Q160
□□
【平24】

労働者が留置施設に留置されて懲役、禁錮又は拘留の刑の執行を受けている場合、休業補償給付は支給されない。

よくある質問

質問　休業（補償）等給付の支給額は、休業１日につき、原則として「給付基礎日額の100分の60に相当する額」ですが、これはどのように請求するのでしょうか。

回答

通常は、１ヵ月分の休業（補償）等給付をまとめて請求します。

休業（補償）等給付は、支給事由に該当した日（休業した日）ごとに受給権が発生します。したがって、理論上は休業した日ごとに、その日の分の休業（補償）等給付を請求することができます。

A 158 □□ 速P225

事業主が休業補償を行わなければならないのは、休業補償給付に係る待期期間についてである。休業給付は通勤災害の場合に支給されるものであるため、その待期期間について休業補償を行う必要はない。（法22の2、労基法76①、昭40.7.31基発901） ×

A 159 □□ 速P226

一部労働する日（部分算定日）の休業補償給付の額は、「（給付基礎日額 － 部分算定日に対して支払われる賃金額）×100分の60」となる。また、設問は、「療養開始後1年6ヵ月未満の場合」であるため、年齢階層別の最高限度額の適用を考慮する必要はない。（法14①ただし書き） ○

A 160 □□ 速P227

留置施設に留置されて懲役、禁錮又は拘留の刑の執行を受けている場合等は、休業補償給付は行われない。これは、休業（補償）等給付に特有の規定である。（法14の2、則12の4一） ○

しかし、1日分ずつ請求の手続きを行うことは、非常に煩雑で現実的ではないため、1ヵ月分の休業（補償）等給付をまとめて請求することが一般的です。

なお、請求に使用する「休業（補償）等給付支給請求書」には、3ヵ月分の請求内容を記入することができるようになっているため、休業が1ヵ月以上に及ぶときは、月単位（賃金計算期間単位）で当該請求書を所轄労働基準監督署長に提出することが可能です。

請求の期限は、法令上特に定められていませんが、請求する権利は、休業した日ごとに、それぞれその翌日から2年を経過すると、時効により消滅します。

★★
Q 161
□□
【平30】

傷病補償年金は、業務上負傷し、又は疾病にかかった労働者が、当該負傷又は疾病に係る療養の開始後１年を経過した日において次の①、②のいずれにも該当するとき、又は同日後次の①、②のいずれにも該当することとなったときに、その状態が継続している間、当該労働者に対して支給する。
①当該負傷又は疾病が治っていないこと。
②当該負傷又は疾病による障害の程度が厚生労働省令で定める傷病等級に該当すること。

★★
Q 162
□□
【予想】

業務上負傷した労働者が、傷病補償年金の支給を受けようとするときは、当該労働者は、所轄労働基準監督署長に請求書を提出しなければならない。

Q 163
□□
【平29】

傷病補償年金の受給者の障害の程度が軽くなり、厚生労働省令で定める傷病等級に該当しなくなった場合には、当該傷病補償年金の受給権は消滅するが、なお療養のため労働できず、賃金を受けられない場合には、労働者は休業補償給付を請求することができる。

★
Q 164
□□
【令２】

業務上負傷し、又は疾病にかかった労働者が、当該負傷又は疾病に係る療養の開始後３年を経過した日において傷病補償年金を受けている場合に限り、その日において、使用者は労働基準法第81条の規定による打切補償を支払ったものとみなされ、当該労働者について労働基準法第19条第１項の規定によって課せられた解雇制限は解除される。

A 161 □□ 速P228

傷病補償年金は、療養開始後1年6ヵ月経過日又は同日後において、業務上の傷病が治っておらず、かつ、その傷病による障害の程度が傷病等級の第1級から第3級まで（厚生労働省令で定める傷病等級）のいずれかに該当する場合に、支給される。（法12の8③）

×

A 162 □□ 速P228

傷病補償年金の支給の決定は、政府（所轄労働基準監督署長）が職権によって行う。労働者の請求は不要である。（則18の2①）

×

A 163 □□ 速P229

傷病補償年金を受ける者の障害の程度が軽くなり、傷病等級に該当しなくなった場合は、傷病補償年金の受給権は消滅するため、傷病補償年金は支給されなくなる。その後もその労働者が療養のため労働不能であり、賃金を受けることができないのであれば、当該労働者からの請求に基づき、休業補償給付が支給される。（法12の8②、則13①、昭52.3.30基発192）

○

A 164 □□ 速P229

①療養開始後3年経過日において傷病補償年金を受けている場合又は②同日後において傷病補償年金を受けることとなった場合は、労働基準法の規定による打切補償が支払われたものとみなされ、解雇制限が解除される。（法19）

×

6　障害に関する保険給付

★
Q165
□□
【予想】

障害等級第７級に該当する障害がある者に対して支給される障害補償年金の額は、給付基礎日額の131日分であり、障害等級第14級に該当する障害がある者に対して支給される障害補償一時金の額は、給付基礎日額の96日分である。

Q166
□□
【平30】

厚生労働省令で定める障害等級表に掲げるもの以外の身体障害は、その障害の程度に応じて、同表に掲げる身体障害に準じて障害等級を定めることとされている。

★
Q167
□□
【令５改】

業務上の災害により、ひじ関節の機能に障害を残し（第12級の６）、かつ、四歯に対し歯科補てつを加えた（第14級の２）場合の、障害補償給付を支給すべき身体障害の障害等級は、併合第12級となる。

★★
Q168
□□
【平30】

障害等級表に該当する障害が２以上あって厚生労働省令の定める要件を満たす場合には、その障害等級は、厚生労働省令の定めに従い繰り上げた障害等級による。具体例は次の通りである。

①第５級、第７級、第９級の３障害がある場合　第３級

②第４級、第５級の２障害がある場合　第２級

③第８級、第９級の２障害がある場合　第７級

A 165 □□ 速P232

障害等級第７級に該当する障害がある者には障害補償年金が支給され、その額は給付基礎日額の131日分である。障害等級第14級に該当する障害がある者には障害補償一時金が支給され、その額は給付基礎日額の56日分である。（法15②、法別表第１・２） ×

A 166 □□ 速P232

障害等級表では、身体障害を第１級から第14級までの14等級に区分して掲示しているが、同表に掲げるもの以外の身体障害については、その障害の程度に応じて、同表に掲げる身体障害に準じてその障害等級が定められる。（則14④） ○

A 167 □□ 速P233

同一の事由により障害が２つ残った場合であって、一方の障害等級が第14級であるときは、併合により、重い方の障害等級（設問では第12級）をもって全体の障害等級とする。（則14②） ○

A 168 □□ 速P233

障害等級第13級以上の障害が２以上あるときは、重い方の障害等級を、次に掲げる等級だけ繰り上げる。したがって、設問の②の場合は、「第１級」となる。（則14③） ×

①第13級以上の障害が２以上あるとき　１級
②第８級以上の障害が２以上あるとき　２級
③第５級以上の障害が２以上あるとき　３級

第3章 労災

★★
Q 169
□□
【令3改】
業務上の災害により既に1上肢の手関節の用を廃し第8級の6（給付基礎日額の503日分）と障害等級を認定されていた者が、復帰直後の新たな業務上の災害により同一の上肢の手関節を亡失した場合、現存する障害は第5級の2（当該障害の存する期間1年につき給付基礎日額の184日分）となるが、この場合の障害補償の額は、当該障害の存する期間1年につき給付基礎日額の163.88日分となる。

★
Q 170
□□
【平30】
障害補償一時金を受けた者については、障害の程度が自然的経過により増進しても、障害補償給付の変更が問題となることはない。

★
Q 171
□□
【平20改】
障害補償年金を受ける権利を有する者は、当該年金の前払一時金の支給を受けることができ、所定の要件を満たす場合には、厚生労働省令で定める額を上限として、一定の期間の経過後に、同一の事由について、再度、前払一時金の支給を受けることができる。

★
Q 172
□□
【予想】
障害補償年金の受給権者である労働者が死亡した当時、その者と生計を同じくしていなかった者であっても、障害補償年金差額一時金を受けるべき遺族となる場合がある。

A 169 □□ 速P235

設問の障害補償の額（障害補償年金の額）は、「加重後の第５級の年金額」から「加重前の第８級の一時金の額の25分の１」を差し引いた額となる。したがって、「給付基礎日額の184日分ー給付基礎日額の503日分÷25」によって計算した給付基礎日額の「163.88日分」が、障害の存する期間１年につき支給される額（年金額）となる。（則14⑤、昭50.9.30基発565） ○

A 170 □□ 速P236

障害補償一時金を受けた場合は、その段階でその障害に対する補償はすべて終わる。これに対して、障害補償年金の受給権者の障害の程度が軽くなって一時金の相当する障害の程度に該当することとなった場合は、新たな障害等級に応ずる障害補償一時金の全額が支給される。（参考：法15の２） ○

A 171 □□ 速P237

障害補償年金前払一時金の支給は、同一の事由について１回限りである。なお、障害補償年金前払一時金の請求は障害補償年金の請求と同時に行わなければならない。ただし、当該障害補償年金の支給の決定の通知のあった日の翌日から起算して１年を経過する日までの間は、障害補償年金を請求した後でも、請求することができる。（法附59①、則附㉗） ×

A 172 □□ 速P239

障害補償年金差額一時金を受けることができる遺族は、労働者の死亡の当時その者と生計を同じくしていた者に限られない。したがって、生計を同じくしていなかった者であっても、先順位者がいないときは、障害補償年金差額一時金を受けるべき遺族となる。（法附58②） ○

7　死亡に関する保険給付

Q 173
□□
【平23】

労働者の死亡前に、当該労働者の死亡によって遺族補償年金を受けることができる先順位の遺族となるべき者を故意に死亡させた者のみ、遺族補償年金を受けることができる遺族とされない。

★★
Q 174
□□
【予想】

業務上の事由によって死亡した労働者の妻は、当該労働者の死亡の当時その収入によって生計を維持していた者であれば、年齢を問わず、遺族補償年金を受けることができる遺族となる。

★
Q 175
□□
【平28改】

業務災害により死亡した労働者と同程度の収入があり、生活費を分担して通常の生活を維持していた妻は、一般に「労働者の死亡当時その収入によって生計を維持していた」ものにあたらない。

よくある質問

質問　遺族（補償）等年金の受給資格者と受給権者の意味の違いがよく分かりません。

回答

遺族（補償）等年金の支給を受ける資格を有するだけなのか、実際に遺族（補償）等年金の支給を受ける権利を有するのかという点が異なります。

「受給資格者」とは、労働者の死亡の当時において、年齢要件等の遺族の要件を満たし、将来も含めて遺族（補償）等年金の支給を受ける資格を有する者（受ける可能性のある者）のことです。

A 173 □□ 速P241、P242

先順位又は同順位の遺族となるべき者を故意に死亡させた者は、遺族補償年金を受けることができない。また、労働者を故意に死亡させた者は、遺族補償給付を受けることができない。したがって、設問の者「のみ」ではない。(法16の9①②) ×

A 174 □□ 速P242

妻は、生計維持要件を満たせば、年齢要件及び障害要件を問わず、遺族補償年金の受給資格者となる。妻以外の者は、生計維持要件のほかに、年齢要件又は障害要件を満たさなければならない。(法16の2①) ○

A 175 □□ 速P242

「労働者の収入によって生計を維持していた」こととは、労働者の収入によって生計の一部を維持していれば足り、いわゆる共働きもこれに含まれる。(昭41.1.31基発73) ×

「受給権者」とは、受給資格者のうち、最先順位の者のことであり、実際に遺族（補償）等年金の支給を受ける権利を有する者のことです。受給権者以外の受給資格者には、実際の年金の支給は行われません。

受給資格者に該当するか否かは、労働者の死亡の当時の状況で確定しますので、時間が経って後から受給資格者となることはありません。受給権者は、必ず受給資格者であることが必要です。なお、「転給」という制度があるため、ある受給権者の受給権が消滅すると、受給権が他の受給資格者に移ることがあります。

★
Q 176
□□
【平25改】

遺族補償年金を受ける権利を有する遺族が妻であり、かつ、当該妻と生計を同じくしている遺族補償年金を受けることができる遺族がない場合において、当該妻が55歳に達したとき（労災保険法別表第一の厚生労働省令で定める障害の状態にあるときを除く。）は、その達した月から遺族補償年金の額を改定する。

★★
Q 177
□□
【令６改】

遺族補償年金の受給権は、これを受ける権利を有する遺族である子・孫が18歳に達した日以後の最初の３月31日が終了したとき（労働者の死亡の時から引き続き厚生労働省令で定める障害の状態にあるときを除く。）には消滅する。

Q 178
□□
【予想】

遺族補償年金を受ける権利を有する遺族であっても、60歳未満であることを理由として遺族補償年金の支給が停止されている者は、遺族補償年金前払一時金の請求をすることができない。

★
Q 179
□□
【平28】

労働者が業務災害により死亡した場合、その兄弟姉妹は、当該労働者の死亡の当時、その収入により生計を維持していなかった場合でも、遺族補償一時金の受給者となることがある。

Q 180
□□
【予想】

葬祭料の額は、原則として、31万５千円に給付基礎日額の30日分を加えた額であるが、その額が給付基礎日額の60日分を超える場合には、給付基礎日額の60日分である。

A 176 □□ 速P244

遺族補償年金の受給権者が妻であり、当該妻と生計を同じくしている遺族補償年金の受給資格者がない場合において、当該妻が次の①②のいずれかに該当するに至ったときは、その月の翌月から、遺族補償年金の額を改定する。(法16の3④)

①55歳に達したとき（一定の障害の状態にあるときを除く。)。

②一定の障害の状態になり、又はその事情がなくなったとき（55歳以上であるときを除く。)。

×

A 177 □□ 速P245

子、孫又は兄弟姉妹が有する遺族補償年金の受給権は、労働者の死亡の時から引き続き一定の障害の状態にあるときを除き、18歳に達した日以後の最初の３月31日が終了したときは、消滅する。(法16の４①五)

○

A 178 □□ 速P246

遺族補償年金前払一時金の請求は、60歳未満であることを理由として遺族補償年金の支給が停止されている者（いわゆる若年停止者）であっても、することができる。(法附60①、昭40法附43③)

×

A 179 □□ 速P248

死亡した労働者の兄弟姉妹は、生計維持関係の有無を問わず、遺族補償一時金の受給者となり得る。(法16の７①三)

○

A 180 □□ 速P248

葬祭料の額は、「315,000円＋給付基礎日額の30日分」又は「給付基礎日額の60日分」のうち、いずれか高い額である。(則17)

×

8 介護・予防に関する保険給付

★ Q 181 □□ 【平30】

介護補償給付は、障害補償年金又は傷病補償年金を受ける権利を有する労働者が、その受ける権利を有する障害補償年金又は傷病補償年金の支給事由となる障害であって厚生労働省令で定める程度のものにより、常時又は随時介護を要する状態にあり、かつ、常時又は随時介護を受けているときに、当該介護を受けている間、当該労働者に対し、その請求に基づいて行われるものであり、病院又は診療所に入院している間も行われる。

★ Q 182 □□ 【平30】

介護補償給付は、月を単位として支給するものとし、その月額は、常時又は随時介護を受ける場合に通常要する費用を考慮して厚生労働大臣が定める額とする。

★ Q 183 □□ 【予想】

二次健康診断等給付は、一次健康診断の結果その他の事情によりすでに脳血管疾患又は心臓疾患の症状を有すると認められる労働者に対し、その請求に基づいて行われる。

★ Q 184 □□ 【平25】

二次健康診断の結果に基づき、脳血管疾患及び心臓疾患の発生の予防を図るため、面接により行われる医師又は保健師による特定保健指導は、二次健康診断ごとに2回までとされている。

A 181 □□ 速P250

介護補償給付は、次に掲げる間は支給されない。（法12の８④） ×

①障害者支援施設に入所している間（生活介護を受けている場合に限る。）

②障害者支援施設（生活介護を行うものに限る。）に準ずる施設として厚生労働大臣が定めるものに入所している間

③病院又は診療所に入院している間

A 182 □□ 速P251

介護補償給付は、月を単位として、常時又は随時介護を受ける場合に通常要する費用を考慮して厚生労働大臣が定める額（原則として、介護を受けた日がある月において介護費用として支出された費用の額（実費））が支給される。（法19の２） ○

A 183 □□ 速P252

二次健康診断等給付は、脳血管疾患及び心臓疾患の発生を予防するための給付である。すでにこれらの症状を有すると認められる労働者に対しては、二次健康診断等給付は行われない。（法26①） ×

A 184 □□ 速P252

特定保健指導は、医師又は保健師の面接により行われる。この特定保健指導は、二次健康診断ごとに「１回に限る」とされている。（法26②二） ×

9 保険給付の通則

★★

Q 185

□□

【令2】

航空機に乗っていてその航空機の航行中行方不明となった労働者の生死が3か月間わからない場合には、遺族補償給付、葬祭料、遺族給付及び葬祭給付の支給に関する規定の適用については、労働者が行方不明となって3か月経過した日に、当該労働者は、死亡したものと推定する。

★

Q 186

□□

【平30】

労災保険法に基づく遺族補償年金を受ける権利を有する者が死亡した場合において、その死亡した者に支給すべき遺族補償年金でまだその者に支給しなかったものがあるときは、当該遺族補償年金を受けることができる他の遺族は、自己の名で、その未支給の遺族補償年金の支給を請求することができる。

★

Q 187

□□

【令2】

偽りその他不正の手段により労災保険に係る保険給付を受けた者があり、事業主が虚偽の報告又は証明をしたためその保険給付が行われたものであるときは、政府は、その事業主に対し、保険給付を受けた者と連帯してその保険給付に要した費用に相当する金額の全部又は一部である徴収金を納付すべきことを命ずることができる。

★

Q 188

□□

【平27】

労災保険給付を受ける権利は、労働者の退職によって変更されることはない。

A 185 □□ 速P255

行方不明となった労働者の生死が3ヵ月間わからない場合には、労働者が行方不明となった日に、当該労働者は、死亡したものと推定する。なお、死亡の推定は、船舶又は航空機の事故に限り適用される。（法10）

×

A 186 □□ 速P256

未支給の保険給付が遺族補償年金に係るものであるときは、その請求は、当該遺族補償年金を受けることができる他の遺族（＝同順位者又は次順位者）が、自己の名で、行うことができる。（法11①）

○

A 187 □□ 速P256

事業主が虚偽の報告又は証明をしたため不正受給が行われた場合には、政府は、その事業主に対し、保険給付を受けた者と連帯して、当該不正受給に係る徴収金を納付すべきことを命ずることができる。（法12の3②）

○

A 188 □□ 速P256

保険給付を受ける権利は、労働者の退職によって変更されることはなく、支給要件に該当する限り、退職後も支給される。（法12の5①）

○

★
Q 189
□□
【予想】

同一の傷病に関し、休業補償給付を受けている労働者が傷病補償年金を受ける権利を有することとなり、かつ、休業補償給付を行わないこととなった場合において、その後も休業補償給付が支払われたときは、その支払われた休業補償給付を、当該傷病補償年金の内払いとみなすことはできない。

★★
Q 190
□□
【令2】

業務起因性の認められる疾病に罹患した労働者が、療養に関する指示に従わないことにより疾病の程度を増進させた場合であっても、指示に従わないことに正当な理由があれば、政府は保険給付の全部又は一部を行わないとすることはできない。

★
Q 191
□□
【平24】

政府は、保険給付を受ける権利を有する者が、正当な理由なく、行政の出頭命令に従わないときは、保険給付の支給決定を取り消し、支払った金額の全部又は一部の返還を命ずることができる。

★
Q 192
□□
【令5】

障害基礎年金のみを受給している者が遺族補償年金を受け取る場合、遺族補償年金の支給額は、0.88の調整率を乗じて得た額となる。

Q 193
□□
【予想】

保険給付の原因である事故が第三者の行為によって生じた場合であって、保険給付を受けるべき者が当該第三者から慰謝料、見舞金等精神的苦痛に対する損害賠償を受けたときは、当該損害賠償と保険給付との調整が行われる。

A 189 □□ 速P258

同一人に対する同一の傷病に関しての異なる保険給付について、受給権の消滅した保険給付が誤って支給されたときは、その支給された保険給付は、当然に、新たに支給されることとなった保険給付の内払いとみなされる。（法12③）

×

A 190 □□ 速P260

労働者が正当な理由がなくて療養に関する指示に従わないことにより負傷、疾病、障害の程度を増進させ、又はその回復を妨げた場合には、設問の支給制限をすることができる。（法12の2の2②）

○

A 191 □□ 速P261

保険給付の受給権者が、正当な理由なく、行政庁の出頭命令に従わないときは、政府は、保険給付の支払いを一時差し止めることができる。支給決定を取り消すことや、返還を命ずることはできない。（法47の3）

×

A 192 □□ 速P261

同一の事由による障害又は死亡について、労災保険の保険給付と、国民年金及び厚生年金の年金給付が支給される場合は、労災保険の保険給付が調整（減額）して支給される。遺族補償年金と障害基礎年金の支給事由は異なるため、遺族補償年金の支給額には調整率を乗じない。（法別表第1）

×

A 193 □□ 速P263

保険給付との調整の対象となる損害賠償は、保険給付と同一の事由によるものに限られる。精神的苦痛に対する損害賠償を受けた場合は、原則として同一の事由によるものに該当せず、保険給付との調整は行われない。（昭32.7.2基発551）

×

10 社会復帰促進等事業

★
Q 194
□□
【平29改】

社会復帰促進等事業は、業務災害及び複数業務要因災害を被った労働者に関する事業であり、通勤災害を被った労働者は対象とされていない。

Q 195
□□
【予想】

社会復帰促進等事業には、社会復帰促進事業、被災労働者等援護事業及び安全衛生確保等事業の３種類がある。特別支給金の支給は、被災労働者等援護事業として行われるものであり、その実施にあたるのは、独立行政法人労働者健康安全機構である。

★
Q 196
□□
【令２改】

特別支給金の支給の申請は、原則として、関連する保険給付の支給の請求と同時に行うこととなるが、傷病特別支給金、傷病特別年金の申請については、当分の間、休業特別支給金の支給の申請の際に特別給与の総額についての届出を行っていない者を除き、傷病補償年金、複数事業労働者傷病年金又は傷病年金の支給の決定を受けた者は、傷病特別支給金、傷病特別年金の申請を行ったものとして取り扱う。

★★
Q 197
□□
【平28】

特別給与を算定基礎とする特別支給金は、特別加入者には支給されない。

A 194 □□ 速P266

社会復帰促進等事業は、労災保険の適用事業に係る労働者及びその遺族を対象としている。つまり、通勤災害を被った労働者も、対象とされている。（法29①） ×

A 195 □□ 速P266、P267

付帯事業である社会復帰促進等事業は、社会復帰促進事業、被災労働者等援護事業及び安全衛生確保等事業の３種類である。被災労働者等援護事業として行われる特別支給金の支給は、政府（その支給に関する事務は所轄労働基準監督署長）が行う。（法29①③、独立行政法人労働者健康安全機構法12①、特別支給金則１） ×

A 196 □□ 速P268

傷病特別支給金、傷病特別年金の支給を受けようとする者は、原則として、所轄労働基準監督署長に申請しなければならないが、事務処理の便宜を考慮し、当分の間、傷病（補償）等年金の支給の決定を受けた者（一定の者を除く。）は、傷病特別支給金、傷病特別年金の申請を行ったものとして取り扱って差し支えないものとされている。（特別支給金則５の２②、11②、12①、昭56.6.27基発393） ○

A 197 □□ 速P268

特別加入者に対しては、ボーナス特別支給金（特別給与を算定基礎とする特別支給金）は支給されない。なお、一般の特別支給金は、特別加入者に対しても支給される。（特別支給金則19） ○

★
Q 198
□□
【平24】
遺族特別支給金の額は、300万円とされ、遺族特別支給金の支給を受ける遺族が２人以上ある場合には、それぞれに300万円が支給される。

★
Q 199
□□
【予想】
算定基礎年額は、次の①から③までに掲げる額のうち、最も高い額である。
①負傷又は発病の日以前１年間に支払われた特別給与の総額
②給付基礎日額に365を乗じて得た額の100分の20に相当する額
③150万円

★
Q 200
□□
【平28】
障害補償年金前払一時金が支給されたため、障害補償年金が支給停止された場合であっても、障害特別年金は支給される。

★
Q 201
□□
【令２】
第三者の不法行為によって業務上負傷し、その第三者から同一の事由について損害賠償を受けていても、特別支給金は支給申請に基づき支給され、調整されることはない。

A 198
□□
速P269

遺族が２人以上ある場合の遺族特別支給金の額は、300万円をその人数で除して得た額である。それぞれに300万円が支給されるのではない。なお、遺族特別支給金は、遺族（補償）等給付の受給権者に対して支給される。（特別支給金則５③）

×

A 199
□□
速P269

次の額のうち、最も低い額が、算定基礎年額となる。なお、算定基礎年額を365で除して得た額が、算定基礎日額となる。（特別支給金則６①③⑤）

①被災日以前１年間に支払われた特別給与の総額
②給付基礎日額×365×100分の20
③150万円

×

A 200
□□
速P270

特別支給金には前払一時金の制度がないため、障害補償年金前払一時金を受給して障害補償年金が支給停止となっても、障害特別年金は支給停止とならない。（特別支給金則７①）

○

A 201
□□
速P271

特別支給金と第三者行為災害による損害賠償との調整は行われない。第三者行為災害のため保険給付が調整される場合であっても、特別支給金は全額支給される。（参考：特別支給金則20）

○

11 費用の負担、不服申立て、雑則、罰則

★★
Q 202
□□
【平27】

事業主が、労災保険法第31条第１項第１号の事故に係る事業に関し、保険手続に関する指導を受けたにもかかわらず、その後10日以内に保険関係成立届を提出していなかった場合、「故意」と認定した上で、原則、費用徴収率を100％とする。

★
Q 203
□□
【予想】

業務災害に関する保険給付のうちの傷病補償年金は、事業主からの費用徴収の対象とされていない。

★
Q 204
□□
【令元】

療養給付を受ける労働者から一部負担金を徴収する場合には、労働者に支給される休業給付であって最初に支給すべき事由の生じた日に係るものの額から一部負担金の額に相当する額を控除することにより行われる。

よくある質問

質問　療養給付を受ける場合には、一部負担金が徴収されるということですが、医療機関で受診するたびに徴収されるのでしょうか？

回答

一部負担金は、同一の通勤災害について、１回だけ徴収されます。また、休業給付の額から控除されるため、医療機関で支払うことはありません。

一部負担金の徴収は、療養給付を受ける労働者に支払うべき休業給付の額から一部負担金相当額➚

A 202
□□
速P274

政府は、事業主が故意又は重大な過失により保険関係成立届を提出していない期間中に生じた事故について保険給付を行ったときは、事業主から、保険給付の額の全部又は一部を徴収する。設問の場合は「故意」と認定され、100分の100相当額が徴収される。（平17基発0922001）

○

A 203
□□
速P274

傷病補償年金は対象とされている。事業主からの費用徴収の対象とされていない保険給付は、①療養（補償）等給付、②介護（補償）等給付、③二次健康診断等給付である。（法31①、昭52.3.30基発192）

×

A 204
□□
速P275

療養給付を受ける労働者に係る一部負担金の徴収は、当該労働者に支給される休業給付であって最初に支給すべき事由の生じた日に係るものの額から控除することにより行われる。（法31③、則44の2③、昭52.3.30基発192）

○

↗を控除することにより行われます。したがって、受診時に一部負担金を徴収されることはありません。

また、一部負担金が徴収されない者の中に「同一の通勤災害に係る療養給付について、すでに一部負担金を納付した者」があります。これは、1回でも一部負担金を徴収される（納付する）と、「一部負担金が徴収されない者」に該当し、それ以上は徴収されないということです。したがって、一部負担金の徴収は、同一の通勤災害について、1回のみとなります。

★★

Q 205

□□

【令５】

労災保険給付に関する決定に不服のある者は、都道府県労働局長に対して審査請求を行うことができる。

★

Q 206

□□

【令５改】

保険給付に関する決定についての処分の取消しの訴えは、再審査請求に対する労働保険審査会の決定を経た後でなければ、提起することができない。

★

Q 207

□□

【予想】

二次健康診断等給付を受ける権利は、労働者が一次健康診断の結果を了知し得る日の翌日から起算して２年を経過したときは、時効によって消滅する。

Q 208

□□

【平27】

休業特別支給金の支給の申請は、その対象となる日の翌日から起算して２年以内に行わなければならない。

★

Q 209

□□

【令元】

労災保険に係る保険関係が成立し、若しくは成立していた事業の事業主又は労働保険事務組合若しくは労働保険事務組合であった団体は、労災保険に関する書類を、その完結の日から５年間保存しなければならない。

A 205 □□ 速P276

保険給付に関する決定に不服のある者は、労働者災害補償保険審査官に対して審査請求をし、その決定に不服のある者は、労働保険審査会に対して再審査請求をすることができる。（法38①）

×

A 206 □□ 速P276

保険給付に関する決定についての処分の取消しの訴えは、当該処分についての審査請求に対する労働者災害補償保険審査官の決定を経た後でなければ、提起することができない。（法40）

×

A 207 □□ 速P277

二次健康診断等給付に係る消滅時効期間は、2年である。また、その起算日は、労働者が一次健康診断の結果を了知し得る日の翌日である。（法42、平13.3.30基発233）

○

A 208 □□ 速P277

特別支給金の申請可能期間は、休業特別支給金が2年、これ以外の特別支給金が5年である。（特別支給金則3⑥）

○

A 209 □□ 速P277

労災保険に係る保険関係が成立し、若しくは成立していた事業の事業主又は労働保険事務組合若しくは労働保険事務組合であった団体は、労災保険に関する書類を、その完結の日から3年間保存しなければならない。（則51）

×

12 特別加入制度

★★
Q 210
□□
【令４改】
不動産業を主たる事業とし、常時100人以下の労働者を使用する事業主で、労働保険事務組合に労働保険事務の処理を委託するものは、労災保険に特別加入することができる

Q 211
□□
【令２改】
日常生活を円滑に営むことができるようにするための必要な援助として行われる作業であって、炊事、洗濯、掃除、買物、児童の日常生活上の世話及び必要な保護その他家庭において日常生活を営むのに必要な行為に従事する者は、労災保険法第33条第５号の「厚生労働省令で定める種類の作業に従事する者」に該当し、労災保険に特別加入することができる。

★
Q 212
□□
【平26】
日本に本社を有する企業であれば、その海外支店に直接採用された者についても、所轄都道府県労働局長に特別加入の申請をして承認を受けることによって、労災保険が適用される。

★
Q 213
□□
【平26】
特別加入制度において、個人貨物運送業者については通勤災害に関する保険給付は支給されない。

★
Q 214
□□
【予想】
中小事業主等の特別加入者が、第１種特別加入保険料を滞納している期間中に、業務災害の原因である事故が生じた場合において、保険給付を行ったときは、政府は、その保険給付に要した費用に相当する金額の全部又は一部を当該事業主から徴収することができる。

A 210 □□ 速P280

金融業、保険業、不動産業又は小売業を主たる事業とする事業主は、常時50人以下の労働者を使用し、労働保険事務組合に労働保険事務の処理を委託していれば、特別加入することができる。（法33一、則46の16）

×

A 211 □□ 速P280

日常生活を円滑に営むことができるようにするための必要な援助として行われる作業であって、炊事、洗濯など家庭において日常生活を営むのに必要な行為に従事する者（家事支援従事者）は、いわゆる特定作業従事者に該当し、特別加入することができる。（法33五、則46の18五ロ）

○

A 212 □□ 速P281

海外支店に直接採用された者（現地採用者）は、海外派遣者に係る特別加入の資格がないため、特別加入の申請をすることができない。したがって、特別加入の申請・承認により、労災保険が適用されることはない。（昭52.3.30基発192）

×

A 213 □□ 速P282

個人貨物運送業者については、通勤の実態がない者として取り扱われるため、通勤災害に関する保険給付は支給されない。（法35①、則46の22の２）

○

A 214 □□ 速P283

特別加入保険料の滞納期間中に生じた事故については、事務処理の簡素化の観点から、保険給付の全部又は一部を行わないという支給制限をすることができる。事業主からの費用徴収の対象とはならない。（法34①四）

×

POINTマスター

労働者災害補償保険法

1 労災保険事業の全体像

保険給付 （主たる事業）	①業務災害に関する保険給付
	②複数業務要因災害に関する保険給付
	③通勤災害に関する保険給付
	④二次健康診断等給付
社会復帰促進等事業 （付帯事業）	①社会復帰促進事業
	②被災労働者等援護事業
	③安全衛生確保等事業

2 保険給付・特別支給金の種類

㊀：一般の特別支給金　(ボ)：ボーナス特別支給金

保険給付	特別支給金
療養（補償）等給付	なし
休業（補償）等給付	㊀　休業特別支給金
傷病（補償）等年金	㊀　傷病特別支給金 (ボ)　傷病特別年金
障害（補償）等給付 障害（補償）等年金 ・障害（補償）等年金前払一時金※ ・障害（補償）等年金差額一時金※ 障害（補償）等一時金	㊀　障害特別支給金 (ボ)　障害特別年金 ・(ボ)　障害特別年金差額一時金※ (ボ)　障害特別一時金
遺族（補償）等給付 遺族（補償）等年金 ・遺族（補償）等年金前払一時金※ 遺族（補償）等一時金	㊀　遺族特別支給金 (ボ)　遺族特別年金 (ボ)　遺族特別一時金
葬祭料等（葬祭給付）	なし
介護（補償）等給付	なし
二次健康診断等給付	なし

※前払一時金及び差額一時金は、年金の支払いの一形態

3 通勤

（1）通勤に該当する移動

①住居と就業の場所との間の往復
②省令で定める就業の場所から他の就業の場所への移動
③上記①の往復に先行し、又は後続する住居間の移動

（2）逸脱・中断等

○：通勤と認められる　×：通勤と認められない

		行為前	行為中	行為後
逸脱・中断	原則	○	×	×
	例外※	○	×	○
さいな行為		○	○	○

※逸脱・中断の例外…日常生活上必要な行為で最小限度のもの

4 給付基礎日額

（1）スライド制

	休業給付基礎日額	年金給付基礎日額	一時金の給付基礎日額
適用要件	四半期の平均給与額が上下10％を超えて変動	なし（平均給与額の変動幅は不問）	年金給付基礎日額に準じる
適用時期	変動があった四半期の翌々四半期から	算定事由発生年度の翌々年度の８月から	

（2）年齢階層別の最低限度額・最高限度額

	休業給付基礎日額	年金給付基礎日額	一時金の給付基礎日額
適用時期	療養開始後１年６ヵ月を経過した日以後	最初の支給月から	適用なし
基準年齢	支給事由発生日の属する四半期の初日の年齢	支給月の属する年度の8月1日の年齢	

5 療養（補償）等給付

	療養の給付（原則）	療養の費用の支給（例外）
支給方法等	次に掲げる指定病院等で、現物給付として行う。 ①社会復帰促進等事業として設置された病院又は診療所（労災病院等） ②都道府県労働局長の指定する病院、診療所、薬局又は訪問看護事業者	次のいずれかの場合に、現金給付として行う。 ①療養の給付をすることが困難な場合 ②療養の給付を受けないことについて労働者に相当の理由がある場合
請求	指定病院等を経由して所轄労働基準監督署長へ	直接所轄労働基準監督署長へ

6 休業（補償）等給付・傷病（補償）等年金

	休業（補償）等給付	傷病（補償）等年金
支給要件	次の①～④のすべてを満たすこと ①業務上の事由又は通勤による負傷又は疾病により療養していること ②労働することができないこと ③賃金を受けない日があること ④通算３日間の待期期間を満たしていること	療養の開始後１年６ヵ月を経過した日（又は同日後）において次の①②のいずれにも該当する（又は該当することとなった）こと ①その負傷又は疾病が治っていないこと ②その負傷又は疾病による障害の程度が傷病等級（第１級～第３級）に該当すること
支給	支給要件に該当する日ごとに権利が発生し、労働者の請求に基づいて支給	所轄労働基準監督署長が職権で支給を決定（労働者の請求は不要）
額	原則として、給付基礎日額の100分の60（日額）	給付基礎日額の313日分・277日分・245日分（年金額）

7 障害（補償）等給付・遺族（補償）等給付の額

以下の日数は、給付基礎日額の日数分であることを意味する。

障害（補償）等年金[※1]		障害（補償）等一時金
第1級　313日分	第4級　213日分	第8級　503日分
第2級　277日分	第5級　184日分	第9級　391日分
第3級　245日分	第6級　156日分	～　～
	第7級　131日分	第14級　56日分

遺族（補償）等年金[※1]			遺族（補償）等一時金
遺族の数	1人	153日分	1,000日分
	・一定の妻[※2]	175日分	・すでに遺族（補償）等年金等が支給されていた場合 →1,000日分と当該支給された額との差額を支給
	2人	201日分	
	3人	223日分	
	4人以上	245日分	

※1：年金は年6期の偶数月にそれぞれの前月分までを支給
※2：55歳以上又は一定の障害の状態にある妻

8 事業主からの費用徴収

事業主からの費用徴収は、条文上、労働基準法の災害補償の価額の限度で、給付額の全部又は一部について行われる。

該当する事故	具体的な徴収額
事業主が故意又は重大な過失により保険関係成立届を提出していない期間中に生じた業務災害及び通勤災害の原因である事故	故意[※1] 給付額×100分の100 重大な過失[※2] 給付額×100分の40
事業主が概算保険料のうちの一般保険料を納付しない期間中に生じた業務災害及び通勤災害の原因である事故	給付額×滞納率 ・滞納率の限度は100分の40
事業主が故意又は重大な過失により生じさせた業務災害の原因である事故	給付額×100分の30

※1：行政機関等から指導等を受けてもなお未提出の場合
※2：指導等は受けていないが1年経過しても未提出の場合

第4章 雇用保険法

1 総論

★★
Q 215
□□
【予想】

雇用保険は、労働者が失業したこと、労働者について雇用の継続が困難となる事由が生じたこと、労働者が自ら職業に関する教育訓練を受けたこと並びに労働者が子を養育するための休業及び所定労働時間を短縮することによる就業をしたことについて、必要な給付を行う。

★★
Q 216
□□
【平22】

失業等給付は、求職者給付、教育訓練給付及び雇用継続給付の３つである。

★
Q 217
□□
【平29】

求職者給付の支給を受ける者は、必要に応じ職業能力の開発及び向上を図りつつ、誠実かつ熱心に求職活動を行うことにより、職業に就くように努めなければならない。

★★
Q 218
□□
【平29】

失業等給付の支給を受けることができる者が死亡した場合において、その未支給の失業等給付の支給を受けるべき者（その死亡した者と死亡の当時生計を同じくしていた者に限る。）の順位は、その死亡した者の配偶者（婚姻の届出をしていないが、事実上婚姻関係と同様の事情にあった者を含む。）、子、父母、孫、祖父母又は兄弟姉妹の順序による。

本試験では、法令の基本条文からの出題が中心となりますが、特に被保険者などに関しては、通達（行政手引）からも多く出題されます。

A 215 □□ 速P290

雇用保険では、①失業、②雇用の継続が困難となる事由の発生、③職業に関する教育訓練の受講並びに④子を養育するための休業及び所定労働時間を短縮することによる就業を保険事故として、必要な給付を行う。（法1）

○

A 216 □□ 速P291

失業等給付は、①求職者給付、②就職促進給付、③教育訓練給付、④雇用継続給付の４つである。（法10①）

×

A 217 □□ 速P292

求職者給付の支給を受ける者には、就職への努力義務が課せられており、この者は、必要に応じ職業能力の開発及び向上を図りつつ、誠実かつ熱心に求職活動を行うことにより、職業に就くように努めなければならない。（法10の２）

○

A 218 □□ 速P293

未支給の失業等給付の請求権者は、受給資格者等の死亡の当時その者と生計を同じくしていた①配偶者（事実上の婚姻関係にあった者を含む。）、②子、③父母、④孫、⑤祖父母、⑥兄弟姉妹のうち最先順位の者（順位は①→⑥の順）である。（法10の３①②）

○

★★
Q 219
□□
【令6】

偽りその他不正の行為により基本手当の支給を受けた者がある場合には、政府は、その者に対して、支給した基本手当の全部又は一部の返還を命ずるとともに、厚生労働大臣の定める基準により、当該偽りその他不正の行為により支給を受けた基本手当の額の3倍に相当する額の金額を納付することを命ずることができる。

★
Q 220
□□
【平28】

租税その他の公課は、常用就職支度手当として支給された金銭を標準として課することができる。

★
Q 221
□□
【平25】

雇用安定事業のうち、雇用保険法第62条第1項第1号が規定する、景気の変動、産業構造の変化その他の経済上の理由により事業活動の縮小を余儀なくされた場合において、労働者を休業させる事業主その他労働者の雇用の安定を図るために必要な措置を講ずる事業主に対して、必要な助成及び援助を行う事業の実施に関する事務は、都道府県知事が行うこととされている。

★★
Q 222
□□
【予想】

雇用保険法において「失業」とは、被保険者が離職し、労働の意思及び能力を有するにもかかわらず、職業に就くことができない状態にあることをいう。

A 219 □□ 速P293

偽りその他不正の行為により基本手当などの失業等給付を受けた者がある場合には、政府は、その者に対して、①不正受給金の返還を命ずるほか、②さらに一定の金額の納付を命ずることができる。②により納付を命ずる金額は、不正の行為により支給を受けた失業等給付の額の２倍に相当する額以下の金額とされている。（法10の４①） ×

A 220 □□ 速P294

租税その他の公課は、常用就職支度手当として支給された金銭を標準として課することができない。失業等給付はすべて非課税であり、これに例外はない。（法12） ×

A 221 □□ 速P294

雇用保険の事務のうち、都道府県知事が行うこととすることができる事務は、雇用保険二事業のうち能力開発事業の実施に関する事務の一部である。設問の事務は、雇用安定事業の雇用調整助成金の支給に関する事務であるため、都道府県知事が行うこととはされていない。（法２②、令１①） ×

A 222 □□ 速P295

雇用保険では、被保険者が①離職し、②労働の意思及び能力を有するにもかかわらず、③職業に就くことができない状態にあることの３つの要件を満たした場合に、失業と認められる。（法４③） ○

2 雇用保険の適用

★
Q 223
□□
【平30】

雇用保険法の適用を受けない労働者のみを雇用する事業主の事業（国、都道府県、市町村その他これらに準ずるものの事業及び法人である事業主の事業を除く。）は、その労働者の数が常時５人以下であれば、任意適用事業となる。

★
Q 224
□□
【平22】

船員法第１条に規定する船員を雇用する水産の事業は、常時雇用される労働者の数が15名未満であれば、暫定任意適用事業となる。

★
Q 225
□□
【令４】

２の事業所に雇用される65歳以上の者は、各々の事業における１週間の所定労働時間が20時間未満であり、かつ、１週間の所定労働時間の合計が20時間以上である場合、事業所が別であっても同一の事業主であるときは、特例高年齢被保険者となることができない。

★
Q 226
□□
【予想】

２週間の期間を定めて雇用される者は、日雇労働被保険者となることはない。

A 223 □□ 速P297

雇用保険法の適用を受けない労働者のみを雇用する事業主の事業については、その労働者の数のいかんにかかわらず、適用事業として取り扱う必要はない。したがって、設問の事業は、任意適用事業とならない。（行政手引20105） ×

A 224 □□ 速P297

船員法１条に規定する船員が１人でも雇用される事業は、当該事業が法人であるか個人の事業であるかにかかわらず、強制適用事業となる。設問の水産の事業は、船員が雇用されているため、常時雇用される労働者の数にかかわらず、強制適用事業となる。（法附２①） ×

A 225 □□ 速P298、P299

２以上の事業所に雇用される65歳以上の者が特例高年齢被保険者となるためには、本人が選択する２の事業所における１週間の所定労働時間がそれぞれ（５時間以上）20時間未満であり、かつ、１週間の所定労働時間の合計が20時間以上である必要がある。また、各々の事業主は異なる事業主である必要がある。（法37の５①、行政手引1070） ○

A 226 □□ 速P299

日雇労働被保険者とは、被保険者である日雇労働者（①日々雇用される者又は②30日以内の期間を定めて雇用される者）であって、一定の地理的条件を満たす者をいう。設問の「２週間の期間を定めて雇用される者」は上記②に該当するため、日雇労働被保険者となる場合がある。（法42、43①） ×

★
Q 227
□□
【平27】

学校教育法第１条、第124条又は第134条第１項の学校の学生又は生徒であっても、休学中の者は、他の要件を満たす限り雇用保険法の被保険者となる。

★
Q 228
□□
【予想】

１日の所定労働時間が６時間、１週間の所定労働日数が５日の勤務形態で、２ヵ月間雇用されることとなった短時間就労者については、その者の雇入れの日から、雇用保険が適用される。

★★
Q 229
□□
【平25改】

申出をして高年齢被保険者となる者を除き、同時に２以上の雇用関係について被保険者となることはない。

★★
Q 230
□□
【令６】

労働者が長期欠勤して賃金の支払を受けていない場合であっても、被保険者となるべき他の要件を満たす雇用関係が存続する限り被保険者となる。

★★
Q 231
□□
【平28改】

事業主は、その雇用する一般被保険者を当該事業主の一の事業所から他の事業所に転勤させたときは、当該事実のあった日の翌日から起算して10日以内に雇用保険被保険者転勤届を転勤前の事業所の所在地を管轄する公共職業安定所の長に提出しなければならない。

A 227
□□
速P300

いわゆる昼間学生等は、原則として被保険者とならないが、①卒業を予定している者であって、適用事業に雇用され、卒業した後も引き続き当該事業に雇用されることとなっているもの、②休学中の者、③定時制の課程に在学する者等は、被保険者となる。(法6四、則3の2二)

○

A 228
□□
速P301

短時間就労者の雇用保険の適用基準は、「①週所定労働時間が20時間以上であり、かつ、②31日以上の雇用の見込みがあること」である。設問の者は、この基準を満たしているため、雇入れの日から、被保険者となる。(法6一・二)

○

A 229
□□
速P302

同時に2以上の雇用関係にある者については、特例高年齢被保険者を除き、その者が生計を維持するのに必要な主たる賃金を受ける一の雇用関係についてのみ被保険者となる。(行政手引20352)

○

A 230
□□
速P302

労働者が長期欠勤している場合であっても、雇用関係が存続する限り、賃金の支払いを受けていると否とを問わず、被保険者となる。(行政手引20352)

○

A 231
□□
速P303

一般被保険者に係る被保険者転勤届の提出先は、転勤後の事業所の所在地を管轄する公共職業安定所の長である。なお、その提出期限は、当該事実のあった日の翌日から起算して10日以内である。(則13①)

×

★★
Q 232
□□
【予想】

特例高年齢被保険者でなくなったことの申出は、当該特例高年齢被保険者が、所定の届書をその者の住所又は居所を管轄する公共職業安定所の長に提出することにより行わなければならない。

★
Q 233
□□
【平23】

雇用保険法第８条の規定に基づき厚生労働大臣に対して被保険者になったこと又は被保険者でなくなったことの確認を行うよう請求をすることができるのは、現に適用事業に雇用されている者に限られず、過去に適用事業に雇用されていた者も含まれる。

★
Q 234
□□
【令２】

適用事業に雇用された者で、雇用保険法第６条に定める適用除外に該当しないものは、雇用契約の成立日ではなく、雇用関係に入った最初の日に被保険者資格を取得する。

よくある質問

質問　雇用継続交流採用職員とは、どんな人なのですか？　また、雇用継続交流採用終了届があるのですが、この届出の目的は何ですか？

回答

雇用継続交流採用職員とは、民間企業から国の各省庁に採用され、元の企業との雇用関係を継続したまま一定期間だけ公務に従事する者を指します。たとえば、電鉄会社から国土交通省に採用され、観光行政に従事する者が該当します。

従来、民間企業から国に採用される場合には、企業をいったん退職してから国家公務員としての

A 232 □□ 速P303

特例高年齢被保険者でなくなったことの申出は、当該被保険者（本人）が、所定の届書を提出することにより行う。また、提出先は、その者の住所又は居所を管轄する公共職業安定所（管轄公共職業安定所）の長である。（法37の5②、則65の8①） ○

A 233 □□ 速P304

被保険者の資格の取得及び喪失の確認は、①事業主の届出、②被保険者又は被保険者であった者の確認の請求、③厚生労働大臣（公共職業安定所長に委任）の職権によって行われる。②の請求ができる者には、被保険者であった者が含まれる。（法8） ○

A 234 □□ 速P304

適用事業に雇用された者は、原則として、その適用事業に雇用されるに至った日から、被保険者資格を取得する。「雇用されるに至った日」とは、雇用契約の成立日を意味するものではなく、雇用関係に入った最初の日をいう。（行政手引20551） ○

身分となる必要があり、民間企業での在職年数が少なくなり退職金に影響する等の問題がありました。このため、民間企業との雇用関係を継続したまま、国に採用されることができるようになりました。この制度により国に採用された者が、雇用継続交流採用職員です。

雇用継続交流採用職員としての期間は、基本手当の所定給付日数の基礎となる算定基礎期間から除かれる等の取扱いがあるため、その期間を公共職業安定所が把握できるよう、被保険者が雇用継続交流採用職員でなくなったときは、事業主に「雇用継続交流採用終了届」を10日以内に提出させることとしています。

3 基本手当

★★
Q 235
□□
【平23】

被保険者が失業したとき、離職の日以前２年間に被保険者期間が通算して14か月ある者は、倒産・解雇等による離職者や特定理由離職者でなくても、基本手当の受給資格を有する。

★★
Q 236
□□
【予想】

基本手当に係る算定対象期間は、その期間が４年を超えて延長されることはない。

★
Q 237
□□
【平30改】

離職の日の属する月の前６月のうちいずれかの月において１月当たり80時間を超える時間外労働及び休日労働をさせられたことを理由として離職した者は、特定受給資格者に該当する。

よくある質問

質問　「被保険者期間」と「被保険者であった期間」の区別ができません。

回答

　まず、「被保険者期間」とは、基本手当の受給資格の有無を判断するためにみる期間のことで、「被保険者であった期間」を一定のルールに従って区分して計算したものです。

　「被保険者であった期間」とは、被保険者の資格取得日から資格喪失日の前日までの期間のことで、いわゆる「雇用が継続した期間」のことです。

A 235 □□ 速P306

離職の日以前2年間に被保険者期間が通算して12ヵ月以上あれば、基本手当の受給資格を満たす。なお、特定理由離職者及び特定受給資格者（倒産・解雇等による離職者）は、離職の日以前1年間に被保険者期間が通算して6ヵ月以上あることでも、受給資格を満たすことができる。（法13①） ○

A 236 □□ 速P306

算定対象期間の上限は、4年間である。これを超えて延長されることはない。（法13①） ○

A 237 □□ 速P309

離職月前6ヵ月のうちいずれかの月において1ヵ月あたり100時間以上、時間外労働及び休日労働が行われたことにより離職した者は、特定受給資格者に該当する。（則36五ロ） ×

この「被保険者であった期間」を、離職日からさかのぼって1ヵ月ごとに区切り、区切った各期間のうち、原則として、賃金支払基礎日数が11日以上ある期間を「被保険者期間1ヵ月」として計算します。この期間が、離職日以前の2年間に12ヵ月以上あれば、基本手当の受給資格が発生します。

基本手当の受給資格等は、単に雇用が継続している「被保険者であった期間」ではなく、その期間において、一定の条件を満たす「被保険者期間」でその有無が判断されるのです。

★
Q 238
□□
【令3】

子弟の教育のために退職した者は、特定理由離職者に該当する。

★
Q 239
□□
【平26】

事業主がその事業所の所在地を管轄する公共職業安定所長へ雇用保険被保険者資格喪失届を提出する場合、離職の日において59歳以上である被保険者については、当該被保険者が雇用保険被保険者離職票の交付を希望しないときでも離職証明書を添えなければならない。

★★
Q 240
□□
【平27改】

失業の認定は、求職の申込みを受けた公共職業安定所において、原則として、受給資格者が離職した日の翌日から起算して４週間に１回ずつ直前の28日の各日について行われる。

★
Q 241
□□
【令５】

訓練延長給付の支給を受けようとする者は、公共職業安定所長が指示した公共職業訓練等を初めて受講した日以降の失業認定日において受講証明書を提出することにより、当該公共職業訓練等を受け終わるまで失業の認定を受けることはない。

★★
Q 242
□□
【令元】

基本手当の日額の算定に用いる賃金日額の計算に当たり算入される賃金は、原則として、算定対象期間において被保険者期間として計算された最後の３か月間に支払われたものに限られる。

A 238
□□
速P310

特定理由離職者に該当する基準である「家庭の事情の急変」には、父又は母の死亡・傷病等に伴う扶養、常時本人の看護を必要とする親族の疾病又は負傷等が含まれる。子弟の教育は含まれない。（法13③、則19の２②、行政手引50305-2）

×

A 239
□□
速P311

事業主は、被保険者資格喪失届を提出する際に被保険者が離職票の交付を希望しないときは、離職証明書を添えないことができる。ただし、離職の日において、59歳以上である被保険者については、この限りでない。（則７③）

○

A 240
□□
速P312

失業の認定は、求職の申込みを受けた公共職業安定所において、受給資格者が離職後最初に出頭した日から起算して４週間に１回ずつ直前の28日の各日について行うものとされている。（法15③）

×

A 241
□□
速P312、P313

公共職業安定所長の指示した公共職業訓練等を受講する場合には、「証明書による認定」によって失業の認定が行われる。訓練延長給付に基づき支給される基本手当の失業の認定は、受講証明書を所定の失業の認定日につど提出させることによって行われる。（則37、行政手引51401、52354）

×

A 242
□□
速P314

賃金日額の原則的な計算式（被保険者期間として計算された最後の６ヵ月間に支払われた賃金の総額÷180）のうち、分子について問うている。なお、賃金の総額からは、①臨時に支払われる賃金及び②３ヵ月を超える期間ごとに支払われる賃金が除かれる。（法17①）

×

Q 243
□□
【予想】

小学校就学前の子の養育のための勤務時間短縮措置が行われ、これにより賃金が低下しているときに離職した特定理由離職者については、当該勤務時間短縮措置が行われる前の賃金による賃金日額に基づいて基本手当の日額が算定される。

★★
Q 244
□□
【令元】

受給資格に係る離職の日において60歳以上65歳未満である受給資格者に対する基本手当の日額は、賃金日額に100分の80から100分の45までの範囲の率を乗じて得た金額である。

★★
Q 245
□□
【平23改】

特定受給資格者以外の受給資格者（特定理由離職者ではなく、また、雇用保険法第22条第２項に規定する「厚生労働省令で定める理由により就職が困難なもの」にあたらないものとする。）の場合、算定基礎期間が20年以上であれば、基準日（当該受給資格に係る離職の日）における年齢にかかわらず、所定給付日数は180日である。

★★
Q 246
□□
【平26】

基本手当の受給資格に係る離職の日において55歳であって算定基礎期間が25年である者が特定受給資格者である場合、基本手当の受給期間は基準日の翌日から起算して１年に30日を加えた期間となる。

A 243 □□ 速P315

小学校就学前の子の養育に係る勤務時間短縮措置が行われる前の賃金により賃金日額を算定する特例が適用されるのは、当該勤務時間短縮措置が行われたことにより賃金が低下している期間中に離職し、特定理由離職者又は特定受給資格者として受給資格の決定を受けた者に限られる。（昭50労告8） ○

A 244 □□ 速P315

基本手当の日額は、「賃金日額×一定の率」の金額である。この「一定の率」の範囲は、離職の日における年齢に応じて、次のとおりである。（法16） ○

①60歳未満である受給資格者：100分の80～50

②60歳以上65歳未満である受給資格者：100分の80～45

A 245 □□ 速P316

算定基礎期間が20年以上である一般の受給資格者に係る所定給付日数は、基準日における年齢にかかわらず、150日である。一般の受給資格者に係る所定給付日数は、算定基礎期間の長さのみによって決定され、基準日における年齢はその決定要素とされない。（法22①一） ×

A 246 □□ 速P317

設問の者は、所定給付日数が330日の特定受給資格者（離職の日における年齢が45歳以上60歳未満であって、算定基礎期間が20年以上である者）である。この特定受給資格者に係る基本手当の受給期間は、基準日（当該受給資格に係る離職の日）の翌日から起算して１年に30日を加えた期間である。（法20①三、23①ニイ） ○

★

Q 247

□□

【令5】

受給資格者が公共職業安定所長の指示した公共職業訓練等を受けるために待期している期間内の失業している日は、訓練延長給付の支給対象とならない。

★★

Q 248

□□

【平25】

広域延長給付を受けている受給資格者については、当該広域延長給付が終わった後でなければ全国延長給付は行わず、全国延長給付を受けている受給資格者について広域延長給付が行われることとなったときは、広域延長給付が行われる間は、その者について全国延長給付は行わない。

★

Q 249

□□

【平29】

従業員として当然守らなければならない事業所の機密を漏らしたことによって解雇された場合、自己の責めに帰すべき重大な理由による解雇として給付制限を受ける。

★

Q 250

□□

【令2】

偽りその他不正の行為により高年齢雇用継続基本給付金の給付制限を受けた者は、当該被保険者がその後離職した場合に当初の不正の行為を理由とした基本手当の給付制限を受けない。

A 247 □□ 速P320

訓練延長給付は、公共職業安定所長の指示する公共職業訓練等を受ける受給資格者が、①受講のために待期している期間、②受講している期間、③受講終了後の期間の失業している日について、所定の要件を満たすときに、行われる。(法24①)

×

A 248 □□ 速P321

同時に2以上の延長給付の対象となる場合には、延長給付の調整が行われる。同時に広域延長給付と全国延長給付が行われる場合において、優先して行われるのは、広域延長給付である。延長給付の優先順位は、①個別延長給付又は地域延長給付、②広域延長給付、③全国延長給付、④訓練延長給付の順である。(法28①②)

○

A 249 □□ 速P322

事業所の機密を漏らしたことによって解雇された場合は、「自己の責めに帰すべき重大な理由による解雇」として離職理由による給付制限を受ける。なお、この場合の給付制限期間は、待期期間満了後1ヵ月以上3ヵ月以内の間で公共職業安定所長の定める期間である。(法33①、行政手引52202)

○

A 250 □□ 速P323

偽りその他不正の行為により求職者給付又は就職促進給付の支給を受けた者には、これらの給付の支給を受けた日以後、基本手当は支給されない。一方、設問の者が受けたのは、高年齢雇用継続基本給付金（雇用継続給付）の給付制限であるため、基本手当の給付制限とは関係がなく、基本手当は支給される。(法34①)

○

4 技能習得手当、寄宿手当、傷病手当

★
Q251
□□
【平24】

寄宿手当は、公共職業訓練等受講開始前の寄宿日については支給されることはない。

★
Q252
□□
【平24】

技能習得手当は、受給資格者に対し、基本手当を支給すべき日又は傷病手当を支給すべき日に、その日の属する月の前月の末日までの分を支給する。

★
Q253
□□
【令2】

疾病又は負傷のため職業に就くことができない状態が当該受給資格に係る離職前から継続している場合には、他の要件を満たす限り傷病手当が支給される。

★★
Q254
□□
【平28】

傷病手当の日額は、雇用保険法第16条の規定による基本手当の日額に100分の80を乗じて得た額である。

★
Q255
□□
【予想】

傷病手当は、雇用保険法第21条の規定による待期期間については支給されないが、同法第32条第２項の規定によるいわゆる職業指導拒否による給付制限の期間については支給される。

A 251 □□ 速P326

寄宿手当は、受給資格者が公共職業訓練等を受けるため、その者により生計を維持されている同居の親族と別居して寄宿する場合に、その寄宿する期間（受講期間中の日に限る。）について支給される。（則60①、行政手引52901）

○

A 252 □□ 速P326

技能習得手当は、受給資格者が公共職業訓練等を受ける期間について、基本手当に加えて支給される。公共職業訓練等を受ける場合の失業の認定は、１ヵ月に１回、直前の月に属する各日について行われるため、技能習得手当も、前月の末日までの分が支給される。（則61①）

○

A 253 □□ 速P327

傷病手当は、受給資格者が、離職後公共職業安定所に出頭し、求職の申込みをした後に、疾病又は負傷のため職業に就くことができない状態となった場合に、支給される。（行政手引53002）

×

A 254 □□ 速P327

傷病手当の日額は、「基本手当の日額に相当する額」である。（法37③）

×

A 255 □□ 速P327

傷病手当は、①基本手当（延長給付を含む。）の支給を受けることができる日、②基本手当に係る待期期間及び給付制限期間、③当該傷病に関して、労働基準法による休業補償、労災保険法による休業（補償）等給付、健康保険法による傷病手当金等の支給を受けることができる日については、支給されない。（法37⑤⑨）

×

5　その他の求職者給付

★★
Q 256
□□
【平29】

高年齢求職者給付金の支給を受けようとする高年齢受給資格者は、公共職業安定所において、離職後最初に出頭した日から起算して４週間に１回ずつ直前の28日の各日について、失業の認定を受けなければならない。

★
Q 257
□□
【平29】

高年齢求職者給付金の支給を受けた者が、失業の認定の翌日に就職した場合、当該高年齢求職者給付金を返還しなければならない。

★★
Q 258
□□
【令３改】

特例一時金の支給を受けることができる期限内において、特例受給資格者が疾病又は負傷により職業に就くことができない期間がある場合には、当該特例一時金に係る受給期限が延長される。

よくある質問

質問　日雇労働求職者給付金の支給要件は「前２ヵ月に印紙保険料が通算して26日分以上」ですが、第１級給付金の保険料納付要件は「前２ヵ月に納付された第１級印紙保険料が24日以上」で日数が合いません。26日分以上でなくても支給されるのでしょうか？

回答

26日分以上とは「支給（するための）要件」で、24日分以上とは給付金の「額を決めるための要件」です。これらは別々に定められています。

A 256 □□ 速P330

高年齢求職者給付金の支給を受けようとする高年齢受給資格者は、失業の認定日に1回のみ、失業の認定を受ければ足りる。なお、その受給期限は、離職の日の翌日から起算して1年を経過する日までである。（法37の4⑤、行政手引54611） ×

A 257 □□ 速P330

高年齢求職者給付金は、失業している日数に対応して支給されるものでなく、失業の状態にあれば支給されるものである。したがって、失業の認定日に失業の状態にあれば、その翌日から就職しても返還の必要はない。（行政手引54201） ×

A 258 □□ 速P331

特例一時金の受給期限日は、特例受給資格に係る離職の日の翌日から起算して6ヵ月を経過する日である。この受給期限には、延長措置はない。（法40③） ×

「前2ヵ月に印紙保険料が通算して26日分以上」とは、日雇労働求職者給付金を支給するための要件です。この場合の印紙保険料は種類を問いません。第1級～第3級印紙のどれであっても合計で26枚以上納付されていれば、日雇労働求職者給付金が支給されます。これを満たしていることを前提に、給付金の額（日額）は、納付した印紙保険料の種類・枚数によって決定されます。「前2ヵ月に通算して26日分以上」納付した印紙保険料のうち、「第1級印紙保険料が24日以上」であれば、第1級給付金の額となります。

★
Q 259
□□
【予想】

日雇労働被保険者となった者（日雇労働被保険者の任意加入の認可を受けた者は除く。）は、その事実のあった日から起算して10日以内に、日雇労働被保険者資格取得届を提出しなければならない。

★
Q 260
□□
【平24】

日雇労働被保険者が失業した日の属する月における失業の認定を受けた日について、その月の前２月間に、その者について納付されている印紙保険料が通算して28日分である場合、日雇労働求職者給付金のいわゆる普通給付は、その月において通算して13日分を限度として支給される。

Q 261
□□
【予想】

日雇労働求職者給付金のいわゆる特例給付は、所定の印紙保険料が納付されている継続する６ヵ月間の最後の月の翌月以後２ヵ月の期間内の失業している日について、通算して60日分を限度として支給される。

★
Q 262
□□
【令２】

日雇労働被保険者が公共職業安定所の紹介した業務に就くことを拒否した場合において、当該業務に係る事業所が同盟罷業又は作業所閉鎖の行われている事業所である場合、日雇労働求職者給付金の給付制限を受けない。

★★
Q 263
□□
【平25】

日雇労働求職者給付金の支給を受けることができる者が、偽りその他不正の行為により就職促進給付の支給を受けたときは、やむを得ない理由がある場合を除き、その支給を受けた月及びその月の翌月から１か月間に限り、日雇労働求職者給付金を支給しない。

A 259 □□ 速P332

日雇労働被保険者は、その要件に該当するに至った日から起算して5日以内に、日雇労働被保険者資格取得届を管轄公共職業安定所の長に提出しなければならない。（則71①） ×

A 260 □□ 速P332

日雇労働求職者給付金のいわゆる普通給付は、日雇労働被保険者が失業した日の属する月の前2ヵ月間に、その者について納付されている印紙保険料が通算して26～31日分であるときは、その月において通算して13日分を限度として支給される。（法50①） ○

A 261 □□ 速P333

日雇労働求職者給付金のいわゆる特例給付は、基礎期間（継続する6ヵ月間）に続く4ヵ月間（受給期間）において支給される。また、その支給日数の限度は、当該受給期間において通算して60日分とされている。（法54一） ×

A 262 □□ 速P334

日雇労働被保険者が公共職業安定所の紹介する業務に就くことを拒んだ場合は、その拒んだ日から7日間、日雇労働求職者給付金の給付制限を受ける。ただし、同盟罷業又は作業所閉鎖の行われている事業所に紹介された場合など正当な理由がある場合は、この給付制限は行われない。（法52①） ○

A 263 □□ 速P334

偽りその他不正の行為により求職者給付又は就職促進給付の支給を受け、又は受けようとした日雇受給資格者については、その支給を受け、又は受けようとした月及びその月の翌月から3ヵ月間は、日雇労働求職者給付金が支給されない。（法52③） ×

6　就職促進給付

★★
Q 264
□□
【平26】

受給資格者が離職理由による給付制限を受け、雇用保険法第21条に定める待期の期間満了後の１か月の期間内に事業を開始したときは再就職手当を受給することができない。

★
Q 265
□□
【令５】

受給資格者が１年を超えて引き続き雇用されることが確実であると認められる職業に就いた日前３年の期間内に厚生労働省令で定める安定した職業に就いたことにより就業促進手当の支給を受けたことがあるときは、就業促進手当を受給することができない。

★★
Q 266
□□
【令元】

早期再就職者に係る再就職手当の額は、支給残日数に相当する日数に10分の６を乗じて得た数に基本手当日額を乗じて得た額である。

★
Q 267
□□
【平30】

再就職手当を受給した者が、当該再就職手当の支給に係る同一の事業主にその職業に就いた日から引き続いて６か月以上雇用された場合で、当該再就職手当に係る雇用保険法施行規則第83条の２にいうみなし賃金日額が同条にいう算定基礎賃金日額を下回るときは、就業促進定着手当を受給することができる。

A 264 □□ 速P337

離職理由による給付制限を受けた場合において、待期期間満了後の1ヵ月の期間内については、「公共職業安定所又は職業紹介事業者等の紹介により職業に就いた」場合でなければ、再就職手当は支給されず、設問の「事業を開始した」場合には、再就職手当は支給されない。(則82①三)

○

A 265 □□ 速P337

1年を超えて引き続き雇用される場合に支給される就業促進手当は再就職手当であるが、再就職手当は、安定した職業に就いた日前3年以内の就職について就業促進手当（再就職手当又は常用就職支度手当）の支給を受けたことがあるときは、支給されない。なお、この取扱いは、常用就職支度手当でも同様である。(法56の3②、則82の4)

○

A 266 □□ 速P337

再就職手当の額は、基本手当の支給残日数に応じて、次のとおりである。(法56の3③一)

①支給残日数が3分の1以上3分の2未満
　→基本手当日額×支給残日数×10分の6
②支給残日数が3分の2以上（早期再就職者）
　→基本手当日額×支給残日数×10分の7

×

A 267 □□ 速P338

就業促進定着手当は、①再就職手当の支給を受けた受給資格者が、②再就職手当の支給に係る同一の事業主の適用事業に再就職日から引き続き6ヵ月以上雇用され、③みなし賃金日額（再就職後の賃金日額）が算定基礎賃金日額（離職時の賃金日額）を下回った場合に支給される。(法56の3③一、則83の2)

○

★★
Q268 □□【予想】
就業促進定着手当は、算定基礎賃金日額に支給残日数に相当する日数に10分の４を乗じて得た数を乗じて得た額を限度として、所定の方法によって計算された額が支給される。

★
Q269 □□【予想】
常用就職支度手当は、公共職業安定所又は職業紹介事業者等以外の者の紹介により職業に就いた場合には、支給されない。

★
Q270 □□【平26】
移転費は、受給資格者が公共職業安定所の紹介した職業に就くため、その住所及び居所を変更しなければ、受給することができない。

★
Q271 □□【令元】
短期訓練受講費の額は、教育訓練の受講のために支払った費用に100分の40を乗じて得た額（その額が10万円を超えるときは、10万円）である。

Q272 □□【令２改】
公共職業安定所長の指示した公共職業訓練等を受けることを拒んだことにより基本手当の支給停止処分を受けた受給資格者が、当該給付制限期間中に早期に就業を開始する場合には、他の要件を満たす限り再就職手当を受けることができる。

A 268 □□ 速P338

就業促進定着手当の上限額は、「基本手当日額×支給残日数×10分の２」によって計算された額である。(法56の３③一)

×

A 269 □□ 速P339

「公共職業安定所又は職業紹介事業者等の紹介により職業に就いたこと」は、常用就職支度手当の支給要件の１つである。なお、事業の開始は、常用就職支度手当の支給対象とならない。(則82②一)

○

A 270 □□ 速P341

移転費は、受給資格者等が、①公共職業安定所、特定地方公共団体若しくは職業紹介事業者の紹介した職業に就くため、又は②公共職業安定所長の指示した公共職業訓練等を受けるため、その住所又は居所を変更する場合において、公共職業安定所長が厚生労働大臣の定める基準に従って必要があると認めたときに、支給される。(法58①)

×

A 271 □□ 速P343

求職活動支援費の１つである短期訓練受講費の支給額は、「受給資格者等が教育訓練の受講のために支払った費用の額×100分の20」による額（上限額10万円）である。(則100の３)

×

A 272 □□ 速P337、P343

求職者給付（基本手当等）について、①不正受給による給付制限を受けた場合には、就職促進給付（再就職手当等）についても給付制限が行われるが、②設問のように「職業訓練拒否」による給付制限を受けた場合であっても、再就職手当は支給される（給付制限は行われない。）。(法60①)

○

7 教育訓練給付

★
Q273
□□
【令5】

特定一般教育訓練期間中に被保険者資格を喪失した場合であっても、対象特定一般教育訓練開始日において支給要件期間を満たす者については、対象特定一般教育訓練に係る修了の要件を満たす限り、特定一般教育訓練給付金の支給対象となる。

★
Q274
□□
【予想】

専門実践教育訓練の受講開始日前までに、前回の教育訓練給付金の支給決定日から3年以上経過していない場合においては、教育訓練給付金は支給しない。

★
Q275
□□
【予想】

支給要件期間が3年の者が教育訓練の受講のために支払った費用（厚生労働省令で定める範囲内のもの）が20万円である場合、受給できる一般教育訓練に係る教育訓練給付金の額は4万円である。

★★
Q276
□□
【予想】

一般教育訓練に係る教育訓練給付金の支給を受けようとする者は、当該一般教育訓練を修了した日の翌日から起算して3ヵ月以内に、支給申請書を管轄公共職業安定所の長に提出しなければならない。

A 273
□□
速P346、P348

教育訓練期間中に被保険者資格を喪失した場合でも、教育訓練給付金に係る支給要件期間は基準日（対象教育訓練の受講開始日）において判断されるため、特定一般教育訓練開始日に支給要件期間が３年（初回は１年）以上である者は、当該教育訓練に係る修了の要件を満たす限り、特定一般教育訓練給付金の支給対象となる。（行政手引58151）

〇

A 274
□□
速P347

専門実践教育訓練給付金の対象者が、今回の受講開始日の前日から３年以内に教育訓練給付金の支給を受けたことがある（支給決定日がある）ときは、専門実践教育訓練給付金は支給しない。（法60の２⑤、則101の２の10二、行政手引58212）

〇

A 275
□□
速P348

一般教育訓練に係る教育訓練給付金の額は、教育訓練の受講のために支払った所定の費用の額に、100分の20を乗じて得た額である。設問の者が支払った当該費用は20万円であるから、この者が受給することができる教育訓練給付金の額は、４万円（＝20万円×100分の20）である。（法60の２④、則101の２の7一）

〇

A 276
□□
速P348

一般教育訓練に係る教育訓練給付金の支給申請手続は、一般教育訓練を修了した日の翌日から起算して１ヵ月以内に、管轄公共職業安定所の長に対して行わなければならない。（則101の２の11①）

×

★
Q 277
□□
【令3】

特定一般教育訓練受講予定者は、キャリアコンサルティングを踏まえて記載した職務経歴等記録書を添えて管轄公共職業安定所の長に所定の書類を提出しなければならない。

★★
Q 278
□□
【予想】

専門実践教育訓練に係る教育訓練給付金は、当該専門実践教育訓練を現に受けており、修了していない者に対しては、支給されない。

★
Q 279
□□
【平28改】

教育訓練給付対象者であって専門実践教育訓練に係る教育訓練給付金の支給を受けようとする者は、当該専門実践教育訓練を開始する日の14日前までに、教育訓練給付金及び教育訓練支援給付金受給資格確認票その他必要な書類を管轄公共職業安定所の長に提出しなければならない。

★
Q 280
□□
【平28】

受給資格者が基本手当の受給資格に係る離職後最初に公共職業安定所に求職の申込みをした日以後において、失業している日が通算して７日に満たない間であっても、他の要件を満たす限り、専門実践教育に係る教育訓練支援給付金が支給される。

A 277 □□ 速P349

特定一般教育訓練に係る教育訓練給付金の支給申請手続においては、受給資格確認票にキャリアコンサルティングを踏まえて記載した職務経歴等記録書を添えて管轄公共職業安定所の長に提出しなければならない。（則101の２の11の２①）

○

A 278 □□ 速P350

専門実践教育訓練に係る教育訓練給付金は、当該教育訓練を修了した場合だけでなく、当該教育訓練を受けている場合であって、その受講状況が適切であると認められるとき（受講期間中）にも、支給される。（法60の２①、則101の２の３）

×

A 279 □□ 速P352

専門実践教育訓練に係る教育訓練給付金の訓練受講前の受給資格確認の手続きは、専門実践教育訓練を開始する日の14日前までに管轄公共職業安定所の長に対して行わなければならない。（則101の２の12①）

○

A 280 □□ 速P353

教育訓練支援給付金は、①基本手当が支給される期間、②基本手当の（求職の申込みをした日以後通算して７日の）待期期間・給付制限期間又は③（受講開始日以後の）失業している日が通算して７日に満たない間（教育訓練支援給付金に係る待期期間）については、支給されない。（法附則11の２④）

×

8 雇用継続給付

★★
Q281
□□
【平25改】

高年齢雇用継続給付は、高年齢被保険者に支給されることはない。

★
Q282
□□
【予想】

高年齢雇用継続基本給付金に関し、ある支給対象月に支払われた賃金の額が、みなし賃金日額に30を乗じて得た額の100分の64に相当する額未満である場合、同月における給付金の額は、原則として、当該賃金の額に100分の10を乗じて得た額となる。

★
Q283
□□
【平27】

受給資格者が当該受給資格に基づく基本手当を受けたことがなくても、傷病手当を受けたことがあれば、高年齢再就職給付金を受給することができる。

★★
Q284
□□
【令4】

高年齢再就職給付金の受給資格者が、被保険者資格喪失後、基本手当の支給を受け、その支給残日数が80日であった場合、その後被保険者資格の再取得があったとしても高年齢再就職給付金は支給されない。

A 281 □□ 速P356、P357、P359

高年齢雇用継続給付は、最長で65歳に達する日の属する月まで支給されるが、この「65歳に達する日の属する月」だけは、高年齢被保険者に対して支給されることがある。高年齢雇用継続給付の支給対象者は、一般被保険者及び高年齢被保険者である。(法61①、61の2②)

×

A 282 □□ 速P358

支給対象月に支払われた賃金の額が、みなし賃金日額に30を乗じて得た額の100分の64未満である場合に支給される高年齢雇用継続基本給付金の額は、「支給対象月に支払われた賃金の額×100分の10」である。(法61⑤一)

○

A 283 □□ 速P327、P359

高年齢再就職給付金の支給を受けるためには、基本手当の支給を受けたことが必要である。傷病手当の支給を受けたときは、その支給を受けた日数に相当する日数分の基本手当の支給を受けたものとみなされる。(法37⑥、61の2①)

○

A 284 □□ 速P359

高年齢再就職給付金は、①当該職業に就いた日の前日における基本手当の支給残日数が100日未満であるとき、②当該再就職後の支給対象月に支払われた賃金の額が支給限度額以上であるときは、支給されない。(法61の2①一)

○

★★
Q 285
□□
【予想】

高年齢再就職給付金の支給を受けることができる者が、同一の就職につき再就職手当の支給を受けることができる場合においては、高年齢再就職給付金は支給されない。

★★
Q 286
□□
【平27改】

介護休業給付金は、一般被保険者又は高年齢被保険者が、対象家族を介護するための休業をした場合において、当該休業を開始した日前２年間に、みなし被保険者期間が通算し12か月以上であったときに、支給単位期間について支給される。

★★
Q 287
□□
【平30】

被保険者が介護休業給付金の支給を受けたことがある場合、同一の対象家族について当該被保険者がした介護休業ごとに、当該介護休業を開始した日から当該介護休業を終了した日までの日数を合算して得た日数が60日に達した日後の介護休業については、介護休業給付金を支給しない。

よくある質問

質問　高年齢雇用継続給付の支給対象月の要件にある「その月の初日から末日まで引き続いて、介護休業給付金又は育児休業給付金、出生時育児休業給付金若しくは出生後休業支援給付金の支給を受けることができる休業をしなかったこと」がよく分かりません。月の一部でもこれらの支給に係る休業をすれば、支給対象月にはならないのですか？

回答
月の一部についてのみこれらの支給に係る休業をした場合は、支給対象月になります。

A 285 □□ 速P360

設問の場合は、その者が再就職手当の支給を受けたときは高年齢再就職給付金が支給されず、高年齢再就職給付金の支給を受けたときは再就職手当が支給されない。つまり、受給資格者の選択により、いずれか一方が支給される。（法61の2④） ×

A 286 □□ 速P361

介護休業給付金の支給を受けるためには、対象家族を介護するための休業を開始した日前２年間にみなし被保険者期間が通算して12ヵ月以上あることが必要である。なお、この「２年間」については延長措置がある。（法61の４①） ○

A 287 □□ 速P362

同一の対象家族について分割して介護休業を取得する場合には、３回を上限として、介護休業を取得した日数が通算して93日に達するまでの期間が、介護休業給付金の支給期間となる。（法61の４⑥、行政手引59901） ×

支給対象月にならないのは、「その月の初日から末日まで引き続いて介護休業給付金等の支給を受けることができる休業をした」場合です。この場合には、その月の全部がこれらの支給の対象となるため、高年齢雇用継続給付の支給対象月とはなりません。

月の一部についてのみ介護休業又は育児休業、出生時育児休業若しくは出生後休業をした場合には、その月の休業期間以外の期間について支払われた賃金を対象として高年齢雇用継続給付が支給されるため、その月は支給対象月となります。

9 育児休業等給付

★★

Q288 □□ 【令２改】

不正な行為により育児休業給付の支給を受けたとして育児休業給付に係る支給停止処分を受けた受給資格者は、新たに育児休業給付の支給要件を満たしたとしても、新たな受給資格に係る育児休業給付を受けることができない。

★★

Q289 □□ 【平27改】

短期雇用特例被保険者は、育児休業給付金及び出生時育児休業給付金を受けることができない。

★

Q290 □□ 【令４】

育児休業を開始した日前２年間のうち１年間事業所の休業により引き続き賃金の支払を受けることができなかった場合、育児休業開始日前３年間に通算して12か月以上のみなし被保険者期間があれば、他の要件を満たす限り育児休業給付金が支給される。

★

Q291 □□ 【平29】

育児休業給付金の支給申請の手続は、雇用される事業主を経由せずに本人が郵送により行うことができる。

A 288 □□ 速P364

偽りその他不正の行為により育児休業給付の支給を受けた者には、原則として、これを受けた日以後、育児休業給付は支給されない（支給停止処分）。ただし、この者が、新たに育児休業給付の支給要件を満たした場合には、新たな受給資格に係る育児休業給付が支給される。（法61の9）

×

A 289 □□ 速P365、P367

設問の給付金を含め育児休業等給付の支給対象となる被保険者からは、短期雇用特例被保険者及び日雇労働被保険者は除かれている。（法61の7①）

○

A 290 □□ 速P306、P361、P365

みなし被保険者期間を確認する「2年間」については、事業所の休業等により引き続き30日以上賃金の支払いを受けることができなかった期間がある場合は、その期間（設問では1年間）を2年間に加算することができる。（行政手引59523）

○

A 291 □□ 速P366

育児休業給付の支給申請手続は、事業主を経由せずに本人が直接行うことも認められており、本人が郵送により行うことができる。（行政手引59504）

○

★
Q 292
□□
【令3】

育児休業をした被保険者に当該被保険者を雇用している事業主から支給単位期間に賃金が支払われた場合において、当該賃金の額が休業開始時賃金日額に支給日数を乗じて得た額の100分の50に相当する額であるときは、育児休業給付金が支給されない。

★★
Q 293
□□
【予想】

同一の子について被保険者がした出生時育児休業ごとに、当該出生時育児休業を開始した日から当該出生時育児休業を終了した日までの日数を合算して得た日数が28日に達した日後の出生時育児休業については、出生時育児休業給付金が支給されない。

★★
Q 294
□□
【予想】

出生後休業支援給付金は、子を養育するための休業について、被保険者が出生時育児休業給付金又は育児休業給付金の支給を受けることができる場合には、支給されない。

★
Q 295
□□
【予想】

育児時短就業給付金の額は、原則として、一支給対象月について、育児時短就業を開始した日の前日を離職の日とみなして雇用保険法第17条の規定を適用した場合に算定されることとなる賃金日額に相当する額に30を乗じて得た額の100分の10に相当する額である。

A 292 □□ 速P366

育児休業給付金が支給されないのは、事業主から支払われた賃金の額が「休業開始時賃金日額×支給日数×100分の80」以上であるときである。なお、設問の場合は、減額調整された育児休業給付金が支給される（簡略化すると「80%相当額－50%相当額（賃金の額）＝30%相当額」を差額支給）。（法61の7⑦）

×

A 293 □□ 速P367

出生時育児休業給付金の支給対象となるのは、同一の子について２回まで、かつ、通算して28日に達するまでの出生時育児休業である。（法61の8②）

○

A 294 □□ 速P368

設問のような取扱いはない。出生後休業支援給付金は、育児休業給付の上乗せ給付として支給される。つまり、出生時育児休業給付金又は育児休業給付金とあわせて支給される。（法61の10）

×

A 295 □□ 速P369

育児時短就業給付金の額は、原則として、一支給対象月について、「当該支給対象月に支払われた賃金の額×100分の10」による額となる。設問のように、育児時短就業の開始前の賃金に基づいて計算するのではない。（法61の12⑥）

×

10 雇用保険二事業、不服申立て等

Q296 □□ 【令元】

雇用調整助成金は、労働保険料の納付の状況が著しく不適切である事業主に対しては、支給しない。

★★

Q297 □□ 【令元改】

国庫は、毎年度、予算の範囲内において、就職支援法事業に要する費用（雇用保険法第66条第１項第５号に規定する費用を除く。）及び雇用保険事業（出生後休業支援給付及び育児時短就業給付に係る事業を除く。）の事務の執行に要する経費を負担する。

★★

Q298 □□ 【平30】

雇用安定事業について不服がある事業主は、雇用保険審査官に対して審査請求をすることができる。

★

Q299 □□ 【令４】

偽りその他不正の行為により失業等給付の支給を受けた者がある場合に政府が納付をすべきことを命じた金額を徴収する権利は、これを行使することができる時から２年を経過したときは時効によって消滅する。

★★

Q300 □□ 【予想】

事業主は、雇用保険に関する書類を、その完結の日から２年間（被保険者に関する書類にあっては、４年間）保管しなければならない。

A 296
□□
速P371

雇用調整助成金等の助成金は、①労働保険料の納付状況が著しく不適切である、又は②過去5年以内に偽りその他不正の行為により、助成金の支給を受け、若しくは受けようとした事業主又は事業主団体に対しては、支給されない。（則120の2①）

○

A 297
□□
速P372

国庫は、毎年度、予算の範囲内において、次の費用等を負担する。（法66⑤）

①就職支援法事業に要する費用（職業訓練受講給付金に要する費用を除く。）

②雇用保険事業（出生後休業支援給付及び育児時短就業給付に係る事業を除く。）の事務の執行に要する経費

○

A 298
□□
速P374

雇用保険二事業についての不服は、雇用保険審査官に対する審査請求の対象となっておらず、行政不服審査法に基づく審査請求又は裁判所への訴訟の提起の対象となる。（法69①）

×

A 299
□□
速P374

①失業等給付等の支給を受け、又はその返還を受ける権利、②不正受給による返還命令又は納付命令に係る金額を徴収する権利の消滅時効期間は、いずれも2年である。（法74①）

○

A 300
□□
速P375

書類の保管期間は、完結の日から2年間（被保険者に関する書類にあっては、4年間）である。（則143）

○

POINTマスター

雇用保険法

1 給付の全体像

給付名			対象者
失業等給付	求職者給付	基本手当	一般被保険者（受給資格者）
		技能習得手当（受講手当・通所手当）	
		寄宿手当	
		傷病手当	
		高年齢求職者給付金	高年齢被保険者（高年齢受給資格者）
		特例一時金	短期雇用特例被保険者（特例受給資格者）
		日雇労働求職者給付金	日雇労働被保険者（日雇受給資格者）
	就職促進給付	就業促進手当（再就職手当・就業促進定着手当・常用就職支度手当）	受給資格者（常用就職支度手当のみ「受給資格者等、かつ、就職困難者」）
		移転費	受給資格者等
		求職活動支援費	
	教育訓練給付	教育訓練給付金 教育訓練支援給付金	一般被保険者・高年齢被保険者等
	雇用継続給付	高年齢雇用継続給付（高年齢雇用継続基本給付金・高年齢再就職給付金）	
		介護休業給付（介護休業給付金）	
育児休業等給付		育児休業給付（育児休業給付金・出生時育児休業給付金）	一般被保険者・高年齢被保険者
		出生後休業支援給付（出生後休業支援給付金）	
		育児時短就業給付（育児時短就業給付金）	

2 適用除外者のまとめ

適用除外者	例外（被保険者となる者）
(1) 週所定労働時間が20時間未満である者	①申出をして高年齢被保険者となる者（特例高年齢被保険者） ②日雇労働被保険者に該当する者
(2) 同一事業主の適用事業に継続して31日以上雇用されることが見込まれない者	①前2ヵ月の各月に18日以上同一事業主の適用事業に雇用された者 ②日雇労働被保険者に該当する者
(3) 季節的に雇用される者であって、次のいずれかに該当するもの ア 4ヵ月以内の期間を定めて雇用される者 イ 週所定労働時間が20時間以上30時間未満である者	①日雇労働被保険者に該当する者 ②左記アに該当する者のうち、所定の期間を超えて引き続き雇用された者（雇用期間が通算して4ヵ月を超える場合）
(4) 学校教育法に規定する学校等の学生又は生徒である者（昼間学生アルバイト等）	①卒業予定者で、適用事業に雇用され、卒業後も引き続き当該事業に雇用されることとなっているもの ②休学中の者 ③定時制の課程に在学する者 ④上記に準ずる者として職業安定局長が定めるもの
(5) 船員法に規定する船員であって、政令で定める漁船に乗り組むために雇用される者	1年を通じて船員として適用事業に雇用される者
(6) 国、都道府県、市町村等の事業に雇用される者のうち、離職した場合に、他の法令、条例、規則等に基づいて支給を受けるべき諸給与の内容が、求職者給付及び就職促進給付の内容を超えると認められる者であって、厚生労働省令で定めるもの	都道府県、市町村等の事業に雇用される者については、厚生労働大臣又は都道府県労働局長の適用除外の承認がなされなかった者

3 基本手当の所定給付日数

種類	算定基礎期間 年齢	1年未満	1年以上5年未満	5年以上10年未満	10年以上20年未満	20年以上
一般	全年齢	90			120	150
就職困難者	45歳未満	150	300			
	45歳以上65歳未満		360			
特定受給資格者	30歳未満	90	90	120	180	—
	30歳以上35歳未満		120	180	210	240
	35歳以上45歳未満		150	180	240	270
	45歳以上60歳未満		180	240	270	330
	60歳以上65歳未満		150	180	210	240

4 その他の求職者給付

(1) 高年齢求職者給付金・特例一時金の支給額

給付の種類	算定基礎期間	基本手当日額に相当する額
高年齢求職者給付金	1年未満	30日分
	1年以上	50日分
特例一時金	——	30日分(当分の間：40日分)

(2) 日雇労働求職者給付金の支給要件（印紙保険料納付要件）

普通給付	特例給付
失業の日の属する月の前2ヵ月間に、印紙保険料が通算して26日分以上納付されていること	継続する6ヵ月間に印紙保険料が各月11日分以上、かつ、通算して78日分以上納付されていること

5 就業促進手当の支給額

給付の種類	支給額
再就職手当	①支給残日数が3分の1以上3分の2未満 →基本手当日額×支給残日数×10分の6 ②支給残日数が3分の2以上（早期再就職者） →基本手当日額×支給残日数×10分の7
就業促進定着手当	［算定基礎賃金日額－みなし賃金日額］×（再就職の日からの6ヵ月間のうち賃金の支払いの基礎となった日数） ※上限額：基本手当日額×支給残日数×10分の2
常用就職支度手当	①原則※→基本手当日額×90×10分の4 ②支給残日数が45日以上90日未満 →基本手当日額×支給残日数×10分の4 ③支給残日数が45日未満 →基本手当日額×45×10分の4

※所定給付日数が270日以上の受給資格者及び受給資格者以外の者については、すべて原則の計算式により計算される。

6 介護休業・育児休業等に関する給付金の額

給付の種類	支給額
介護休業給付金	休業開始時賃金日額×支給日数×100分の67※ ※当分の間の給付率（法本来は100分の40）
育児休業給付金	【支給日数（休業日数）が180日目まで】 休業開始時賃金日額×支給日数×100分の67 【支給日数（休業日数）が181日目以降】 休業開始時賃金日額×支給日数×100分の50
出生時育児休業給付金	休業開始時賃金日額×支給日数（上限28日）×100分の67
出生後休業支援給付金	休業開始時賃金日額（と同様に算定した額）×出生後休業の日数（上限28日）×100分の13

第5章 労働保険徴収法

1 法の原則と適用

★★
Q 301
□□
【令2】

労働保険徴収法は、労働保険の事業の効率的な運営を図るため、労働保険の保険関係の成立及び消滅、労働保険料の納付の手続、労働保険事務組合等に関し必要な事項を定めている。

Q 302
□□
【予想】

労働保険徴収法において「保険年度」とは、1月1日から12月31日までをいう。

★
Q 303
□□
【令5】

労働保険徴収法における「賃金」のうち、食事、被服及び住居の利益の評価に関し必要な事項は、所轄労働基準監督署長又は所轄公共職業安定所長が定めることとされている。

★
Q 304
□□
【平26】

雇用保険料その他社会保険料の労働者負担分を、事業主が、労働協約等の定めによって義務づけられて負担した場合、その負担額は賃金と解することとされており、労働保険料等の算定基礎となる賃金総額に含める。

本試験では、手続きに関する細かい問題が多いですが、法令からの出題がほとんどです。十分な学習を積み、高得点を狙いましょう。

A 301 □□ 速P382

労働保険徴収法は、労働保険の事業の効率的な運営を図るため、主に次の事項について定めている。（法１）

①保険関係の成立及び消滅（適用の対象）
②労働保険料の納付の手続き（事業主の義務）
③労働保険事務組合（事業主の代行）等

○

A 302 □□ 速P383

労働保険徴収法における「保険年度」とは、保険料を取りまとめる期間的単位であり、４月１日から翌年３月31日までをいう。（法２④）

×

A 303 □□ 速P383

食事、被服及び住居の利益等の通貨以外のもので支払われる賃金の評価に関し必要な事項は、「厚生労働大臣」が定める。「所轄労働基準監督署長又は所轄公共職業安定所長」ではない。（法２③、則３）

×

A 304 □□ 速P383

社会保険料の労働者負担分を、事業主が、労働協約等の定めによって義務づけられて負担した場合は、その負担額は、賃金と解される。したがって、労働保険料等の算定基礎となる賃金総額に含めることとなる。（昭51.3.31労徴発12）

○

★
Q 305
□□
【平26】

労働基準法第76条の規定に基づく休業補償は、労働不能による賃金喪失に対する補償であり、労働の対償ではないので、労働保険料等の算定基礎となる賃金に含めない。また、休業補償の額が平均賃金の60パーセントを超えた場合についても、その超えた額を含めて労働保険料等の算定基礎となる賃金総額に含めない。

★
Q 306
□□
【予想】

個人経営の林業の事業であって、常時３人の労働者を使用するものは、労災保険の暫定任意適用事業となる。

★★
Q 307
□□
【平26】

労働保険徴収法は、労働保険の適用徴収の一元化を目的として制定されたものであるが、都道府県及び市町村の行う事業については、労災保険と雇用保険とで適用労働者の範囲が異なるため、両保険ごとに別個の事業とみなして同法を適用することとしている。

★
Q 308
□□
【予想】

労働保険徴収法における有期事業とは、事業の期間が予定される事業をいうが、これに該当するのは、建設の事業のみである。

A 305 □□ 速P383

労働基準法76条に規定する「休業補償」の額は、療養中1日につき平均賃金の100分の60相当額であるが、これは、労働保険料等の算定基礎となる賃金総額に含まれない。また、これを超える額が支払われた場合は、当該超える額も、労働保険料等の算定基礎となる賃金総額には含まれない。

(昭25.12.27基収3432)

○

A 306 □□ 速P385

林業の事業は、個人経営であって、常時労働者を使用せず、かつ、年間使用延労働者数が300人未満であるときに、労災保険の暫定任意適用事業となる。常時使用する労働者が1人でもいれば、強制適用事業となる。(整備令17、昭50労告35)

×

A 307 □□ 速P386

二元適用事業(労災保険に係る保険関係と雇用保険に係る保険関係ごとに別個の事業とみなす事業)には、次の①~⑤が該当する。(法39①等)

①都道府県及び市町村の行う事業

②都道府県に準ずるもの及び市町村に準ずるものの行う事業

③港湾労働法の規定により6大港湾において港湾運送の行為を行う事業

④農林業、畜産業、養蚕業又は水産業(船員が雇用される事業を除く。)

⑤建設の事業

○

A 308 □□ 速P386

建設の事業や立木の伐採の事業のように事業の期間が予定される事業は、その期間の長短を問わず有期事業となる。(法7二、則6②一等)

×

2 保険関係

Q 309
□□
【令元】

一元適用事業であって労働保険事務組合に事務処理を委託しないもののうち雇用保険に係る保険関係のみが成立する事業は、保険関係成立届を所轄公共職業安定所長に提出することとなっている。

★
Q 310
□□
【平27】

農業の事業で、民間の個人事業主が労災保険の任意加入の申請を行うためには、任意加入申請書に労働者の同意を得たことを証明する書類を添付して、所轄都道府県労働局長に提出しなければならない。

★★
Q 311
□□
【令4改】

雇用保険の適用事業に該当する事業が、雇用保険暫定任意適用事業に該当するに至ったときは、その翌日に、自動的に雇用保険の任意加入の認可があったものとみなされ、事業主は雇用保険の任意加入に係る申請書を所轄公共職業安定所長を経由して所轄都道府県労働局長に改めて提出することとされている。

★
Q 312
□□
【予想】

労災保険に係る保険関係が成立している労災保険暫定任意適用事業の事業主は、当該事業に使用される労働者の過半数の同意を得た場合であっても、当該保険関係が成立した後1年を経過していないときは、保険関係消滅の申請をすることはできない。

A 309 □□ 速P388

保険関係成立届の提出先は、所轄労働基準監督署長（署長）又は所轄公共職業安定所長（所長）であるが、一元適用事業における提出先は、次のように区分されている。（則１①三）

①労働保険事務組合に委託しない事業→署長

②上記①のうち雇用保険に係る保険関係のみが成立している事業→所長

③労働保険事務組合に委託する事業→所長

○

A 310 □□ 速P389

労災保険暫定任意適用事業の事業主が労災保険の任意加入の申請をする場合には、当該事業の労働者の同意を得る必要はない。したがって、任意加入申請書には、労働者の同意に関する証明書を添付する必要はない。（整備法５①、整備省令１）

×

A 311 □□ 速P389

雇用保険の適用事業が雇用保険暫定任意適用事業に該当するに至ったときは、その翌日に、自動的に雇用保険の任意加入の認可があったものとみなされる（擬制任意適用事業）。特に手続きは必要ない。（法附２④）

×

A 312 □□ 速P390

労災保険に係る保険関係が成立している労災保険暫定任意適用事業の事業主が、保険関係消滅の申請をするには、次の①～③のすべてを満たさなければならない。（整備法８②）

①保険関係が成立した後１年を経過していること

②労働者の過半数の同意を得ること

③特別保険料の徴収期間を経過していること

○

★★
Q313
□□
【令3】

有期事業の一括が行われるには、当該事業の概算保険料の額（労働保険徴収法第15条第２項第１号又は第２号の労働保険料を算定することとした場合における当該労働保険料の額）に相当する額が160万円未満でなければならない。

★
Q314
□□
【予想】

建設の事業と立木の伐採の事業の事業主が同一人である場合であって、それぞれの事業が事業規模等の要件を満たすときは、労働保険徴収法の適用については、これらの事業の全部が一の事業とみなされる。

★
Q315
□□
【令4】

二以上の有期事業が一括されて一の事業として労働保険徴収法の規定が適用される事業の事業主は、確定保険料申告書を提出する際に、前年度中又は保険関係が消滅した日までに終了又は廃止したそれぞれの事業の明細を記した一括有期事業報告書を所轄都道府県労働局歳入徴収官に提出しなければならない。

よくある質問

質問　有期事業の一括の要件の「それぞれの事業が他のいずれかの事業の全部又は一部と同時に行われること」の意味がよく分かりません。

回答

それぞれの事業が行われる期間（事業期間）のうち、「全部又は一部」の期間が他の事業期間と同時（重複する時期）に行われていなければ、一括することはできないということです。

たとえば、事業期間が４月１日から10月31日までの「A事業」と事業期間が５月１日から８月➚

A 313 □□ 速P391

有期事業の一括に係る規模要件は、それぞれの有期事業の規模が、「概算保険料の額が160万円未満」、かつ、「①建設の事業にあっては請負金額が1億8,000万円未満、②立木の伐採の事業にあっては素材の見込生産量が1,000立方メートル未満」であることである。（則6①）

○

A 314 □□ 速P391

有期事業の一括が行われるためには、それぞれの事業の種類が、建設の事業又は立木の伐採の事業の一方のみに属するものでなければならない。建設の事業と立木の伐採の事業が一括されることはない。（法7、則6②一）

×

A 315 □□ 速P392

一括有期事業報告書は、①次の保険年度の6月1日から40日以内又は②保険関係消滅日から50日以内に、所轄都道府県労働局歳入徴収官に提出しなければならない。この報告書には、①前年度中又は②保険関係消滅日までに終了・廃止したそれぞれの事業の明細を記載する。（則34、様式第7号）

○

31日までの「B事業」があるとします。B事業は、その「全部」の期間がA事業と同時に行われていることになります。また、事業期間が7月1日から翌年4月30日までの「C事業」があるとすると、C事業は、その「一部」がA事業やB事業と同時に行われていることになります。この場合には、他の要件をすべて満たせば、A事業・B事業・C事業を一括することができます。4月1日から切れ目なく「A事業→B事業→C事業」が行われているため、それぞれの事業を一括して、1つの事業とみなすのです。

★
Q316 □□ 【平24】
日雇労働被保険者に係る印紙保険料の納付については、請負事業の一括により元請負人が事業主とされる場合、当該元請負人が、その使用する日雇労働被保険者及び下請負人が使用する日雇労働被保険者に係る印紙保険料を納付しなければならない。

★★
Q317 □□ 【平26】
立木の伐採の事業が数次の請負によって行われる場合には、労働保険徴収法の規定の適用については、それらの事業は一の事業とみなされ、元請負人のみが当該事業の事業主とされる。

★
Q318 □□ 【平27改】
厚生労働省令で定める事業が数次の請負によって行われる場合の元請負人及び下請負人が、下請負事業の分離の認可を受けようとするときは、元請負人及び下請負人のいずれかが単独で、当該下請負人を事業主とする認可申請書を所轄都道府県労働局長に提出して、認可を受けることができる。

★★
Q319 □□ 【平26】
継続事業の一括に関する厚生労働大臣の認可の要件の一つとして、「それぞれの事業が、事業の種類を同じくすること。」が挙げられているが、雇用保険に係る保険関係が成立している二元適用事業については、この要件を必要としない。

Q320 □□ 【予想】
継続事業の一括の認可を受けようとする事業主は、継続事業一括申請書を、労働保険徴収法第９条の指定事業としての指定を受けることを希望する事業に係る所轄都道府県労働局長に提出しなければならない。

A 316 □□ 速P392、P425

請負事業の一括は、労災保険に係る保険関係についてのみ行われ、雇用保険に係る保険関係については行われない。したがって、設問の場合に、下請負人が使用する日雇労働被保険者に係る印紙保険料を納付しなければならないのは、元請負人ではなく、下請負人である。（法23①） ×

A 317 □□ 速P392、P393

請負事業の一括の対象となるのは、数次の請負によって行われる建設の事業のみである。立木の伐採の事業は、請負事業の一括の対象とされていない。（法8①、則7） ×

A 318 □□ 速P393

下請負事業の分離に係る認可申請は、元請負人及び下請負人が共同で行わなければならない。いずれかが単独で行うことはできない。（法8②、則8） ×

A 319 □□ 速P394

雇用保険に係る保険関係が成立している二元適用事業についても、継続事業の一括に関する厚生労働大臣の認可の要件の1つである「それぞれの事業が、（労災保険率表における）事業の種類を同じくすること」を満たす必要がある。（法9、則10①二） ×

A 320 □□ 速P395

継続事業の一括の認可を受けようとする事業主は、継続事業一括申請書を、指定事業としての指定を受けることを希望する事業に係る所轄都道府県労働局長に提出しなければならない。（則10②） ○

3 労働保険料の決定

★★
Q321
□□
【予想】

労働保険徴収法には、労働保険料の種類として、一般保険料、特別加入保険料、船員特別保険料、印紙保険料及び特例納付保険料が規定されている。

★
Q322
□□
【平30】

労働保険徴収法第39条第１項に規定する事業以外の事業（一元適用事業）の場合は、労災保険に係る保険関係と雇用保険に係る保険関係ごとに別個の事業として一般保険料の額を算定することはない。

★
Q323
□□
【令４】

適用事業に雇用される労働者が事業主の命により日本国の領域外にある適用事業主の支店、出張所等に転勤した場合において当該労働者に支払われる賃金は、労働保険料の算定における賃金総額に含めない。

よくある質問

質問 賃金総額の特例で請負代金に加算する場合と請負代金から控除する場合があるのですが、どうして取扱いが異なるのかよく分かりません。

回答

建設の仕事を請け負った者が、本来負担するべき金額かどうかにより取扱いが異なります。

本来、建設の仕事を請け負った者は、請負代金の中から自ら資材や機械器具等を購入します。しかし、自ら購入すべき資材を注文者から支給され、又は機械器具等を貸与された場合には、その価額相当額は請負代金に含まれないことになります。

A 321 □□ 速P397

労働保険料の種類は、一般保険料、特別加入保険料、印紙保険料及び特例納付保険料である。「船員特別保険料」というものは存在しない。（法10②） ×

A 322 □□ 速P398

一元適用事業であっても、労災保険と雇用保険の適用労働者の範囲が異なる場合は、保険関係ごとに別個の事業とみなして一般保険料の額を算定する。（整備省令17①） ×

A 323 □□ 速P302、P399

適用事業に雇用される労働者が海外の支店、出張所等に転勤した場合は、労働保険（雇用保険）の被保険者となる。したがって、その労働者に支払われる賃金は、労働保険料の算定における賃金総額に含める。（法11②、行政手引20352） ×

そこで、このような場合には、本来は請負代金に含めるべき資材や機械器具等の価額を請負代金に加算した額を請負金額とします。一方、機械装置の組立て・据付けのためには、特別な技術が必要です。その「技術料」が「機械装置の組立て又は据付けの事業」の請負代金です。したがって、この場合の請負代金には機械装置の価額は含まれていません。ところが、注文者が機械装置の価額を含めて請負代金を支払ったとすると、本来の請負代金以上の金額が支払われていることになりますから、その価額を請負代金から控除した額を請負金額とします。

★
Q 324
□□
【平30】

請負による建設の事業に係る賃金総額については、常に厚生労働省令で定めるところにより算定した額を当該事業の賃金総額とすることとしている。

Q 325
□□
【平30改】

労災保険率は、労災保険法の適用を受けるすべての事業の過去5年間の業務災害、複数業務要因災害及び通勤災害に係る災害率並びに二次健康診断等給付に要した費用の額、社会復帰促進等事業として行う事業の種類及び内容その他の事情を考慮して厚生労働大臣が定める。

★★
Q 326
□□
【予想】

船員法第1条に規定する船員を使用して行う船舶所有者の事業に係る労災保険率は、1,000分の60である。

★
Q 327
□□
【令元】

一般保険料における雇用保険率について、建設の事業、清酒製造の事業及び園芸サービスの事業は、それらの事業以外の一般の事業に適用する料率とは別に料率が定められている。

★
Q 328
□□
【令2】

第1種特別加入保険料率は、中小事業主等が行う事業に係る労災保険率と同一の率から、労災保険法の適用を受けるすべての事業の過去3年間の二次健康診断等給付に要した費用の額を考慮して厚生労働大臣の定める率を減じた率である。

A 324
□□
速P399

請負による建設の事業等について、賃金総額の特例により厚生労働省令で定めるところにより算定した額を賃金総額とするのは、「賃金総額を正確に算定することが困難なもの」についてである。「常に」ではない。（法11③、則12）

×

A 325
□□
速P400

労災保険率の決定にあたって考慮すべき事項は、①過去３年間の業務災害、複数業務要因災害及び通勤災害に係る災害率、②過去３年間の二次健康診断等給付に要した費用の額、③社会復帰促進等事業として行う事業の種類及び内容、④その他の事情の４つである。（法12②）

×

A 326
□□
速P400

船舶所有者の事業に係る労災保険率は、1,000分の42である。（則16①）

×

A 327
□□
速P401

農林水産業の事業のうち、季節的に休業等のない事業として厚生労働大臣が指定する事業（①牛馬育成・酪農・養鶏・養豚の事業、②園芸サービスの事業、③内水面養殖の事業、④船員が雇用される事業）については、一般の事業に適用する料率と同じ料率が適用される。（法12④、昭50労告12）

×

A 328
□□
速P402

第１種特別加入保険料率は、特別加入の承認を受けた中小事業主等が行う事業についての労災保険率から、労災保険法の適用を受けるすべての事業の過去３年間の二次健康診断等給付に要した費用の額を考慮して厚生労働大臣の定める率（現在は０）を減じた率である。（法13）

○

★
Q329
□□
【平28】
メリット制とは、一定期間における業務災害に関する給付の額と業務災害に係る保険料の額の収支の割合（収支率）に応じて、有期事業を含め一定の範囲内で労災保険率を上下させる制度である。

★
Q330
□□
【平28】
メリット制が適用される事業の要件である①100人以上の労働者を使用する事業及び②20人以上100人未満の労働者を使用する事業であって所定の要件を満たすものの労働者には、第１種特別加入者も含まれる。

★
Q331
□□
【令２改】
メリット収支率の算定基礎に、労災保険特別支給金支給規則の規定による特別支給金で業務災害に係るものは含めない。

Q332
□□
【予想】
政府は、有期事業のメリット制の規定により確定保険料の額を引き上げた場合には、その引き上げられた確定保険料の額と当該事業主が既に納付した確定保険料の額との差額を徴収するものとする。所轄都道府県労働局歳入徴収官は、この差額を徴収しようとする場合には、通知を発する日から起算して30日を経過した日を納期限と定め、事業主に、当該納期限、納付すべき当該差額及びその算定の基礎となる事項を通知しなければならない。

A 329
□□
速P403

労災保険率を上下させる制度は、継続事業（一括有期事業を含む。）のメリット制である。有期事業のメリット制は、確定保険料の額を上下させる制度である。（法12③、20①）

×

A 330
□□
速P404

次の①又は②の事業であって所定の要件を満たす継続事業については、継続事業のメリット制が適用されるが、①②の労働者には、第１種特別加入者も含むものとされている。（昭40.11.1基発1454）
①100人以上の労働者を使用する事業
②20人以上100人未満の労働者を使用する事業であって、災害度係数が0.4以上であるもの

○

A 331
□□
速P404

特別支給金で業務災害に係るもの（複数事業労働者にあっては、災害発生事業場に係るものに限る。）は、一定のもの（特定疾病にかかった者に対する特別支給金等）を除き、メリット収支率の算定基礎に含める。（法12③、則18の２）

×

A 332
□□
速P407

有期事業のメリット制による確定保険料の差額徴収に係る通知は、通知を発する日から起算して30日を経過した日を納期限とする納入告知書を送付することにより行われる。なお、確定保険料の額を「引き下げた」場合には、所轄都道府県労働局歳入徴収官は、事業主にその旨を通知し、事業主が請求した場合は差額が還付され、請求しない場合は未納の労働保険料等に充当される。（法20③④、則26）

○

4 労働保険料の申告・納付手続

★
Q333
□□
【令元改】

事業主は、既に納付した概算保険料の額と確定保険料の額が同一であり過不足がないときは、確定保険料申告書を所轄都道府県労働局歳入徴収官に提出するに当たって、日本銀行（本店、支店、代理店及び歳入代理店をいう。）、年金事務所又は労働基準監督署長を経由して提出できる。

★
Q334
□□
【令6】

労働保険料の口座振替による納付制度は、納付が確実と認められ、かつ、口座振替の申出を承認することが労働保険料の徴収上有利と認められるときに限り、その申出を承認することができ、納入告知書によって行われる納付についても認められる。

★★
Q335
□□
【平29改】

令和7年4月1日から2年間の有期事業（一括有期事業を除く。）の場合、概算保険料として納付すべき一般保険料の額は、各保険年度ごとに算定し、当該各保険年度に使用するすべての労働者に係る賃金総額の見込額の合計額に当該事業の一般保険料率を乗じて得た額となる。

A 333
□□
速P410

次の①又は②の申告書を提出する場合（申告書のみの提出の場合）には、日本銀行を経由することができない。設問は、①についてである。（則38②）
①納付すべき保険料のない確定保険料申告書
②口座振替による概算（確定）保険料申告書

×

A 334
□□
速P411

労働保険料の口座振替による納付は、納付が確実と認められ、かつ、その申出を承認することが労働保険料の徴収上有利と認められるときに限り、その申出を承認することができる。口座振替による納付が認められているのは、納付書によって納付が行われる①（通常の）概算保険料（延納によるものを含む。）及び②確定保険料の不足額に限られており、納入告知書によって行われる納付については認められない。（法21の2①、則38の4）

×

A 335
□□
速P413

有期事業の概算保険料は、「全事業期間を通じて」算定する。したがって、概算保険料の額の計算にあたっては、全事業期間である2年間において使用するすべての労働者に係る賃金総額の見込額が基礎となる。（法15②）

×

★
Q 336
□□
【令4】

事業主は、労災保険に係る保険関係のみが成立している事業について、保険年度又は事業期間の中途に、労災保険及び雇用保険に係る保険関係が成立している事業に該当するに至ったため、当該事業に係る一般保険料率が変更した場合、労働保険徴収法施行規則に定める要件に該当するときは、一般保険料率が変更された日の翌日から起算して30日以内に、変更後の一般保険料率に基づく労働保険料の額と既に納付した労働保険料の額との差額を納付しなければならない。

★
Q 337
□□
【令4】

事業主は、政府が保険年度の中途に一般保険料率、第一種特別加入保険料率、第二種特別加入保険料率、第三種特別加入保険料率の引下げを行ったことにより、既に納付した概算保険料の額が保険料率引下げ後の概算保険料の額を超える場合は、保険年度の中途にその超える額の還付を請求できない。

★★
Q 338
□□
【令3改】

事業主が所定の期限までに概算保険料申告書を提出しないとき、又はその申告書の記載に誤りがあると認めるときは、都道府県労働局歳入徴収官が労働保険料の額を決定し、これを事業主に通知する。

★
Q 339
□□
【予想】

前保険年度から継続して保険関係が成立している継続事業の事業主であって、労働保険事務組合に労働保険事務の処理を委託しているものが、概算保険料の延納の申請をし、当該概算保険料を３期に分けて納付する場合には、各期分の概算保険料の納期限は、最初の期分は７月14日、第２の期分は11月14日、第３の期分は翌年２月14日となる。

A 336 □□ 速P414

事業主は、労災保険又は雇用保険のいずれか一方の保険関係のみが成立している事業について、両保険関係が成立することとなったため、一般保険料率が変更した場合において、一定の要件に該当するときは、一般保険料率の変更の日の翌日から起算して30日以内に、増加概算保険料を申告・納付しなければならない。（法16、法附5） ○

A 337 □□ 速P414

政府が一般保険料率等を引き下げたときに、その分の保険料を還付する旨の規定はない。なお、この場合は、確定保険料を申告する際に、概算保険料との差額を精算する。（参考：法17） ○

A 338 □□ 速P415

事業主が概算保険料の申告を怠り、所定の期限までに概算保険料申告書を提出しないとき（無申告）、又はその申告書の記載に誤りがあると認めるとき（誤申告）は、政府（都道府県労働局歳入徴収官）が労働保険料の額を決定（認定決定）し、これを事業主に通知する。（法15③、則1③） ○

A 339 □□ 速P416

最初の期分の納期限は、労働保険事務組合に労働保険事務の処理を委託しているか否かにかかわらず、「7月10日」である。各期の納期限は、次のとおりである。（則27②） ×

第1期…7/10
第2期…10/31（委託の場合、11/14）
第3期…翌年1/31（委託の場合、翌年2/14）

★
Q 340
□□
【平29改】
継続事業（一括有期事業を含む。）の概算保険料については、10月１日に保険関係が成立したときは、その延納はできないので、11月20日までに当該概算保険料を納付しなければならない。

★★
Q 341
□□
【令３改】
有期事業（一括有期事業を除く。）の事業主は、当該事業の全期間が200日であり概算保険料の額が80万円の場合には、概算保険料申告書を提出する際に延納の申請をすることにより、当該概算保険料を分割納付することができる。

★
Q 342
□□
【令５改】
令和５年５月１日から令和７年２月28日までの期間で道路工事を行う事業について、事業主が納付すべき概算保険料の額が120万円であったとき、延納の申請により第１期に納付すべき概算保険料の額は24万円とされる。

Q 343
□□
【予想】
所定の期限までに概算保険料申告書を提出しないため、概算保険料の認定決定が行われた場合は、事業主は、当該認定決定された概算保険料を延納することはできない。

A 340 □□ 速P416

継続事業（一括有期事業を含む。）の概算保険料の延納については、9月30日までに保険関係が成立したことがその要件の1つとなっている。10月1日に保険関係が成立した場合は、延納することはできず、その日の翌日から起算して50日目である11月20日までに、当該概算保険料を納付しなければならない。（法15①、則27①） ○

A 341 □□ 速P417

概算保険料の額が75万円以上であって、事業期間が6ヵ月を超えている有期事業の事業主は、概算保険料申告書を提出する際に申請をすることにより、当該概算保険料を延納することができる。（法18、則28①） ○

A 342 □□ 速P417、P418

設問の場合、保険関係成立日（令和5年5月1日）からその日の属する期の末日である同年7月31日までの期間が2ヵ月を超えるため、第1期は「令和5年5月1日から同年7月31日まで」となり、6期に分けて納付（延納）することができる。各期に納付すべき概算保険料の額は、「120万円÷6」により、「20万円」となる。「24万円」ではない。（則28①） ×

A 343 □□ 速P420

認定決定された概算保険料についても、概算保険料の額等の所定の要件を満たせば、延納することができる。（則29①） ×

★
Q 344
□□
【令６改】
継続事業の事業主は、前保険年度の３月31日に賃金締切日があり当該保険年度の４月20日に当該賃金を支払う場合、当該賃金は前保険年度の確定保険料の額を算定する際の賃金総額に含まれる。

★★
Q 345
□□
【令５改】
小売業を継続して営んできた事業主がある年の10月31日限りで事業を廃止した場合、確定保険料申告書を同年12月10日までに所轄都道府県労働局歳入徴収官あてに提出しなければならない。

★★
Q 346
□□
【平30】
確定保険料申告書は、納付した概算保険料の額が確定保険料の額以上の場合でも、所轄都道府県労働局歳入徴収官に提出しなければならない。

★★
Q 347
□□
【予想】
政府が確定保険料について認定決定を行ったときは、その通知を受けた事業主は、納付すべき確定保険料を、その通知を受けた日から30日以内に納入告知書によって納付しなければならない。

★
Q 348
□□
【平29】
事業主による超過額の還付の請求がない場合であって、当該事業主から徴収すべき次の保険年度の概算保険料その他未納の労働保険料等があるときは、所轄都道府県労働局歳入徴収官は、当該超過額を当該概算保険料等に充当することができるが、この場合、当該事業主による充当についての承認及び当該事業主への充当後の通知は要しない。

A 344 □□ 速P421

継続事業における確定保険料の算定の基礎となる賃金総額には、その保険年度中に現実に支払った賃金だけでなく、設問のような支払いの確定した賃金が含まれる。（法19①、昭24.10.5基災収5178） ○

A 345 □□ 速P421

保険年度の中途に保険関係が消滅した継続事業に係る確定保険料申告書の提出期限は、保険関係が消滅した日（事業廃止日の翌日）から50日以内である。設問の場合は、「同年12月20日まで」となる。（法５、19①、則１③） ×

A 346 □□ 速P422

確定保険料申告書は、年度更新の際に、又は保険関係が消滅したときに、必ず提出しなければならない。概算保険料の額が確定保険料の額を超えるときや、概算保険料の額と確定保険料の額が同じときのように、不足額が発生しない場合であっても、確定保険料申告書は提出しなければならない。（法19①、則38①） ○

A 347 □□ 速P422

確定保険料の認定決定の通知及びその納付は、それぞれ納入告知書によって行う。その納期限は、当該通知を受けた日から15日以内（翌日起算）である。（法19④⑤、則38⑤） ×

A 348 □□ 速P423

事業主から超過額の還付の請求がないときは、所轄都道府県労働局歳入徴収官は、その超過額を次の保険年度の概算保険料若しくは未納の労働保険料又は未納の一般拠出金等に充当する。事業主による充当についての承認は必要ないが、充当したときは、その旨を事業主に通知しなければならない。（則37） ×

5 印紙保険料、保険料の督促等

★
Q 349
□□
【令2】

日雇労働被保険者は、労働保険徴収法第31条第１項の規定によるその者の負担すべき額のほか、印紙保険料の額が176円のときは88円を負担するものとする。

★★
Q 350
□□
【令5】

事業主は、雇用保険印紙を購入しようとするときは、あらかじめ、労働保険徴収法施行規則第42条第１項に掲げる事項を記載した申請書を所轄都道府県労働局歳入徴収官に提出して、雇用保険印紙購入通帳の交付を受けなければならない。

Q 351
□□
【令２改】

雇用保険印紙購入通帳の有効期間の満了後引き続き雇用保険印紙を購入しようとする事業主は、当該雇用保険印紙購入通帳の有効期間が満了する日の翌日の１ヵ月前から当該期間が満了する日までの間に、有効期間の更新を受けなければならない。

★★
Q 352
□□
【予想】

事業主は、雇用保険に係る保険関係が消滅したときは、当該保険関係が消滅した日から６ヵ月間に限り、その保有する雇用保険印紙の買戻しを申し出ることができる。

A 349

□□

速P425

日雇労働被保険者は、一般保険料の額に係るその者の負担すべき額のほか、印紙保険料の額の2分の1の額を負担する。印紙保険料の額は、日雇労働被保険者の賃金日額に応じ176円、146円又は96円である。設問の場合の日雇労働被保険者が負担する額は、88円（＝176円×２分の１）となる。（法22①一、31②）

×

A 350

□□

速P426

事業主は、雇用保険印紙を購入しようとするときは、あらかじめ、所定の事項を記載した申請書（雇用保険印紙購入通帳交付申請書）を所轄公共職業安定所長に提出して、雇用保険印紙購入通帳の交付を受けなければならない。（則42①）

×

A 351

□□

速P426

雇用保険印紙購入通帳の有効期間の更新は、有効期間が満了する日の翌日の１ヵ月前から当該期間が満了する日まで（３月１日から３月31日まで）の間に、受けなければならない。（則42③④）

○

A 352

□□

速P427

次の①～③の場合においては、雇用保険印紙の買戻しを申し出ることができる。①及び②については、買戻しの期間に制限はない。（則43②一）

①雇用保険に係る保険関係が消滅したとき。

②日雇労働被保険者を使用しなくなったとき。

③雇用保険印紙が変更されたとき（変更日から６ヵ月間に限る。）。

×

★

Q 353

□□

【平28改】

雇用保険印紙購入通帳の交付を受けている事業主は、印紙保険料納付状況報告書により、毎月における雇用保険印紙の受払状況を翌月末日までに、所轄都道府県労働局歳入徴収官に報告しなければならないが、日雇労働被保険者を一人も使用せず雇用保険印紙の受払いのない月に関しても、報告する義務がある。

★

Q 354

□□

【平24改】

事業主が印紙保険料の納付を怠った場合には、所轄都道府県労働局歳入徴収官は、その納付すべき印紙保険料の額を決定し、これを事業主に通知することとされており、この場合、当該事業主は、現金により、日本銀行又は所轄都道府県労働局収入官吏に、その納付すべき印紙保険料を納付しなければならない。

Q 355

□□

【平27】

特例納付保険料は、その基本額のほか、その額に100分の10を乗じて得た額を加算したものとされている。

★

Q 356

□□

【令4】

事業主が所定の納期限までに確定保険料申告書を提出したが、当該事業主が法令の改正を知らなかったことによりその申告書の記載に誤りが生じていると認められるとき、所轄都道府県労働局歳入徴収官が正しい確定保険料の額を決定し、その不足額が1,000円以上である場合には、労働保険徴収法第21条に規定する追徴金が徴収される。

★★

Q 357

□□

【予想】

政府が督促する場合において、督促状により指定すべき期限は、督促状を発する日から起算して30日以上経過した日でなければならない。

A 353
□□
速P427

雇用保険印紙購入通帳の交付を受けている事業主は、日雇労働被保険者を1人も使用せず、印紙の受払いのない月の分に関しても、雇用保険印紙の受払状況を報告しなければならない。受払状況は、翌月末日までに報告する。（法24、則54）

○

A 354
□□
速P428

事業主が印紙保険料の納付を怠った場合には、印紙保険料の認定決定が行われる。認定決定された印紙保険料は、雇用保険印紙により納付することはできず、現金により納付しなければならない。（法25①、則38③二）

○

A 355
□□
速P428

特例納付保険料の額は、特例対象者の雇用保険に係る一般保険料相当額（基本額）に、基本額の100分の10に相当する額を加算した額である。（法26①、則57）

○

A 356
□□
速P428

確定保険料の認定決定を受けた場合であって納付すべき額が1,000円以上であるときは、その納付すべき額（1,000円未満の端数は切捨て）に100分の10を乗じて得た額の追徴金が徴収される。天災その他やむを得ない理由があるときは、追徴金は徴収されないが、「法令の不知」は、これに該当しない。（法21①②、昭62.3.26労徴発19）

○

A 357
□□
速P429

督促状により指定すべき期限は、督促状を発する日から起算して10日以上経過した日でなければならない。（法27②）

×

★
Q 358
□□
【令５改】

不動産業を継続して営んできた事業主が令和７年７月10日までに確定保険料申告書を提出しなかった場合、所轄都道府県労働局歳入徴収官が労働保険料の額を決定し、これを当該事業主に通知するとともに労働保険徴収法第27条に基づく督促が行われる。

★★
Q 359
□□
【予想】

政府は、労働保険料の納付を督促したときは、労働保険料の額に、督促状に指定する期限の翌日からその完納又は財産差押えの日の前日までの期間の日数に応じ、所定の割合を乗じて計算した延滞金を徴収する。

★
Q 360
□□
【令元】

延滞金は、労働保険料の額が1,000円未満であるとき又は延滞金の額が100円未満であるときは、徴収されない。

Q 361
□□
【平25】

事業主は、雇用保険の被保険者が負担すべき労働保険料相当額を被保険者の賃金から控除することが認められているが、この控除は、被保険者に賃金を支払う都度、当該賃金に応ずる額についてのみ行うことができるものとされているので、例えば、月給制で毎月賃金を支払う場合に、１年間分の被保険者負担保険料額全額をまとめて控除することはできない。

A 358 □□ 速P429 ×

設問の場合の督促は、所轄都道府県労働局歳入徴収官が決定した労働保険料（認定決定による確定保険料）又はその不足額を当該認定決定に係る納期限までに納付しないときに行われる。認定決定の通知とともに督促が行われるのではない。（法19④、則１③）

A 359 □□ 速P429 ×

延滞金の額は、「（本来の）納期限の翌日からその完納又は財産差押えの日の前日まで」の期間の日数に応じて計算される。「督促状に指定する期限の翌日から」ではない。（法27①、28①）

A 360 □□ 速P430 ○

次の場合には、延滞金は徴収されない。（法28 ①⑤三）

①督促状の指定期限までに労働保険料等を完納した場合
②督促した労働保険料の額が1,000円未満である場合
③延滞金の額が100円未満である場合
④公示送達の方法によって督促した場合　　等

A 361 □□ 速P430 ○

賃金からの控除は、被保険者に賃金を支払うつど、当該賃金に応ずる額についてのみ行うことができる。したがって、月給制で毎月賃金を支払う場合は、１ヵ月分の被保険者負担保険料額のみ控除することができ、１年間分の被保険者負担保険料額のすべてをまとめて控除することはできない。（法32①、則60①）

6 労働保険事務組合、雑則等

★★
Q 362 □□ 【予想】

卸売業を主たる事業とする事業主は、常時使用する労働者が80人であるときは、労働保険事務組合に労働保険事務の処理を委託することができる。

★
Q 363 □□ 【令5】

労働保険事務組合の主たる事務所が所在する都道府県に主たる事務所を持つ事業の事業主のほか、他の都道府県に主たる事務所を持つ事業の事業主についても、当該労働保険事務組合に労働保険事務を委託することができる。

★
Q 364 □□ 【予想】

事業主の団体又はその連合団体は、労働保険事務の処理の業務を行おうとするときは、その60日前までに厚生労働大臣の認可を受けなければならない。

★
Q 365 □□ 【平29】

労働保険事務組合の認可を受けようとする事業主の団体又はその連合団体は、事業主の団体の場合は法人でなければならないが、その連合団体の場合は代表者の定めがあれば法人でなくともよい。

A 362 □□ 速P432

委託事業主の範囲（規模）は、業種に応じて、次の①～③のように定められている。（法33①、則62②） ○

①金融業、保険業、不動産業、小売業……常時50人以下

②卸売業、サービス業 ……常時100人以下

③上記①②以外の業種 ……常時300人以下

A 363 □□ 速P432

委託事業主の主たる事務所と労働保険事務組合の主たる事務所が異なる都道府県にあっても、労働保険事務の処理を委託することができる。（平12.3.31発労徴31） ○

A 364 □□ 速P433

労働保険事務組合としての認可を受けるべき時期について、「60日前までに」といった期限は設けられていない。なお、認可を受けるためには、労働保険事務組合認可申請書を、その主たる事務所の所在地を管轄する都道府県労働局長に提出しなければならない。（法33②） ×

A 365 □□ 速P433

事業主の団体又はその連合団体（団体等）が労働保険事務組合の認可を受けるにあたって、法人であるか否かは問われない。ただし、法人でない団体等については、代表者の定めが必要となる。（昭60.4.4労徴発25、平12.3.31発労徴31） ×

★
Q366
□□
【予想】

労働保険事務組合の認可の取消事由には、労働保険徴収法等の労働保険関係法令の規定に違反したときが含まれるが、その行うべき労働保険事務の処理を怠り、又はその処理が著しく不当であると認められるときは含まれない。

★
Q367
□□
【平29】

労働保険事務組合の主たる事務所の所在地を管轄する都道府県労働局長は、労働保険事務組合の認可の取消しがあったときには、その旨を、当該労働保険事務組合に係る委託事業主に対し通知しなければならない。

★★
Q368
□□
【令３】

保険給付に関する請求書等の事務手続及びその代行、雇用保険二事業に係る事務手続及びその代行、印紙保険料に関する事項などは、事業主が労働保険事務組合に処理を委託できる労働保険事務の範囲に含まれない。

よくある質問

質問　労働保険事務組合に労働保険事務の処理を委託することができる「団体の構成員である事業主」とは、どういう事業主でしょうか？

回答

労働保険事務組合である「団体」に加入している事業主と考えればよいでしょう。

労働保険事務組合とは、既存の事業主団体等が本来の目的とする業務等のほかに、認可を受けて本来は取り扱うことのできない労働保険事務の処理を取り扱う場合のその団体の呼称のことです。

A 366 □□ 速P434

労働保険事務組合の認可の取消事由には、次のものが該当する。(法33④)

①労働保険関係法令の規定に違反したとき
②労働保険事務の処理を怠ったとき
③労働保険事務の処理が著しく不当であるとき
④認可基準の規定に反するとき　　等

×

A 367 □□ 速P434

労働保険事務組合の認可の取消しがあったときの委託事業主に対する通知は、当該労働保険組合の主たる事務所の所在地を管轄する都道府県労働局長が行う。(則67②)

○

A 368 □□ 速P434

次の事務は、労働保険事務組合に処理を委託することができない。(法33①、平12.3.31発労徴31)

①印紙保険料に関する事務
②保険給付に関する請求等に係る事務
③雇用保険二事業に関する事務

○

たとえば、○○事業協同組合という団体が、本来の目的である「○○事業の発展」や「組合員である事業主相互の親睦」などとは別に、「労働保険事務の処理」を行う認可を受ければ、○○事業協同組合ではなく「労働保険事務組合」として、労働保険事務の処理を行うことになります。この労働保険事務組合に労働保険事務の処理を委託することができるのは、原則として、○○事業協同組合の組合員である事業主です。つまり、この場合には、「○○事業協同組合の組合員である事業主」が「団体の構成員である事業主」となります。

★★
Q 369
□□
【令3】

労働保険事務組合は、労働保険事務の処理の委託があったときは、委託を受けた日の翌日から起算して14日以内に、労働保険徴収法施行規則第64条に定める事項を記載した届書を、その主たる事務所の所在地を管轄する都道府県労働局長に提出しなければならない。

★
Q 370
□□
【平25】

労働保険徴収法第19条第４項の規定により委託事業主に対してする認定決定の通知が労働保険事務組合に対してなされた場合、その通知の効果については、当該労働保険事務組合と当該委託事業主との間の委託契約の内容によっては当該委託事業主に及ばないことがある。

★★
Q 371
□□
【令3】

労働保険事務組合は、雇用保険に係る保険関係が成立している事業にあっては、労働保険事務の処理の委託をしている事業主ごとに雇用保険被保険者関係届出事務等処理簿を事務所に備えておかなければならない。

★
Q 372
□□
【予想】

政府は、労働保険事務組合が納付すべき徴収金について、当該事務組合に滞納処分をしてもなお徴収すべき残余がある場合においては、その残余の額を当該事務組合に労働保険事務の処理を委託している事業主から徴収することができる。

Q 373
□□
【平30】

労働保険料に係る報奨金の交付を受けようとする労働保険事務組合は、労働保険事務組合報奨金交付申請書を、所轄公共職業安定所長に提出しなければならない。

A 369 □□ 速P435

労働保険事務組合は、労働保険事務の処理の委託があった場合には、遅滞なく、労働保険事務等処理委託届をその主たる事務所の所在地を管轄する都道府県労働局長に提出しなければならない。（則64①） ×

A 370 □□ 速P435

労働保険事務組合に対してした労働保険料の納入の告知その他の通知及び還付金の還付は、事業主に対してしたものとみなす。したがって、その効果は、委託契約の内容にかかわらず、法律上当然に委託事業主に及ぶ。（法34） ×

A 371 □□ 速P435

労働保険事務組合は、次の３種類の帳簿を事務所に備えておかなければならない。（法36、則68三） ○

①労働保険事務等処理委託事業主名簿

②労働保険料等徴収及び納付簿

③雇用保険被保険者関係届出事務等処理簿

A 372 □□ 速P436

政府は、労働保険事務組合が納付すべき徴収金については、滞納処分をしてもなお徴収すべき残余がある場合に限り、その残余の額を事業主から徴収することができる。つまり、最終的な責任は事業主が負うこととなる。（法35③） ○

A 373 □□ 速P436

労働保険事務組合報奨金交付申請書は、10月15日までに、所轄都道府県労働局長に提出しなければならない。（報奨金則２①） ×

★
Q 374
□□
【平28改】

労働保険料その他労働保険徴収法の規定による徴収金を徴収する権利は、国税通則法第72条第１項の規定により、これを行使することができる時から５年を経過したときは時効によって消滅する。

★
Q 375
□□
【令２】

労働保険料その他労働保険徴収法の規定による徴収金を納付しない者に対して政府が行う督促は時効の更新の効力を生ずるが、政府が行う徴収金の徴収の告知は時効の更新の効力を生じない。

★★
Q 376
□□
【平28】

事業主若しくは事業主であった者又は労働保険事務組合若しくは労働保険事務組合であった団体は、労働保険徴収法又は労働保険徴収法施行規則の規定による書類をその完結の日から３年間（雇用保険被保険者関係届出事務等処理簿にあっては、４年間）保存しなければならない。

Q 377
□□
【令元】

行政庁の職員が、確定保険料の申告内容に疑いがある事業主に対して立入検査を行う際に、当該事業主が立入検査を拒み、これを妨害した場合、30万円以下の罰金刑に処せられるが懲役刑に処せられることはない。

A 374 □□ 速P438

労働保険料その他労働保険徴収法の規定による徴収金を徴収し、又はその還付を受ける権利は、労働保険徴収法の規定により、これらを行使することができる時から2年を経過したときに、時効によって消滅する。(法41①) ×

A 375 □□ 速P438

政府が行う労働保険料その他労働保険徴収法の規定による徴収金の徴収の告知又は督促は、時効の更新の効力を生ずる。(法41②) ×

A 376 □□ 速P438

労働保険徴収法又は同法施行規則による書類の保存期間は、次のとおりである。(則72) ○

①下記②以外の書類……その完結の日から3年間

②雇用保険被保険者関係届出事務等処理簿……その完結の日から4年間

A 377 □□ 速P438

行政庁が行う立入検査を拒み、妨げ、又は忌避した事業主は、6ヵ月以下の懲役又は30万円以下の罰金に処せられる。(法46四) ×

POINTマスター

労働保険徴収法

1 保険関係の成立と消滅

（1）保険関係の成立

<table>
<tr><th colspan="2"></th><th>労災保険</th><th>雇用保険</th></tr>
<tr><td colspan="2">強制適用事業</td><td colspan="2">次の①又は②に該当する日に、法律上当然に成立する。
①事業が開始された日
②適用事業に該当することとなった日</td></tr>
<tr><td rowspan="3">暫定任意適用事業</td><td>成立時期</td><td colspan="2">事業主の加入申請⇒厚生労働大臣の認可があった日</td></tr>
<tr><td rowspan="2">申請要件</td><td>事業主の加入意思のみ</td><td>事業主の加入意思＋労働者の2分の1以上の同意</td></tr>
<tr><td>労働者の過半数が希望
⇒事業主に加入申請義務発生</td><td>労働者の2分の1以上が希望
⇒事業主に加入申請義務発生</td></tr>
</table>

（2）保険関係の消滅

<table>
<tr><th colspan="2"></th><th>労災保険</th><th>雇用保険</th></tr>
<tr><td colspan="2">強制適用事業
暫定任意適用事業</td><td colspan="2">次の①又は②に該当する日に、法律上当然に消滅する。
①事業が廃止された日の翌日
②事業が終了した日の翌日</td></tr>
<tr><td rowspan="2">暫定任意適用事業</td><td>消滅時期</td><td colspan="2">事業主の消滅申請⇒厚生労働大臣の認可があった日の翌日</td></tr>
<tr><td>申請要件</td><td>事業主の意思＋
①保険関係成立後1年を経過
②労働者の過半数の同意
③特別保険料の徴収期間経過</td><td>事業主の意思＋労働者の4分の3以上の同意</td></tr>
</table>

2 有期事業の一括と継続事業の一括の要件等

		有期事業の一括	継続事業の一括
手続き		法律上当然に一括	事業主の申請＋ 厚生労働大臣の認可
一括される保険関係		労災保険のみ	労災保険と雇用保険
要件	業種	①建設の事業 ②立木の伐採の事業	なし
	規模	概算保険料の額＝160万円未満　かつ 建設⇒請負金額（消費税等相当額を除く。）＝1億8,000万円未満 立木の伐採⇒素材の見込生産量＝1,000㎥未満	なし
	その他	①事業主が同一人 ②有期事業である ③労災保険の保険関係が成立 ④建設の事業・立木の伐採の事業の一方のみに属すること ⑤労災保険率表の事業の種類が同じ ⑥一括されるそれぞれの事業が、他のいずれかの事業の全部又は一部と同時に行われること ⑦労働保険料の納付事務が一括事務所で取り扱われること	①事業主が同一人 ②継続事業である ③保険関係が次のいずれか ア　一元適用事業＋労災・雇用成立 イ　二元適用事業＋労災のみ成立 ウ　二元適用事業＋雇用のみ成立 ④労災保険率表の事業の種類が同じ
効果		全体を一の事業とみなす（継続事業と同様に取り扱う）	それぞれの保険関係が指定事業に一括され、一の保険関係とみなされる（指定事業以外の保険関係は消滅）

3 請負事業の一括と下請負事業の分離の要件等

		請負事業の一括	下請負事業の分離
手続き		法律上当然に一括	共同で申請 ＋厚生労働大臣の認可
一括・分離される保険関係		労災保険のみ	労災保険のみ
要件	業種	建設の事業	建設の事業
	規模	なし	概算保険料の額＝160万円以上 又は 請負金額（消費税等相当額を除く。）＝1億8,000万円以上
	その他	①労災保険に係る保険関係が成立 ②数次の請負による建設の事業	請負事業の一括の対象となる事業 ※元請負人と下請負人が共同で申請
効果		全体を一の事業とみなして、元請負人のみをその事業の事業主とする	下請負事業を元請負事業から独立した一の事業とみなして、下請負人をその事業の事業主とする

4 保険料の納期限

	継続事業・一括有期事業	有期事業
概算保険料	その保険年度の6月1日から40日以内（当日起算）	保険関係成立日から20日以内（翌日起算）
	※年度中途で保険関係が成立⇒成立日から50日以内（翌日起算） ※年度中途で第1種・第3種特別加入⇒特別加入の承認があった日から50日以内（翌日起算）	※保険関係成立後に第1種特別加入⇒特別加入の承認があった日から20日以内（翌日起算）
確定保険料	次の保険年度の6月1日から40日以内（当日起算）	保険関係消滅日から50日以内（当日起算）
	※年度中途で保険関係が消滅⇒消滅日から50日以内（当日起算） ※年度中途で第1種・第3種特別加入の承認の取消し⇒特別加入の承認が取り消された日から50日以内	※保険関係成立後に第1種特別加入の承認の取消し⇒特別加入の承認が取り消された日から50日以内

5 労働保険料の額の計算例

【例】以下の継続事業に係るある保険年度の概算保険料の額とその前保険年度の確定保険料の額は、次にようになる。

労働者の数	15名 雇用保険の短期雇用特例保険者及び日雇労働被保険者はいない。
前保険年度の賃金総額の確定額	8,000万円
当該保険年度の賃金総額の見込額	1億円
労災保険率	1,000分の2.5
雇用保険率	1,000分の16.5

※労災保険率及び雇用保険率はいずれの年度も同じものとする。

【前保険年度の確定保険料の額】

計算式	賃金総額×一般保険料率 ＝賃金総額×（労災保険率＋雇用保険率）

⬇

確定保険料額	8,000万円×（1,000分の2.5＋1,000分の16.5） ＝152万円

【当該保険年度の概算保険料の額】

計算式	賃金総額×一般保険料率 ＝賃金総額×（労災保険率＋雇用保険率）

⬇

概算保険料額	8,000万円×（1,000分の2.5＋1,000分の16.5） ＝152万円

★当該保険年度の賃金総額の見込額が、前保険年度の賃金総額の確定額の100分の50以上100分の200以下の範囲内にあるため、概算保険料の額も前保険年度の賃金総額に基づき、計算する。

第6章 労務管理その他の労働に関する一般常識

1 労使関係に関する法律

《労働組合法》

★
Q378
□□
【平26】

労働組合法に定める労働組合とは、労働者が主体となって自主的に労働条件の維持改善その他経済的地位の向上を図ることを目的として組織する団体又はその連合団体をいうとされており、政治運動又は社会運動を目的とする団体又は連合団体はおよそ労働組合法上の労働組合とは認められない。

★
Q379
□□
【令2】

労働組合が、使用者から最小限の広さの事務所の供与を受けていても、労働組合法上の労働組合の要件に該当するとともに、使用者の支配介入として禁止される行為には該当しない。

★
Q380
□□
【予想】

労働者が労働時間中に時間又は賃金を失うことなく使用者と協議し、又は交渉することを使用者が許すことは、不当労働行為として禁止される。

★★
Q381
□□
【平23】

労働協約は、書面に作成されていない場合であっても、その内容について締結当事者間に争いがない場合には、労働組合法第16条に定めるいわゆる規範的効力が生ずる。

労働に関する20以上の法律が、本試験の出題対象となっています。
出題確率の高い法律から押さえていくことが重要です。

A 378 □□ 速P9

労働組合とは、労働者が主体となって自主的に労働条件の維持改善その他経済的地位の向上を図ることを主たる目的として組織する団体等いう。政治運動又は社会運動を目的とする団体等であっても、これが主たる目的でないものは、他の要件を満たす限り、労働組合と認められる。（労組法2） ×

A 379 □□ 速P9、P11

使用者から最小限の広さの事務所の供与を受けることは、使用者の経理上の援助及び支配介入には該当しない。したがって、このような行為を受けていても、労働組合法上の労働組合と認められるとともに、使用者の不当労働行為には該当しない。（労組法2二、7三） ○

A 380 □□ 速P11

設問の行為（労働時間中の交渉等の時間について賃金を支払うこと）は、不当労働行為（支配介入及び経費援助）には該当しない。（労組法7三） ×

A 381 □□ 速P12

労働協約は、書面に作成し、両当事者が署名し、又は記名押印することによってその効力を生ずる。書面に作成されていない場合には、効力は生じない。（労組法14） ×

《労働関係調整法》

★★
Q 382
□□
【予想】

労働争議とは、労働関係の当事者間において、労働関係に関する主張が一致しないで、そのために争議行為が発生している状態又は発生するおそれがある状態をいう。

《個別労働関係紛争解決促進法》

★
Q 383
□□
【予想】

公共職業安定所長は、個別労働関係紛争を未然に防止し、及び個別労働関係紛争の自主的な解決を促進するため、労働者、求職者又は事業主に対し、情報の提供、相談その他の援助を行う。

★
Q 384
□□
【平29】

個別労働関係紛争解決促進法第５条第１項は、都道府県労働局長は、同項に掲げる個別労働関係紛争について、当事者の双方又は一方からあっせんの申請があった場合において、その紛争の解決のために必要があると認めるときは、紛争調整委員会にあっせんを行わせるものとすると定めている。

よくある質問

質問　個別労働関係紛争のうち、労働者の募集及び採用に関する事項についての紛争は、なぜあっせんの対象から除外されているのですか。

回答

募集及び採用に関する紛争は、求職者と事業主との間の争いであり労働者と事業主との間の争いではないからです。

個別労働関係紛争解決促進法の制度趣旨から考えると、募集・採用に関する紛争は紛争解決援助➚

A 382 □□ 速P13

労働関係調整法における「労働争議」には、現に争議行為が発生している状態だけではなく、発生するおそれがある状態も含まれる。（労調法6） ○

A 383 □□ 速P15

労働者、求職者又は事業主に対し、設問にある情報の提供、相談その他の援助を行うのは、都道府県労働局長である。公共職業安定所長ではない。（個別紛争法３） ×

A 384 □□ 速P15

都道府県労働局長は、個別労働関係紛争について、当該紛争の当事者の双方又は一方からあっせんの申請があった場合において必要があると認めるときは、紛争調整委員会にあっせんを行わせる。なお、あっせんの対象となる個別労働関係紛争には、労働者の募集及び採用に関する事項についての紛争は含まれない。（個別紛争法５①） ○

制度の対象外となるべきです。しかし、現実には募集・採用段階での争いが少なくないため、これを考慮しないことは、この制度の存在意義を薄れさせます。そこで、紛争調整委員会が関与するあっせんは行いませんが、都道府県労働局長による情報提供等の援助や助言・指導については、募集・採用に関する紛争も対象としています。つまり、募集・採用に関する紛争は、例外的に助言・指導等の対象にしていますが、あっせんの対象からは除外しているのです。

2 労働契約・賃金に関する法律

《労働契約法》

★★
Q 385
□□
【予想】

労働契約法において「労働者」とは、使用者に使用されて労働し、賃金を支払われる者をいう。

★★
Q 386
□□
【平25】

労働契約は、労働者及び使用者が仕事と生活の調和にも配慮しつつ締結し、又は変更すべきものとされている。

★★
Q 387
□□
【平24】

使用者は、労働契約に伴い、労働者がその生命、身体等の安全を確保しつつ労働することができるよう、必要な配慮をするものとされている。

★
Q 388
□□
【平22】

使用者は、労働者との合意がなければ労働者の不利益に労働条件を変更することはできないが、事業場の労働者の過半数を代表する労働組合の意見を聴いて就業規則を変更する場合には、労働条件を労働者の不利益に変更することができる。

★
Q 389
□□
【予想】

使用者は、労働者に在籍出向を命ずることができる場合であっても、これを命ずるにあたっては、その対象となる労働者の個別の同意を得なければならない。

A 385 □□ 速P18

労働契約法における「労働者」とは、使用者に使用されて労働し、賃金を支払われる者をいう。これは、労働基準法における「労働者」と同義である。（労契法2①） ○

A 386 □□ 速P19

労働契約の5原則のうち、仕事と生活の調和への配慮の原則である。このほか、労使対等の原則、均衡考慮の原則、信義誠実の原則、権利濫用の禁止の原則が定められている。（労契法3③） ○

A 387 □□ 速P19

労働契約に特段の根拠がなくても、使用者は、労働契約に伴い、当然に労働者の生命、身体等の安全を確保しつつ労働することができるよう、必要な配慮をする義務（安全配慮義務）を負う。（労契法5） ○

A 388 □□ 速P21

就業規則の変更による労働条件の不利益変更が認められるのは、変更後の就業規則を周知させ、かつ、就業規則の変更が合理的なものであるときである。労働組合の意見を聴いてこのような不利益変更ができる旨の規定はない。（労契法9、10） ×

A 389 □□ 速P22

在籍出向は、就業規則に根拠規定があり、出向労働者の利益に配慮した規定が設けられ、身分関係が明白で、転籍と同視できない状況においては、従業員に対し個別の同意を得ることなく出向を命ずることができる。（労契法14、最判 平15.4.18新日本製鐵（日鐵運輸第二）事件） ×

★★

Q 390

□□

【予想】

同一の使用者との間で締結された二以上の有期労働契約の通算契約期間が３年を超える労働者は、労働契約法第18条第１項の規定に基づき、期間の定めのない労働契約への転換の申込みをすることができる。

★

Q 391

□□

【令３】

有期労働契約の更新等を定めた労働契約法第19条の「更新の申込み」及び「締結の申込み」は、要式行為ではなく、使用者による雇止めの意思表示に対して、労働者による何らかの反対の意思表示が使用者に伝わるものでもよい。

《最低賃金法》

★

Q 392

□□

【予想】

地域別最低賃金は、地域における労働者の生計費及び賃金並びに通常の事業の賃金支払能力を考慮して定められなければならない。

★

Q 393

□□

【令元】

労働者派遣法第44条第１項に規定する「派遣中の労働者」に対しては、賃金を支払うのは派遣元であるが、当該労働者の地域別最低賃金については、派遣先の事業の事業場の所在地を含む地域について決定された地域別最低賃金において定める最低賃金額が適用される。

《賃金支払確保法》

Q 394

□□

【予想】

賃金支払確保法に規定する未払賃金の立替払事業においては、労働者の請求に基づき、未払賃金総額の100分の80に相当する額について立替払いがなされるが、未払賃金総額が３万円未満であるときは、立替払いはなされない。

A 390 □□ 速P23

無期労働契約（期間の定めのない労働契約）への転換の申込みをすることができるのは、二以上の有期労働契約（期間の定めのある労働契約）の通算契約期間が5年を超える労働者である。（労契法18①）

×

A 391 □□ 速P25

一定の有期労働契約について、使用者が労働者からの当該有期労働契約の更新又は締結の申込みを拒絶することが、客観的に合理的な理由を欠くとき等は、使用者は、当該申込みを承諾したものとみなされる。この申込みは、要式行為（法令に定める形式に従わなければ無効となる行為等）ではなく、使用者による雇止めの意思表示に対して、労働者による何らかの反対の意思表示が使用者に伝わるものでもよい。（労契法19、平24基発0810-2）

○

A 392 □□ 速P27

地域別最低賃金は、地域における①労働者の生計費、②労働者の賃金、③通常の事業の賃金支払能力を考慮して定められなければならない。（最賃法9②）

○

A 393 □□ 速P27

派遣中の労働者については、派遣先の事業の事業場において適用されている地域別最低賃金又は特定最低賃金が適用される。（最賃法13）

○

A 394 □□ 速P28

未払賃金の立替払事業による立替払いの額は、未払賃金総額の100分の80相当額である。ただし、未払賃金総額が2万円未満であるときは、立替払いの対象とならない。（賃確法7、同令4）

×

3 雇用に関する法律

《労働施策総合推進法》

★★
Q395
□□
【令6改】

労働施策総合推進法第9条においては、事業主は、労働者がその有する能力を有効に発揮するために必要であると認められるときとして厚生労働省令で定めるときは、労働者の配置（業務の配分及び権限の付与を含む。）及び昇進について、その年齢にかかわりなく均等な機会を与えなければならない旨を定めている。

★★
Q396
□□
【予想】

事業主は、新たに外国人を雇い入れた場合又はその雇用する外国人が離職した場合には、労働施策総合推進法に基づき、当該事実のあった日から10日以内に、外国人雇用状況の届出を行わなければならない。

《職業安定法》

Q397
□□
【予想】

求人者は、求人の申込みにあたり公共職業安定所、特定地方公共団体又は職業紹介事業者に対し、求職者が従事すべき業務の内容及び賃金、労働時間その他の労働条件を明示しなければならない。

Q398
□□
【令元】

公共職業安定所は、労働争議に対する中立の立場を維持するため、同盟罷業又は作業所閉鎖の行われている事業所に、求職者を紹介してはならない。

A 395
□□
速P30

労働施策総合推進法においては、労働者の募集及び採用について、その年齢にかかわりなく均等な機会を与えなければならない旨を定めている。労働者の配置及び昇進については、特に年齢に関する制限を設けていない。（労働施策総合推進法９）

×

A 396
□□
速P31

事業主は、新たに外国人を雇い入れた場合又はその雇用する外国人が離職した場合には、次の期限までに、外国人雇用状況の届出を行わなければならない。（労働施策総合推進法28①、同則12）

①当該外国人が雇用保険の被保険者である場合
　→雇入時：翌月10日まで、離職時：10日以内
②当該外国人が雇用保険の被保険者でない場合
　→雇入時、離職時ともに翌月末日まで

×

A 397
□□
速P32

求人者は求人の申込みにあたり公共職業安定所、特定地方公共団体又は職業紹介事業者に対し、労働者供給を受けようとする者はあらかじめ労働者供給事業者に対し、それぞれ、求職者又は供給される労働者が従事すべき業務の内容及び賃金、労働時間その他の労働条件を明示しなければならない。（職安法５の３②）

○

A 398
□□
速P33

公共職業安定所は、労働争議に対する中立の立場を維持するため、同盟罷業又は作業所閉鎖の行われている事業所に、求職者を紹介してはならない。（職安法20①）

○

《労働者派遣法》

★★
Q 399 □□ 【予想】

派遣元事業主が30日の期間を定めて雇用する労働者について労働者派遣を行うことは、労働者派遣法に違反しない。

★★
Q 400 □□ 【平28】

労働者派遣法第35条の３は、「派遣元事業主は、派遣先の事業所その他派遣就業の場所における組織単位ごとの業務について、３年を超える期間継続して同一の派遣労働者に係る労働者派遣（第40条の２第１項各号のいずれかに該当するものを除く。）を行つてはならない」と定めている。

★
Q 401 □□ 【平30改】

派遣先は、当該派遣先の同一の事業所において派遣元事業主から１年以上継続して同一の派遣労働者を受け入れている場合に、当該事業所において労働に従事する通常の労働者の募集を行うときは、当該募集に係る事項を当該派遣労働者に周知しなければならない。

よくある質問

質問　港湾運送業務がどういった業務なのかを具体的に教えてください。

回答

港湾運送業務とは、港湾（典型的には、東京港等の６大港湾）において行われる①船舶へ貨物を積み込み、又は船舶から港湾に貨物を降ろす業務、②貨物を船舶や「はしけ」により運送する、又は引船により「はしけ」や「いかだ」を曳航する業務、③船舶に積み込まれた貨物や、船舶から ➚

A 399 □□ 速P35

派遣元事業主は、原則として日雇労働者（日々又は30日以内の期間を定めて雇用する者）について労働者派遣を行ってはならない。（派遣法35の4①） ×

A 400 □□ 速P38

派遣元事業主が、派遣就業の場所における組織単位ごとの業務について、継続して同一の派遣労働者に係る労働者派遣（所定のものを除く。）を行うことができる期間は、３年が上限とされている。（派遣法35の3） ○

A 401 □□ 速P39、P40

派遣先は、同一の事業所で１年以上継続して同一の派遣労働者を受け入れている場合に、当該事業所で労働に従事する通常の労働者の募集を行うときは、当該募集に係る事項を当該派遣労働者に周知しなければならない。（派遣法40の5①） ○

降ろされた貨物の荷さばきを行い、又は保管する等の業務をいいます。

これらの業務は、貨物の取扱量が日ごとに変動するという特徴があり、個々の企業においては企業外労働力に依存する度合いが大きいことから、港湾労働法によって港湾労働者の雇用の安定その他の港湾労働者の福祉の増進を図ることとしています。港湾労働者派遣事業についても、労働者派遣法ではなく、港湾労働法によって規制されています。

《高年齢者雇用安定法》

★★
Q 402
□□
【平26】

高年齢者雇用安定法は、事業主に、定年年齢を定める場合には65歳以上とすることを義務づけている。

★
Q 403
□□
【予想】

事業主は、労働者の募集及び採用をする場合において、やむを得ない理由により一定の年齢（65歳以下のものに限る。）を下回ることを条件とするときは、求職者に対して厚生労働省令で定める方法により、当該理由を示さなければならない。

《障害者雇用促進法》

★
Q 404
□□
【令元】

事業主は、障害者と障害者でない者との均等な機会の確保の支障となっている事情を改善するため、事業主に対して過重な負担を及ぼすこととなるときを除いて、労働者の募集及び採用に当たり障害者からの申出により当該障害者の障害の特性に配慮した必要な措置を講じなければならない。

★
Q 405
□□
【令２】

障害者雇用促進法では、事業主の雇用する障害者雇用率の算定対象となる障害者（以下「対象障害者」という。）である労働者の数の算定に当たって、対象障害者である労働者の１週間の所定労働時間にかかわりなく、対象障害者は１人として換算するものとされている。

A 402
□□
速P43

高年齢者雇用安定法においては、定年を定める場合には、一定の業務に従事している労働者を除き、60歳以上とすることを義務づけている。なお、上記の「一定の業務に従事している労働者」とは、鉱業法に規定する事業における坑内作業の業務に従事している労働者である。この労働者については、定年年齢を60歳未満とすることが認められている。（高年法８）

×

A 403
□□
速P44

事業主は、やむを得ない理由により一定の年齢（65歳以下のものに限る。）を下回ることを募集及び採用の条件とするとき（年齢制限を設けるとき）は、求職者に対し、当該理由を示さなければならない。（高年法20①）

○

A 404
□□
速P45

事業主は、労働者の募集及び採用に当たり障害者からの申出により当該障害者の障害の特性に配慮した必要な措置を講じなければならない。ただし、事業主に対して過重な負担を及ぼすこととなるときは、この限りでない。（障雇法36の２）

○

A 405
□□
速P46

対象障害者である労働者の算定にあたり、対象障害者である短時間労働者（週所定労働時間が通常の労働者よりも短く、かつ、30時間未満である者）は、原則として、0.5人として換算する。（障雇法43③）

×

4 女性、育児・介護休業等に関する法律

《パートタイム・有期雇用労働法》

★★
Q 406
□□
【予想】

事業主は、その雇用する短時間・有期雇用労働者から、当該労働者の待遇に関する決定をするにあたって考慮した事項について説明を求められたときであっても、これに応ずる義務はない。

Q 407
□□
【令4】

賞与であって、会社の業績等への労働者の貢献に応じて支給するものについて、通常の労働者と同一の貢献である短時間・有期雇用労働者には、貢献に応じた部分につき、通常の労働者と同一の賞与を支給しなければならず、貢献に一定の相違がある場合においては、その相違に応じた賞与を支給しなければならない。

《男女雇用機会均等法》

★
Q 408
□□
【予想】

事業主は、合理的な理由がある場合でなければ、労働者の昇進にあたり、住居の移転を伴う配置転換に応じることができることを要件としてはならない。

★
Q 409
□□
【予想】

妊娠中の女性労働者及び出産後1年を経過しない女性労働者に対してなされた解雇は、事業主が妊娠又は出産に関する事由を理由とする解雇でないことを証明しない限り、無効となる。

郵便はがき

料金受取人払郵便

新宿北局承認

646

差出有効期間
2025年11月
30日まで

切手を貼らずにこのままポストへお入れください。

169-8734

(受取人)
東京都新宿北郵便局
郵便私書箱第2007号
(東京都渋谷区代々木1－11－1)

U-CAN 学び出版部

愛読者係　行

愛読者カード

2025年版 ユーキャンの社労士 これだけ！一問一答集

ご購読ありがとうございます。読者の皆さまのご意見、ご要望等を今後の企画・編集の参考にしたいと考えております。お手数ですが、下記の質問にお答えいただきますようお願いします。

1．本書を何でお知りになりましたか？
a.書店で　b.インターネットで　c.知人・友人から
d.新聞広告（新聞名：　　　　　）　e.雑誌広告（雑誌名：　　　　　）
f.書店内ポスターで　g.その他（　　　　　　　　）

2．多くの類書の中から本書を購入された理由は何ですか？
(　　　　　　　　　　　　　　　　　　　　　　　　　　)

うら面へ続きます

3．本書の内容について

①わかりやすさ　（a.良い　b.ふつう　c.悪い）

②内容のレベル　（a.高い　b.ちょうど良い　c.やさしい）

③誌面の見やすさ　（a.良い　b.ふつう　c.悪い）

④価格　（a.安い　b.ふつう　c.高い）

⑤役立ち度　（a.高い　b.ふつう　c.低い）

⑥本書の内容で良かったこと、悪かったことをお書きください。

（　　　　　　　　　　　　　　　　）

4．社労士試験について

①勉強を始めたのはいつですか？（　　　　年　　月ごろ）

②受験経験はありますか？　（a.無い　b.1回　c.2回以上）

③今までの学習方法は？　（a.市販本　b.通信教育　c.学校等）

5．通信講座の案内資料を無料でお送りします。ご希望の講座の欄に○印をおつけください（お好きな講座［2つまで］をお選びください）。

	社会保険労務士	OE		ファイナンシャルプランナー	6F
	行政書士	OS		簿記３級	OA
	宅建取引士	OJ		マンション管理士／主任者	6L

住所	〒□□□-□□□□　都道府県　市郡（区）		
	アパート、マンション等、名称、部屋番号もお書きください　（　様方）		
氏名	フリガナ	電話	市外局番　市内局番（　）　番号
		年齢	歳　（男）・（女）

Q900RŌ**01

お客様の個人情報は、当社の教材・商品の発送やサービスの提供、当社および当社が適切と認めた企業・団体等の商品・サービスに関する当社からの案内等の送付、ご連絡・お問合せ対応、アンケート・モニター・体験談・取材やレビュー等の依頼、教材・商品・サービス・当社のウェブサイト等の改善や開発、調査・分析・統計など当社事業に関連するマーケティング・研究資料の作成、学習・受験状況や成績の管理、お支払情報等の管理に利用します。その他個人情報の取扱いについては、当社ウェブサイトをご確認ください。

A 406
□□
速P50

事業主は、短時間・有期雇用労働者から求めがあったときは、待遇の決定にあたって考慮した事項について説明しなければならない。（パ労法14②）

×

A 407
□□
速P50

事業主は、その雇用する短時間・有期雇用労働者の待遇のそれぞれについて、不合理と認められる相違を設けてはならない。会社の業績等への労働者の貢献に応じて支給する賞与についても、同様である。（平30厚労告430）

○

A 408
□□
速P53

①労働者の募集又は採用にあたって、労働者の身長、体重又は体力を要件とする措置、②労働者の募集若しくは採用、昇進又は職種の変更にあたって、転居を伴う転勤に応じることができることを要件とする措置、③労働者の昇進にあたり、転勤の経験があることを要件とする措置については、合理的な理由がない場合には、間接差別として禁止される。（均等法7、同則2二）

○

A 409
□□
速P53

妊娠中の女性労働者及び出産後１年を経過しない女性労働者に対してなされた解雇は、無効となる。ただし、事業主が、当該解雇が妊娠又は出産に関する事由を理由とする解雇でないことを証明したときは、この限りでない。（均等法9④）

○

★
Q 410
□□
【平30】

事業主は、その雇用する女性労働者が母子保健法の規定による保健指導又は健康診査に基づく指導事項を守ることができるようにするため、勤務時間の変更、勤務の軽減等必要な措置を講じなければならない。

《育児・介護休業法》

★
Q 411
□□
【予想】

事業主は、労働者からの出生時育児休業申出があったときは、当該申出が同一の子について再度なされた2回目のものであっても、これを拒むことができない。

★
Q 412
□□
【平29改】

労働者は、対象家族1人につき、1回に限り、連続したひとまとまりの期間で最長93日まで、介護休業を取得することができる。

★
Q 413
□□
【令2改】

育児休業の申出をした労働者は、当該申出に係る育児休業開始予定日とされた日の前日までに厚生労働省令で定める事由が生じた場合には、その事業主に申し出ることにより、当該申出に係る育児休業開始予定日を何回でも当該育児休業開始予定日とされた日前の日に変更することができる。

《次世代育成支援対策推進法》

★
Q 414
□□
【予想】

一般事業主であって、常時雇用する労働者の数が100人以上であるものは、次世代育成支援対策推進法第12条第1項の一般事業主行動計画を策定し、厚生労働大臣にその旨を届け出るとともに、これを公表しなければならない。

A 410 □□ 速P54

事業主は、妊産婦の健康管理に関する措置として、その雇用する女性労働者が保健指導等に基づく指導事項を守ることができるようにするため、勤務時間の変更、勤務の軽減等必要な措置（時差通勤、休憩時間の延長、作業の制限等）を講じなければならない。（均等法13①）

○

A 411 □□ 速P56

出生時育児休業を２回に分割して取得する場合であっても、その申出はまとめて行う。事業主は、出生時育児休業申出を拒むことができないが、同一の子についての再度の出生時育児休業申出については、拒むことができる。（育介法９の３①）

×

A 412 □□ 速P57

介護休業は、対象家族１人につき、３回を上限として、通算93日まで、分割して取得することができる。（育介法11②）

×

A 413 □□ 速P57

労働者は、育児休業開始予定日の前日までに、厚生労働省令で定める事由（出産予定日前に子が出生したこと、配偶者の死亡、病気、負傷等）が生じた場合には、１回に限り、育児休業開始予定日とされた日前の日に変更する（育児休業開始予定日を繰り上げる）ことができる。（育介法７①）

×

A 414 □□ 速P62

一般事業主であって、常時雇用する労働者の数が100人を超えるものは、一般事業主行動計画を策定し、厚生労働大臣にその旨を届け出るとともに、これを公表しなければならない。なお、一般事業主行動計画を変更したときも同様である。（次世代支援法12①③）

×

5 労務管理

Q415
□□
【予想】

日本型労務管理の特徴の１つである企業別労働組合は、労働条件の改善が進みやすく、安定した労使関係の形成に役立つといわれている。

★★
Q416
□□
【予想】

労働者の仕事時間を短縮したり、あるいは仕事を分け合うことにより、雇用を拡大し、失業者を少なくしようとする取組みをジョブ・ローテーションという。

Q417
□□
【平27】

厚生労働省「平成26年就労条件総合調査」において、賃金形態別に採用企業割合をみると、出来高払い制をとる企業の割合が増加し、その割合は２割近くになった。

★★
Q418
□□
【予想】

企業側又は従業員自らの意思により、従業員の職業に関する潜在能力を開発しようとする活動を自己啓発という。

Q419
□□
【予想】

ホーソン実験とは、シカゴのウェスタン・エレクトリック会社のホーソン工場で、1927年から10年にわたって行われた実験であり、これにより得られた結論の１つは、人間の生産能率には、上司や仲間に対して抱く感情、気分、態度といったような人間関係的な要素は影響していないというものであった。

A 415
□□
速P66

企業別労働組合は、同一企業の労働者で構成される労働組合である。労働条件の改善が進みやすく、安定した労使関係の形成に役立つ一方で、欧米諸国に多い産業別労働組合と比べると、活動内容や影響力が小さいといわれている。 ○

A 416
□□
速P69、P70

幅広い人材育成を図ることを目的として、従業員に複数の職務を定期的・計画的に経験させることをジョブ・ローテーションという。設問は、ワークシェアリングについての記述である。 ×

A 417
□□
速P72

賃金形態（複数回答）別に採用企業割合をみると、平成26年調査では、「出来高払い制」は4.6%であり、平成22年調査（前回調査）の5.5%と比べ減少している。（平成26年「就労条件総合調査」） ×

A 418
□□
速P75

自己啓発とは、従業員が自らの意思によって職業に関する潜在能力を開発しようとする活動をいう。企業側の意思に基づくものではない。 ×

A 419
□□
速P75、P76

ホーソン実験の結論の１つは、人間の生産能率には、「人間関係的な要素が大きく影響を及ぼす」というものであった。このメイヨー、レスリスバーガーらを中心として行われたホーソン実験は、人間関係論の基礎となった。 ×

6 労働経済

★★
Q420 □□ 【予想】

労働力率とは、15歳以上65歳未満の人口に占める労働力人口の割合のことであり、労働力人口比率ともいわれる。

★
Q421 □□ 【令４改】

労働力調査（基本集計）2023 年平均結果によれば、2023年の年齢階級別完全失業率をみると、15～24歳層が他の年齢層に比べて、最も高くなっている。

★
Q422 □□ 【令５改】

令和３年パートタイム・有期雇用労働者総合実態調査により、パートタイム・有期雇用労働者の雇用状況をみると、「パートタイム・有期雇用労働者を雇用している」企業の割合は７割を超えている。

Q423 □□ 【令３】

厚生労働省「令和元年就業形態の多様化に関する総合実態調査の概況」によれば、正社員以外の就業形態別事業所割合をみると、「派遣労働者（受け入れ）がいる」が最も高くなっている。

★
Q424 □□ 【予想】

厚生労働省「令和５年障害者雇用状況の集計結果」によれば、民間企業における障害者の雇用状況は全体として進展しているが、特に中小企業において大きく進展し、障害者実雇用率を企業規模別にみると、43.5～100人未満規模企業が最も高い水準にある。

A 420 □□ 速P80

労働力率（労働力人口比率）とは、15歳以上人口に占める労働力人口の割合をいう。65歳未満の人口に限られない。 ×

A 421 □□ 速P81

年齢階級別完全失業率は、男女計では、「15～24歳」が最も高く、次いで「25～34歳」が高くなっている。（労働力調査（基本集計）2023年平均結果） ○

A 422 □□ 速P81

パートタイム・有期雇用労働者の雇用状況をみると、「パートタイム・有期雇用労働者を雇用している」企業の割合は75.4％となっている。（令和３年「パートタイム・有期雇用労働者総合実態調査」） ○

A 423 □□ 速P81

正社員以外の就業形態別事業所割合をみると、「パートタイム労働者がいる」が65.9％と最も高く、次いで「嘱託社員（再雇用者）がいる」が19.7％、「派遣労働者（受け入れ）がいる」が12.3％などとなっている。（令和元年「就業形態の多様化に関する総合実態調査の概況」） ×

A 424 □□ 速P82

障害者実雇用率を企業規模別にみると、中小企業は引き続き低い水準にあり、特に43.5～100人未満規模が1.95％と最も低い水準にある。（令和５年「障害者雇用状況の集計結果」） ×

★★

Q 425

□□

【令4改】

厚生労働省「令和５年就労条件総合調査」により変形労働時間制の有無を企業規模計でみると、変形労働時間制を採用している企業の割合は約６割であり、これを変形労働時間制の種類（複数回答）別にみると、「１年単位の変形労働時間制」が「１か月単位の変形労働時間制」よりも多くなっている。

Q 426

□□

【予想】

何らかの週休２日制を採用している企業はどの企業規模でも８割を超えているが、完全週休２日制となると、30～99人規模の企業では２割にとどまっている。

★★

Q 427

□□

【予想】

労働組合基礎調査によると、労働組合の推定組織率は、近年20％を上回る状況が続いている。

よくある質問

質問　労働経済は、どのようにして学習を進めていけばよいのでしょうか。

回答

労働経済を学習していると、○○率や××時間等の細かい数値が多数出てきますが、これらの数値の傾向や大まかな流れを捉えることが重要です。たとえば「○○率はここ数年上昇傾向にある」や、「××時間は、△年ぶりに上昇した」等の傾向を押さえるようにしましょう。その後に数値を覚えますが、細かい部分を気にする必要はありません。

A 425 □□ 速P82

変形労働時間制を採用している企業割合は、約６割（59.3%）となっている。これを種類（複数回答）別にみると、「1年単位の変形労働時間制（31.5%）」の方が、「1ヵ月単位の変形労働時間制（24.0%）」よりも多くなっている。（令和５年「就労条件総合調査」）

○

A 426 □□ 速P83

「何らかの週休２日制」を採用している企業割合は、85.4%となっており、どの企業規模でも8割を超えている。また、完全週休２日制を採用している企業割合は、30～99人規模の企業でも52.5%と、5割を超えている。（令和５年「就労条件総合調査」）

×

A 427 □□ 速P83

労働組合の推定組織率は、近年20%を下回る状況が続いている。なお、令和５年６月30日現在における労働組合の推定組織率は16.3%である。（令和５年「労働組合基礎調査」）

×

仮に「5.1%」という数値が出てきた場合には「約５%」といった覚え方でも十分に試験に対応できます。

実際の学習の手順ですが、テキスト等で概要を学習した後に、過去問を解くことで出題傾向をつかみます。労働経済の出題は、誤りの問題の引っ掛けパターンが似ているため、過去問を使ってそのパターンを見ておくことが本試験対策として有効です。

労働経済は出題の対象が広範囲に及びますから、数値の傾向や誤りの問題の引っ掛けパターンをつかんで、効率的に学習を進めていきましょう。

POINTマスター

労務管理その他の労働に関する一般常識

1 労働契約の５原則（労働契約法）

①労使対等の原則	労働契約は、労使が対等の立場における合意に基づいて締結・変更すべきものとする。
②均衡考慮の原則	労働契約は、労使が、就業の実態に応じて、均衡を考慮しつつ締結・変更すべきものとする。
③仕事と生活の調和への配慮の原則	労働契約は、労使が仕事と生活の調和にも配慮しつつ締結・変更すべきものとする。
④信義誠実の原則	労使は、労働契約を遵守するとともに、信義に従い誠実に、権利を行使し、及び義務を履行しなければならない。
⑤権利濫用の禁止の原則	労使は、労働契約に基づく権利の行使にあたっては、それを濫用することがあってはならない。

2 最低賃金の効力等（最低賃金法）

効力	使用者には最低賃金額以上の賃金の支払義務がある。 最低賃金額に達しない賃金を定める労働契約は、その部分は無効→最低賃金と同様の定めをしたものとみなす。
競合	２以上の最低賃金の適用を受ける場合 →最高のものを適用する。

3 未払賃金の立替払いの限度額(賃金支払確保法)

退職日の年齢	未払賃金限度額	立替払限度額
30歳未満	110万円	（×80％）⇒88万円
30歳以上 45歳未満	220万円	（×80％）⇒176万円
45歳以上	370万円	（×80％）⇒296万円

※未払賃金が２万円未満の場合は、立替払いの対象とならない。

4 職業紹介事業と労働者派遣事業（職業安定法・労働者派遣法）

		要件	有効期間
有料職業紹介事業		厚生労働大臣の許可	新規3年 更新5年
無料職業紹介事業※	下記以外の者	厚生労働大臣の許可	新規5年 更新5年
	学校等 特別の法人	厚生労働大臣へ届出	なし
労働者派遣事業		厚生労働大臣の許可	新規3年 更新5年

★有料職業紹介事業者は、①港湾運送業務、②建設業務に就く職業を求職者に紹介してはならない。

★派遣禁止業務…①港湾運送業務、②建設業務、③警備業務、④医療関係業務（紹介予定派遣、代替派遣の場合等を除く。）

※職業安定機関・特定地方公共団体の行うものを除く。

5 労働者保護法規の適用（主な規定）（労働者派遣法）

両方に責任あり	派遣元のみ	派遣先のみ
①均等待遇 ②強制労働の禁止 ③法令等の周知 ④ハラスメントに関する措置	①労働契約（契約期間、労働条件の明示、解雇予告等） ②36協定の締結・届出 ③年次有給休暇の付与 ④産前産後休業・軽易な業務への転換	①公民権行使の保障 ②労働時間の管理 ③育児時間 ④生理休暇

6 高年齢者雇用確保措置等（高年齢者雇用安定法）

65歳までの 高年齢者雇用確保措置	65歳から70歳までの 高年齢者就業確保措置
①定年の引上げ ②継続雇用制度の導入 ③定年の定めの廃止	①定年の引上げ ②65歳以上継続雇用制度の導入 ③定年の定めの廃止 ④創業支援等措置

7 実雇用障害者数のカウント方法(障害者雇用促進法)

週所定労働時間／対象障害者	30時間以上	20時間以上30時間未満	10時間以上20時間未満
重度身体障害者 重度知的障害者	2人	1人	0.5人
身体障害者 知的障害者	1人	0.5人	−
精神障害者	1人	0.5人 (当分の間、1人)	0.5人

8 性差別禁止事項（男女雇用機会均等法）

①	労働者の配置（業務の配分及び権限の付与を含む。）、昇進、降格及び教育訓練
②	住宅資金の貸付けその他これに準ずる福利厚生の措置であって厚生労働省令で定めるもの
③	労働者の職種及び雇用形態の変更
④	退職の勧奨、定年及び解雇並びに労働契約の更新

9 休業・休暇の対象者（育児・介護休業法）

休業・休暇	休業・休暇の対象となる者
育児休業 (出生時育児休業を除く。)	【原則】１歳に満たない子 【例外】 ①パパ・ママ育休プラス ：１歳２ヵ月に満たない子 ②雇用継続のために特に必要な場合 ：１歳６ヵ月又は２歳に達するまでの子
子の看護等休暇	小学校第３学年修了前の子
介護休業	要介護状態（2週間以上にわたり常時介護を要する状態）にある対象家族 【対象家族】配偶者、父母、子、祖父母、兄弟姉妹、孫、配偶者の父母
介護休暇	

10 紛争解決援助制度のまとめ

次の法律に係る紛争 ・労働施策総合推進法 ・労働者派遣法 ・障害者雇用促進法 ・パートタイム・有期雇用労働法 ・男女雇用機会均等法 ・育児・介護休業法	一般の個別労働関係紛争（左記以外）
①苦情の自主的解決 （募集・採用※1、ハラスメント※2を除く。）	①苦情の自主的解決
②都道府県労働局長の助言、指導又は勧告	②都道府県労働局長の助言又は指導
③紛争調整委員会による調停 （募集・採用※1を除く。）	③紛争調整委員会によるあっせん （募集・採用を除く。）

※１：障害者雇用促進法、男女雇用機会均等法のみ
※２：労働施策総合推進法、男女雇用機会均等法、育児・介護休業法のみ

11 労働経済の用語と定義

労働力人口……15歳以上人口のうち、働く意思と能力を有する者のことであり、就業者と完全失業者を合わせたもの。
労働力率……15歳以上人口に占める労働力人口の割合。労働力人口比率ともいう。
非労働力人口……15歳以上人口から労働力人口を除いた人口
完全失業者……次の３つの条件を満たす者 ①調査週間中に少しも仕事をしなかった。 ②仕事があればすぐ就くことができる。 ③調査週間中に仕事を探す活動や事業を始める準備をしていた。
完全失業率……労働力人口に占める完全失業者の割合

第7章 健康保険法

1 総論

★
Q 428
□□
【予想】

健康保険制度は、高齢化の進展、疾病構造の変化、社会経済情勢の変化等に対応し、その他の医療保険制度及び後期高齢者医療制度並びにこれらに密接に関連する制度と併せて常に検討が加えられることになっている。

Q 429
□□
【平28】

健康保険法第150条第１項では、保険者は、高齢者医療確保法の規定による特定健康診査及び特定保健指導を行うように努めなければならないと規定されている。

★
Q 430
□□
【平29】

被保険者が通勤途上の事故で死亡したとき、その死亡について労災保険法に基づく給付が行われる場合であっても、埋葬料は支給される。

よくある質問

質問　健康保険は「業務災害以外の疾病、負傷若しくは死亡又は出産に関して保険給付を行う」とありますが、「通勤災害」は「業務災害以外」ですので、通勤災害についても健康保険から保険給付が行われるのでしょうか？

回答

「通勤災害」については、労災保険から保険給付が行われるため、健康保険から保険給付は行わ通達からのやや難しい問題もありますが、出題の中心は基本事項からのものです。まずは、基本事項をしっかり確認しましょう。

A 428 □□ 速P11

健康保険制度については、常に設問の検討が加えられ、その結果に基づき、医療保険の運営の効率化、給付の内容及び費用の負担の適正化並びに国民が受ける医療の質の向上を総合的に図りつつ、実施されなければならない。（法2） ○

A 429 □□ 速P11

保健事業のうち、特定健康診査等は（当然に）行うものであり、これ以外の保健事業（健康教育、健康相談、健康診査等）は行うように努めなければならない。（法150①） ×

A 430 □□ 速P13

健康保険法の疾病、負傷又は死亡に関する保険給付は、同一の疾病、負傷又は死亡について、労災保険法の規定によりこれらに相当する給付を受けることができる場合には、行われない。（法55①） ×

➚れません。

お考えのとおり、「通勤災害」は「業務災害以外」ですので、健康保険法１条における保険事故に含まれます。しかし、他の規定により、労災保険の保険給付と健康保険の保険給付が競合するときは、労災保険の保険給付を優先し、健康保険の保険給付は行わないとしています。この規定により、通勤災害については、健康保険から保険給付は行われないことになります。

★
Q 431
□□
【令4】

被保険者の数が５人以上である適用事業所に使用される法人の役員としての業務（当該法人における従業員が従事する業務と同一であると認められるものに限る。）に起因する疾病、負傷又は死亡に関しては、傷病手当金を含めて健康保険から保険給付が行われる。

★
Q 432
□□
【令3】

保険者は、指定訪問看護事業者が偽りその他不正の行為によって家族訪問看護療養費に関する費用の支払いを受けたときは、当該指定訪問看護事業者に対し、その支払った額につき返還させるほか、その返還させる額に100分の40を乗じて得た額を支払わせることができる。

★★
Q 433
□□
【予想】

保険給付として支給を受けた金品を標準として、租税その他の公課を課することはできない。

★★
Q 434
□□
【令4】

被保険者が故意に給付事由を生じさせたときは、当該給付事由についての保険給付は行われないため、自殺未遂による傷病に係る保険給付については、その傷病の発生が精神疾患に起因するものであっても保険給付の対象とならない。

A 431
□□
速P13

被保険者数が5人未満である適用事業所に使用される法人の役員である被保険者又はその被扶養者であって、一般の従業員が従事する業務と同一であると認められる業務に従事している者が、業務遂行の過程において業務に起因して生じた疾病、負傷又は死亡については、健康保険から保険給付が行われる。（法53の2、則52の2、平25.8.14事務連絡）

×

A 432
□□
速P16

保険者は、保険医療機関等又は指定訪問看護事業者が偽りその他不正の行為によって療養の給付等に関する費用（いわゆる診療報酬）の支払いを受けたときは、当該保険医療機関等又は指定訪問看護事業者に対し、その支払った額につき返還させるほか、その返還させる額に100分の40を乗じて得た額を支払わせることができる。（法58③）

○

A 433
□□
速P16

租税その他の公課は、保険給付として支給を受けた金品を標準として、課することができない。これに例外はない。（法62）

○

A 434
□□
速P17

被保険者が、故意に給付事由を生じさせたときは、当該給付事由に係る保険給付は行われない。したがって、自殺未遂による傷病については、原則として、保険給付の対象とならない。ただし、自殺未遂による傷病について、その傷病の発生が精神疾患に起因するものと認められる場合は、故意に給付事由を生じさせたことにあたらず、保険給付の対象となる。（法116、平22保保発0521第1）

×

2 保険者

★★
Q 435
□□
【予想】

健康保険の保険者は、全国健康保険協会及び健康保険組合であるが、日雇特例被保険者の保険の保険者は、全国健康保険協会のみである。

★
Q 436
□□
【平30改】

全国健康保険協会管掌健康保険の適用事業所に使用される労働者が被保険者としての要件を満たし、かつ、同時に健康保険組合管掌健康保険の適用事業所に使用される労働者の被保険者としての要件を満たした場合は、全国健康保険協会が優先して、当該被保険者の健康保険を管掌する保険者となる。

★
Q 437
□□
【令5】

全国健康保険協会は、役員として、理事長１人、理事６人以内及び監事２人を置く。役員の任期は３年とする。理事長に事故があるとき、又は理事長が欠けたときは、理事の互選により選ばれた者がその職務を代理し、又はその職務を行う。

★
Q 438
□□
【令6】

全国健康保険協会は、厚生労働大臣から事業年度ごとの業績について評価を受け、その評価の結果を公表しなければならない。

★★
Q 439
□□
【予想】

適用事業所の事業主は、健康保険組合を設立しようとするときは、健康保険組合を設立しようとする適用事業所に使用される被保険者の２分の１以上の同意を得て、規約を作り、厚生労働大臣の認可を受けなければならない。

A 435 □□ 速P19、P90

日雇特例被保険者が健康保険組合の設立事業所に使用される場合であっても、その者の保険の保険者は全国健康保険協会である。（法4、123①） ○

A 436 □□ 速P19

被保険者が同時に2以上の事業所に使用される場合において、保険者が2以上あるときは、被保険者は保険者を選択しなければならない。全国健康保険協会が優先して保険者となるわけではない。（則1①） ×

A 437 □□ 速P21

全国健康保険協会の役員は、理事長1人、理事6人以内及び監事2人であり、任期は3年である。理事長に事故があるとき、又は理事長が欠けたときは、理事のうちからあらかじめ理事長が指定する者がその職務を代理し、又はその職務を行う。（法7の9、7の10②、7の12①） ×

A 438 □□ 速P22

厚生労働大臣は、全国健康保険協会の事業年度ごとの業績について、評価を行う。また、この評価を行ったときは、遅滞なく、全国健康保険協会に対し、当該評価の結果を通知するとともに、これを公表しなければならない。（法7の30） ×

A 439 □□ 速P24

健康保険組合の任意設立には、①被保険者の2分の1以上の同意、②規約の作成、③厚生労働大臣の認可が必要である。（法12①） ○

★

Q 440

□□

【令4】

健康保険組合の監事は、組合会において、健康保険組合が設立された適用事業所（設立事業所）の事業主の選定した組合会議員及び被保険者である組合員の互選した組合会議員のうちから、それぞれ１人を選挙で選出する。なお、監事は、健康保険組合の理事又は健康保険組合の職員と兼ねることができない。

★

Q 441

□□

【令3】

健康保険組合がその設立事業所を増加させ、又は減少させようとするときは、その増加又は減少に係る適用事業所の事業主の全部及びその適用事業所に使用される被保険者の２分の１以上の同意を得なければならない。

★★

Q 442

□□

【平23】

健康保険組合は、①組合会議員の定数の２分の１以上の組合会の議決、②健康保険組合の事業の継続の不能、③厚生労働大臣による解散の命令、のいずれかの理由により解散する。

Q 443

□□

【予想】

健康保険組合が管掌する健康保険の医療に関する給付等に要する費用の財源の不均衡を調整するため、健康保険組合連合会は、会員である健康保険組合に対する交付金の交付の事業を行う。

A 440
□□
速P25

健康保険組合の監事は、組合会において、選挙により選出する。監事として選出するのは、設立事業所の事業主の選定した組合会議員及び被保険者である組合員の互選した組合会議員からそれぞれ1人である。また、監事は、兼職が禁止されており、理事又は健康保険組合の職員と兼ねることができない。（法21④⑤）

○

A 441
□□
速P26

健康保険組合がその設立事業所を増加させ、又は減少させようとするときは、その増加又は減少に係る適用事業所の事業主の全部及びその適用事業所に使用される被保険者の2分の1以上の同意を得なければならない。（法25①）

○

A 442
□□
速P26

健康保険組合は、次のいずれかの理由により解散する。設問は、①が誤りである。なお、①②の理由により解散しようとするときは、厚生労働大臣の認可を受けなければならない。（法26①）

①健康保険組合の定数の4分の3以上の多数による組合会の議決
②健康保険組合の事業の継続の不能
③厚生労働大臣の解散命令

×

A 443
□□
速P27

組合管掌健康保険の医療に関する給付等に要する費用の財源の不均衡を調整するため、健康保険組合連合会は、会員である健康保険組合に対する交付金の交付の事業を行う。なお、当該事業に要する費用に充てるため、会員である健康保険組合は、健康保険組合連合会に対し、拠出金を拠出し、その拠出に要する費用に充てるため、調整保険料を徴収する。（法附2①）

○

3 適用の範囲

★★
Q 444
□□
【予想】

弁護士が法律の業務を行う事業の事務所は、常時５人以上の従業員を使用する場合に限り、強制適用事業所となる。

★
Q 445
□□
【令５】

強制適用事業所が、健康保険法第３条第３項各号に定める強制適用事業所の要件に該当しなくなった場合において、当該事業所の被保険者の２分の１以上が任意適用事業所となることを希望したときは、当該事業所の事業主は改めて厚生労働大臣に任意適用の認可を申請しなければならない。

★
Q 446
□□
【令２】

新たに適用事業所に使用されることになった者が、当初から自宅待機とされた場合の被保険者資格については、雇用契約が成立しており、かつ、休業手当が支払われているときは、その休業手当の支払いの対象となった日の初日に被保険者の資格を取得するものとされる。

★★
Q 447
□□
【平25】

季節的業務に使用される者が、当初４か月未満使用される予定であったが、業務の都合により、継続して４か月以上使用されることになった場合には、そのときから被保険者となる。

A 444 □□ 速P29、P30

弁護士が法律の業務を行う事業（設問の事業）は適用業種に該当し、その事業所が個人経営である場合は、常時5人以上の従業員を使用するときに強制適用事業所となる。設問の事業所が法人である場合は、常時従業員を使用していれば（その従業員数にかかわらず）強制適用事業所となる。（法3③） ×

A 445 □□ 速P31

強制適用事業所が、その要件に該当しなくなったときは、その事業所について任意適用事業所となるための認可があったものとみなされる。つまり、引き続き任意適用事業所となるため、被保険者が希望した場合に事業主が認可申請をしなければならない旨の規定はない。（法32） ×

A 446 □□ 速P32

使用された当初から自宅待機とされた場合において、雇用契約が成立しており、かつ、休業手当が支払われているときは、被保険者の資格は、その休業手当の支払いの対象となった日の初日に取得する。（昭50.3.29保険発25・庁保険発８） ○

A 447 □□ 速P34

季節的業務に使用される者は、日雇特例被保険者となる場合を除き、被保険者とならない。ただし、当初から４ヵ月を超えて使用されるべき場合は、当初から被保険者となる。当初４ヵ月未満使用される予定であったが、業務の都合により、継続して４ヵ月以上使用されることとなっても、被保険者とならない。（法３①四、昭9.4.17保発191） ×

★★
Q 448
□□
【予想】

任意継続被保険者となるための申出は、被保険者の資格を喪失した日から20日以内にしなければならないが、この申出をした者は、申出をした日から、任意継続被保険者の資格を取得する。

★
Q 449
□□
【予想】

任意継続被保険者である者が、健康保険の被扶養者となる要件を満たした場合は、当該被扶養者となる要件を満たした日から、任意継続被保険者の資格を喪失する。

Q 450
□□
【平25】

健康保険組合が厚生労働大臣から特定健康保険組合の認可の取消しを受けようとするときは、組合会において組合会議員の定数の３分の２以上の多数により議決しなければならない。

★
Q 451
□□
【令５】

特例退職被保険者が、特例退職被保険者でなくなることを希望する旨を、厚生労働省令で定めるところにより、特定健康保険組合に申し出た場合において、その申出が受理された日の属する月の末日が到来したときは、その日の翌日からその資格を喪失する。

A 448 □□ 速P35

任意継続被保険者の資格の取得日は、「被保険者（一般の被保険者）の資格を喪失した日」である。つまり、さかのぼって資格を取得するのであって、申出をした日から取得するのではない。（法37①、昭2.2.1保理330） ×

A 449 □□ 速P36

任意継続被保険者は、健康保険の被扶養者となる要件を満たした場合であっても、その資格を喪失しない。（法38） ×

A 450 □□ 速P36

健康保険組合は、厚生労働大臣から特定健康保険組合の認可を受けようとするとき、又は認可の取消しを受けようとするときは、組合会において組合会議員の定数の３分の２以上の多数により議決しなければならない。なお、この特定健康保険組合の組合員である被保険者であった者であって、一定の要件を満たした者は、特例退職被保険者となることができる。（令25） ○

A 451 □□ 速P36

特例退職被保険者は、その保険者である特定健康保険組合に申し出ることにより、その資格を喪失することができる。この申出を行った場合には、その申出が受理された日の属する月の末日が到来したときに、その翌日から、特例退職被保険者の資格を喪失する。（法附３⑥） ○

★

Q 452

□□

【予想】

60歳以上の者が、退職後引き続き再雇用された場合、使用関係がいったん中断したものとして被保険者資格を喪失させることはできない。

Q 453

□□

【平26】

任意適用事業所の適用の取消しによる被保険者資格の喪失は、厚生労働大臣の確認によって、その効力を生ずる。

★★

Q 454

□□

【平30改】

被保険者の配偶者の63歳の母（日本国内に住所を有するものとする。）が、遺族厚生年金を150万円受給しており、それ以外の収入が一切ない場合、被保険者がその額を超える仕送りをしていれば、被保険者と別居していたとしても被保険者の被扶養者に該当する。

★★

Q 455

□□

【令２改】

被扶養者の要件である「被保険者と同一の世帯に属する者」とは、被保険者と住居及び家計を共同にする者をいい、同一の戸籍内にあることは必ずしも必要ではなく、被保険者が世帯主でなくともよい。

A 452 □□ 速P37

同一事業所における継続再雇用の場合は、原則として被保険者資格は継続する。ただし、60歳以上の者が退職後継続再雇用される場合は、同日付の資格得喪の取扱いが認められる。（平8.4.8保文発269・庁文発1431、平25保保発0125第1） ×

A 453 □□ 速P38

被保険者の資格の取得及び喪失は、保険者等（厚生労働大臣又は健康保険組合）の確認によって、その効力を生ずる。ただし、①任意適用事業所の取消しの認可があったことによる被保険者資格の喪失、②任意継続被保険者（特例退職被保険者を含む。）の資格の取得及び喪失については、確認は不要である。（法39①） ×

A 454 □□ 速P40、P41

配偶者の母は、被保険者の３親等内の親族であり、被扶養者に該当するには、被保険者と生計維持関係にあるほか、同一世帯に属している必要がある。設問の母は、生計維持関係にあるが、同一世帯に属していないため、被扶養者に該当しない。（法３⑦二、昭52.4.6保発９・庁保発９） ×

A 455 □□ 速P41

被保険者と同一の世帯に属する者とは、被保険者と住居及び家計を共同にする者をいい、同一の戸籍内にあるか否かを問わず、被保険者が世帯主であることを要しない。（昭27.6.23保文発3533） ○

4 標準報酬月額及び標準賞与額

★
Q 456
□□
【平30】

全国健康保険協会管掌健康保険において、事業主が負担すべき出張旅費を被保険者が立て替え、その立て替えた実費を弁償する目的で被保険者に出張旅費が支給された場合、当該出張旅費は労働の対償とは認められないため、報酬には該当しないものとして取り扱われる。

★
Q 457
□□
【予想】

保険者は、当該保険者が管掌する被保険者について、毎年３月31日における標準報酬月額等級の最高等級に該当する被保険者数の被保険者総数に占める割合が100分の1.5を超える場合において、その状態が継続すると認められるときは、その年の９月１日から、当該最高等級の上にさらに等級を加える標準報酬月額の等級区分の改定を行うことができる。

★
Q 458
□□
【平27】

月、週その他一定期間によって報酬が定められている被保険者に係る資格取得時の標準報酬月額は、被保険者の資格を取得した日現在の報酬の額をその期間における所定労働日数で除して得た額の30倍に相当する額を報酬月額として決定される。

★★
Q 459
□□
【平26改】

４月に被保険者資格を取得した者（短時間労働者ではないものとする。）の定時決定について、４月、５月、６月に受けた報酬の支払基礎となった日数がそれぞれ５日、16日、18日であった場合、５月と６月に受けた報酬の平均額をもってその年の９月から翌年の８月までの標準報酬月額を決定する。

A 456
□□
速P43

設問の出張旅費のように、事業主が負担すべきものを被保険者が立て替え、その実費弁償を受ける場合には、労働の対償とは認められないため、報酬には該当しない。（法3⑤、平25.5.31事務連絡等） ○

A 457
□□
速P45

毎年3月31日における標準報酬月額等級の最高等級に該当する被保険者数の被保険者総数に占める割合が100分の1.5を超える場合において、その状態が継続すると認められるときは、その年の9月1日から、政令で、当該最高等級の上にさらに等級を加える標準報酬月額の等級区分の改定を行うことができる。保険者がこの改定を行うのではない。（法40②） ×

A 458
□□
速P46

月、週その他一定期間によって被保険者の報酬が定められる場合の資格取得時の標準報酬月額は、被保険者の資格を取得した日現在の報酬の額をその期間の総日数で除して得た額の30倍に相当する額を報酬月額として決定する。（法42①一） ×

A 459
□□
速P47

定時決定では、報酬支払基礎日数が17日未満である月があるときは、その月を除いて報酬月額を算定する。設問の場合には、報酬支払基礎日数が17日以上である6月に受けた報酬のみが算定の対象となる。また、定時決定によって決定された標準報酬月額の有効期間は、その年の9月から翌年の8月までとなる。（法41①②） ×

★★
Q460
□□
【平24】

7月1日に被保険者資格を取得した者については、標準報酬月額の定時決定を行わず、資格取得時に決定された標準報酬月額を、原則として翌年の6月30日までの1年間用いることになっている。

★
Q461
□□
【予想】

標準報酬月額の定時決定の対象月に一時帰休が行われ、通常の報酬より低額の休業手当が支払われた場合は、その休業手当をもって報酬月額を算定し、標準報酬月額を決定する。

★
Q462
□□
【予想】

育児休業等を終了した際の標準報酬月額の改定においては、育児休業等終了日の翌日が属する月以後3ヵ月間のうち、報酬支払基礎日数が17日未満である月を除く月に受けた報酬を算定の基礎として、育児休業等終了日の翌日から起算して2ヵ月を経過した日の属する月から標準報酬月額が改定される。

よくある質問

質問 報酬月額と標準報酬月額の違いがよく分かりません。

回答

報酬月額とは、法律の規定に従って計算した「1ヵ月あたりの報酬の額」です。標準報酬月額とは、報酬月額を標準報酬月額等級表に当てはめて決定した「仮定的な報酬月額」です。

被保険者が受ける報酬の支払形態は、日給や週給など個人ごとに異なります。しかし、保険料や

A 460 □□ 速P47

6月1日から7月1日までに被保険者資格を取得した者については、その年の定時決定を行わず、原則として、資格取得時に決定した標準報酬月額を翌年の8月31日まで用いる。（法41③、42②） ×

A 461 □□ 速P48

定時決定の対象月に、一時帰休に伴う休業手当等が支払われた場合には、その休業手当等をもって報酬月額を算定し、標準報酬月額を決定する。（昭50.3.29保険発25・庁保険発8） ○

A 462 □□ 速P50、P51

育児休業等を終了した際の改定においては、育児休業等終了日の翌日が属する月以後3ヵ月間（報酬支払基礎日数が17日未満である月があるときは、その月を除く。）に受けた報酬の総額をその期間の月数で除して得た額を報酬月額として、標準報酬月額を改定する。この場合の改定月は、育児休業等終了日の翌日から起算して2ヵ月を経過した日の属する月の翌月となる。（法43の2） ×

保険給付の基礎となる報酬を個人ごとに算定したのでは、事務処理が非常に煩雑になります。

そこで、実際の報酬を月額に換算した1ヵ月あたりの報酬の額を報酬月額とします。そして、その報酬月額を標準報酬月額等級表に当てはめ、等級ごとにあらかじめ定められた額を標準報酬月額として決定します。つまり、標準報酬月額は、保険料や保険給付の基礎とするために標準化したもので、仮定的な報酬月額です。

Q 463
□□
【平27】
保険者が健康保険組合であるときは、健康保険法第44条第1項の規定による保険者算定の算定方法は、規約で定めなければならない。

Q 464
□□
【平24】
同時に2つ以上の事業所で報酬を受ける被保険者について報酬月額を算定する場合、各事業所について定時決定等の規定によって算定した額の合算額をその者の報酬月額とする。

★★
Q 465
□□
【平24改】
任意継続被保険者の標準報酬月額は、原則として、当該任意継続被保険者が被保険者の資格を喪失したときの標準報酬月額、若しくは前年の3月31日における当該任意継続被保険者の属する保険者が管掌する全被保険者の同月の標準報酬月額を平均した額（健康保険組合が当該平均した額の範囲内においてその規約で定めた額があるときは、当該規約で定めた額）のうち、いずれか少ない額とする。

★
Q 466
□□
【予想】
被保険者の標準賞与額の年度累計額は、540万円（標準報酬月額の等級区分の改定が行われたときは、政令で定める額）が上限とされている。

A 463
□□
速P51

被保険者の報酬月額が、標準報酬月額の決定・改定の規定により算定することが困難であるとき等は、保険者等がその報酬月額を算定する（保険者算定）。この場合において、保険者が健康保険組合であるときは、保険者算定の算定方法は、規約で定めなければならない。（法44②）

○

A 464
□□
速P52

同時に２以上の事業所で報酬を受ける被保険者に関しては、各事業所について定時決定等で算定した報酬月額の合算額をその者の報酬月額とし、これに基づいて標準報酬月額を決定する。（法44③）

○

A 465
□□
速P52

任意継続被保険者の標準報酬月額は、原則として、①当該任意継続被保険者の資格喪失時の標準報酬月額と②前年（１月から３月までの標準報酬月額については、前々年）の９月30日における当該任意継続被保険者の属する保険者が管掌する全被保険者の同月の標準報酬月額を平均した額（健康保険組合が当該平均した額の範囲内においてその規約で定めた額があるときは、当該規約で定めた額）を標準報酬月額の基礎となる報酬月額とみなしたときの標準報酬月額のうち、いずれか少ない額である。（法47①）

×

A 466
□□
速P53

標準賞与額は、被保険者が受けた賞与額に基づき、1,000円未満の端数を切り捨てて決定される。ただし、年度累計額の上限は573万円である。（法45①）

×

第7章 健保

5 被保険者の傷病に関する給付

★★
Q467
□□
【平22】

被保険者の疾病または負傷については、①診察、②薬剤または治療材料の支給、③処置、手術その他の治療、④居宅における療養上の管理及びその療養に伴う世話その他の看護、⑤病院または診療所への入院及びその療養に伴う世話その他の看護、以上の療養の給付を行う。

★
Q468
□□
【平23】

保険者は、災害その他の厚生労働省令で定める特別の事情がある被保険者であって、保険医療機関又は保険薬局に一部負担金を支払うことが困難であると認められる者に対して、次の措置を採ることができる。①一部負担金を減額すること、②一部負担金の支払を免除すること、③保険医療機関又は保険薬局に対する支払に代えて、一部負担金を直接に徴収することとし、その徴収を猶予すること。

★★
Q469
□□
【平29】

保険医療機関又は保険薬局の指定は、病院若しくは診療所又は薬局の開設者の申請により、厚生労働大臣が行い、指定の日から起算して６年を経過したときは、その効力を失う。

★
Q470
□□
【平28】

保険医個人が開設する診療所は、病床の有無に関わらず、保険医療機関の指定を受けた日から、その指定の効力を失う日前６か月から同日前３か月までの間に、別段の申出がないときは、保険医療機関の指定の申出があったものとみなされる。

A 467
□□
速P55

療養の給付の範囲は、①診察、②薬剤又は治療材料の支給、③処置、手術その他の治療、④居宅における療養上の管理及びその療養に伴う世話その他の看護、⑤病院又は診療所への入院及びその療養に伴う世話その他の看護である。（法63①）

○

A 468
□□
速P57

保険者は、一部負担金について、①減額、②免除、③直接徴収の猶予の措置を採ることができる。これらの措置の対象となるのは、災害その他の厚生労働省令で定める特別の事情がある被保険者であって、保険医療機関又は保険薬局に一部負担金を支払うことが困難であると認められるものである。（法75の２①）

○

A 469
□□
速P58

保険医療機関又は保険薬局の指定は、指定の日から起算して６年を経過したときは、その効力を失う。なお、保険医又は保険薬剤師の登録については、有効期間の定めはない。（法63③一、65①、68①）

○

A 470
□□
速P58

保険医療機関（病院及び病床を有する診療所を除く。）又は保険薬局であって厚生労働省令で定めるもの（個人開業医・個人薬局等）については、指定の効力を失う日前６ヵ月から同日前３ヵ月までの間に、別段の申出がないときは、指定の申請があったものとみなされる。（法65②、68②）

×

★
Q 471 □□ 【平22改】

保険医療機関または保険薬局は、3か月以上の予告期間を設けて、その指定を辞退することができる。

★
Q 472 □□ 【平29改】

被保険者（特定長期入院被保険者を除く。）が保険医療機関である病院又は診療所から食事療養を受けたときは、保険者は、その被保険者が当該病院又は診療所に支払うべき食事療養に要した費用について、入院時食事療養費として被保険者に対し支給すべき額の限度において、被保険者に代わり当該病院又は診療所に支払うことができ、この支払いがあったときは、被保険者に対し入院時食事療養費の支給があったものとみなされる。

★
Q 473 □□ 【予想】

65歳未満の被保険者に対しては、入院時生活療養費の支給は行われない。

よくある質問

質問　「現物給付方式」がよく分かりません。

回答

療養の給付と同じように、窓口での負担額を一定額までとする給付の方式です。

入院時食事療養費は、法本来の規定では、被保険者が食事療養に要した費用の全額を病院又は診療所の窓口でいったん支払い、その後、保険者が被保険者に対し入院時食事療養費を現金で支給する「現金給付」であり、償還払いの方式によります。

しかし、「保険者は、入院時食事療養費として

A 471 □□ 速P60

保険医療機関又は保険薬局は、1ヵ月以上の予告期間を設けて、その指定を辞退することができる。（法79①）

×

A 472 □□ 速P62

被保険者が保険医療機関から入院時食事療養費に係る療養を受けた場合には、その被保険者に支給すべき入院時食事療養費は当該保険医療機関に対して支払うものとされている。つまり、食事療養に係る入院時食事療養費については、現物給付方式による給付が行われている。（則57）

○

A 473 □□ 速P62

入院時生活療養費は、特定長期入院被保険者（療養病床に入院する65歳以上の者）が、保険医療機関等から療養の給付と併せて受けた生活療養に要した費用について、支給される。（法85の２）

○

被保険者に対し支給すべき額の限度において、病院又は診療所に支払うことができる」、「被保険者に支給すべき入院時食事療養費は、病院又は診療所に支払うものとする」（法85⑤、則57）とされており、実際には、被保険者が病院又は診療所の窓口で負担するのは食事療養標準負担額のみとなっています。これが現物給付方式です。

なお、入院時生活療養費、保険外併用療養費、訪問看護療養費、家族療養費及び家族訪問看護療養費も、現物給付方式による給付です。

Q 474
□□
【予想】

保険医療機関が、評価療養、患者申出療養又は選定療養を行うにあたり、あらかじめ、患者に対して行う説明についてその同意を得なければならないのは、費用に関してのみであり、当該療養の内容に関しての同意は必要ない。

★
Q 475
□□
【平27】

現に海外に居住する被保険者からの療養費の支給申請は、原則として事業主を経由して行うこととされている。また、その支給は、支給決定日の外国為替換算率（買レート）を用いて海外の現地通貨に換算され、当該被保険者の海外銀行口座に送金される。

★
Q 476
□□
【平24】

訪問看護は、医師、歯科医師又は看護師のほか、保健師、助産師、准看護師、理学療法士、作業療法士及び言語聴覚士が行う。

★
Q 477
□□
【令4】

指定訪問看護事業者は、指定訪問看護に要した費用につき、その支払を受ける際、当該支払をした被保険者に対し、基本利用料とその他の利用料を、その費用ごとに区分して記載した領収書を交付しなければならない。

A 474 □□ 速P63

保険医療機関等は、保険外療養費に係る評価療養、患者申出療養又は選定療養を行う際には、あらかじめ、患者に対しその内容及び費用に関して説明を行い、その同意を得なければならない。(療担則5の4①)

×

A 475 □□ 速P66

現に海外にいる被保険者からの療養費（いわゆる海外療養費）の支給申請は、原則として事業主を経由して行う。また、その支給については、支給決定日の外国為替換算率（売レート）を用いて邦貨に換算され、事業主が代理して受領する。(昭56.2.25保険発10・庁保険発2)

×

A 476 □□ 速P67

訪問看護療養費に係る訪問看護（指定訪問看護）を行うのは、看護師、保健師、助産師、准看護師、理学療法士、作業療法士及び言語聴覚士である。医師及び歯科医師は含まれていない。(法88①、則68)

×

A 477 □□ 速P68

指定訪問看護事業者は、指定訪問看護に要した費用につき、その支払を受ける際、当該支払をした被保険者に対し、領収証を交付しなければならない。交付する領収証には、基本利用料とその他の利用料について、その費用ごとに区分して記載しなければならない。(法88⑨、則72)

○

Q 478
□□
【平29】

移送費は、被保険者が、移送により健康保険法に基づく適切な療養を受けたこと、移送の原因である疾病又は負傷により移動をすることが著しく困難であったこと、緊急その他やむを得なかったことのいずれにも該当する場合に支給され、通院など一時的、緊急的とは認められない場合については支給の対象とならない。

★
Q 479
□□
【令２】

被保険者資格を取得する前に初診日がある傷病のため労務に服することができず休職したとき、療養の給付は受けられるが、傷病手当金は支給されない。

★★
Q 480
□□
【平26改】

被保険者が、業務外の事由による疾病で労務に服することができなくなり、６月４日から欠勤し、同年６月７日から傷病手当金が支給された。その後病状は快方に向かい、同年９月１日から職場復帰したが、同年12月１日から再び同一疾病により労務に服することができなくなり欠勤したため、傷病手当金の請求を行った。この傷病手当金の支給期間は、同年６月７日から通算して１年６か月間である。

★
Q 481
□□
【令２】

労災保険法に基づく休業補償給付を受給している健康保険の被保険者が、さらに業務外の事由による傷病によって労務不能の状態になった場合、休業補償給付が支給され、傷病手当金が支給されることはない。

A 478 □□ 速P68

移送費は、①移送により法に基づく適切な療養を受けたこと、②移送の原因である疾病又は負傷により移動をすることが著しく困難であったこと、③緊急その他やむを得なかったことのいずれにも該当する場合に支給される。したがって、通院など一時的、緊急的とは認められない場合については、支給対象とならない。（則81等） ○

A 479 □□ 速P56、P69

被保険者の資格取得前にかかった疾病又は負傷であっても、資格取得が適正である限り、療養の給付又は傷病手当金の支給対象となる。（昭26.5.1保文発1346） ×

A 480 □□ 速P70

傷病手当金の支給期間は、同一の疾病又は負傷及びこれにより発した疾病に関しては、その支給を始めた日から通算して１年６ヵ月間とする。設問では、６月７日が傷病手当金の支給を始めた日となる。（法99②） ○

A 481 □□ 速P71

労災保険法に基づく休業（補償）等給付を受給している健康保険の被保険者が、業務外の事由による傷病によっても労務不能となった場合において、休業（補償）等給付の額が傷病手当金の額よりも少ないときは、その差額が傷病手当金として支給される。（昭33.7.8保険発95） ×

6 被保険者の死亡・出産及び被扶養者に関する給付

★
Q 482
□□
【令元】

被保険者が死亡したときは、埋葬を行う者に対して、埋葬料として５万円を支給するが、その対象者は当該被保険者と同一世帯であった者に限られる。

★★
Q 483
□□
【平28】

被保険者が妊娠４か月以上で出産をし、それが死産であった場合、家族埋葬料は支給されないが、出産育児一時金は支給の対象となる。

★
Q 484
□□
【予想】

被保険者が出産予定日の42日前から出産休暇をとったところ、予定日より５日遅れて出産した場合、出産日以前の出産手当金の支給日数は47日となり、出産日後の支給日数は56日から５日を差し引いた日数となる。

★★
Q 485
□□
【予想】

出産手当金の額は、原則として、１日につき、出産手当金の支給を始める日の属する月以前の直近の継続した12ヵ月間の各月の標準報酬月額を平均した額の30分の１に相当する金額である。

A 482
□□
速P73

埋葬料（５万円）は、死亡した被保険者により生計を維持していた者であって、埋葬を行うものに対して支給される。上記の「埋葬を行うもの」は、被保険者により生計を維持していた事実があれば足り、被保険者と同一世帯にあったか否かは問われない。（法100 ①、令35、昭7.4.25 保規129）

×

A 483
□□
速P73、P76

家族埋葬料は、被扶養者の死亡について支給されるものであり、死産の場合には支給されない。これに対し、出産育児一時金は、妊娠４ヵ月以上の出産であれば、生産、死産、流産、早産の別を問わず支給される。（法101、113、昭23.12.2保文発898、昭27.6.16保文発2427）

○

A 484
□□
速P74

出産手当金の支給期間は、出産の日（出産の日が出産の予定日後であるときは、出産の予定日）以前42日（多胎妊娠の場合においては、98日）から出産の日後56日までの間において労務に服さなかった期間である。設問では、出産が予定日より５日遅れているため産前の支給期間は47日となる。この場合に、遅れた日数が産後の支給期間から差し引かれることはない。（昭31.3.14 保文発1956）

×

A 485
□□
速P74

出産手当金の額は、原則として、１日につき、支給開始日の属する月以前の直近の継続した12ヵ月間の各月の標準報酬月額の平均額の30分の１に相当する額の３分の２に相当する金額である。（法102②）

×

★★
Q 486
□□
【平29】

被保険者の被扶養者が指定訪問看護事業者から指定訪問看護を受けたときは、被扶養者に対しその指定訪問看護に要した費用について、訪問看護療養費を支給する。

★
Q 487
□□
【平30】

被扶養者が6歳に達する日以後の最初の3月31日以前である場合、家族療養費の額は、当該療養（食事療養及び生活療養を除く。）につき算定した費用の額（その額が現に当該療養に要した費用の額を超えるときは、当該現に療養に要した費用の額）に100分の90を乗じて得た額である。

★
Q 488
□□
【令5改】

被保険者の被扶養者が産科医療補償制度に加入する医療機関等で医学的管理の下、妊娠週数22週以降に双子を出産した場合、家族出産育児一時金として、被保険者に対し100万円が支給される。

Q 489
□□
【予想】

家族移送費は、被扶養者が家族療養費に係る療養を受けるため、病院又は診療所に移送されたときに、支給される。

A 486
□□
速P75

被扶養者が指定訪問看護事業者から指定訪問看護を受けたときは、被保険者に対し、その指定訪問看護に要した費用について、家族訪問看護療養費が支給される。（法111①） ×

A 487
□□
速P76

６歳に達する日以後の最初の３月31日以前である被扶養者に係る家族療養費の支給割合は、100分の80である。（法110②一ロ） ×

A 488
□□
速P76

産科医療補償制度に加入する病院等における在胎週数（妊娠週数）22週以降の出産の場合における家族出産育児一時金の金額は、１児につき、50万円である。双子等の分娩の場合は、一産児排出を一分娩と認め、胎児数に応じて支給することとされているため、設問の場合は100万円（＝50万円×２)が支給される。また、被扶養者が出産したときの家族出産一時金は、被保険者に対し支給される。（法114、令36、平20保保発1217004号） ○

A 489
□□
速P76

被扶養者が家族療養費に係る療養を受けるため、病院又は診療所に移送されたときは、家族移送費として、被保険者に対し、最も経済的な通常の経路及び方法により移送された場合の費用により算定した金額（現に移送に要した費用の金額が上限）を支給する。（法112①） ○

7 高額療養費及び高額介護合算療養費

★★
Q490
□□
【令5】

高額療養費は公的医療保険による医療費だけを算定の対象にするのではなく、食事療養標準負担額、生活療養標準負担額又は保険外併用療養に係る自己負担分についても算定の対象とされている。

★
Q491
□□
【平24改】

同一医療機関での同一月の窓口負担が自己負担限度額を超える場合は、患者が高額療養費を事後に申請して受給する手続きに代えて、保険者から医療機関に支給することで、窓口での支払を自己負担限度額までにとどめるという現物給付化の対象となっているのは、入院医療に限られている。

★★
Q492
□□
【予想】

高額療養費算定基準額は、被保険者の所得等の区分に応じて定められており、70歳未満の者に係る高額療養費算定基準額が最も高くなるのは、療養のあった月の標準報酬月額が83万円以上の者である。

★★
Q493
□□
【平30】

高額療養費の算定における世帯合算は、被保険者及びその被扶養者を単位として行われるものであり、夫婦がともに被保険者である場合は、原則としてその夫婦間では行われないが、夫婦がともに70歳以上の被保険者であれば、世帯合算が行われる。

A 490
□□
速P78

高額療養費の支給に係る一部負担金等の額について、次のものは算定の対象とならない。(法115、令41①等)

①入院時食事療養費に係る食事療養標準負担額
②入院時生活療養費に係る生活療養標準負担額
③保険適用外の自費負担の額(保険外併用療養費に係る特別料金部分の自費負担分等)

×

A 491
□□
速P78

同一の月に同一の医療機関等又は指定訪問看護事業者から受けた外来療養又は指定訪問看護に係る高額療養費についても、現物給付化の対象となっている。現物給付化の対象となっているのは、入院医療に限られない。(令43)

×

A 492
□□
速P79

70歳未満の者に係る高額療養費算定基準額は、療養のあった月の標準報酬月額が83万円以上の者について最も高く定められている。(令42①)

○

A 493
□□
速P79

高額療養費の算定において世帯合算の対象となる「同一の世帯」とは、被保険者及びその被扶養者をいう。夫婦がともに被保険者である場合は、その年齢を問わず、夫婦間での世帯合算は行われない。なお、70歳未満の者について世帯合算の対象となるのは、同一の月にそれぞれ一の病院等から受けた療養に係る一部負担金等の額のうち、21,000円以上のものである。(法115①、令41①)

×

★★
Q 494
□□
【予想】

70歳未満の市（区）町村民税非課税者で判定基準所得のない被保険者又は被扶養者に対する高額療養費算定基準額は8,000円である。

★★
Q 495
□□
【平26】

高額療養費多数回該当の場合とは、療養のあった月以前の12か月以内に既に高額療養費が支給されている月数が２か月以上ある場合をいい、３か月目からは一部負担金等の額が多数回該当の高額療養費算定基準額を超えたときに、その超えた分が高額療養費として支給される。

★
Q 496
□□
【予想】

70歳以上で療養を受ける月の標準報酬月額が28万円以上53万円未満である被保険者又はその被扶養者に関する高額療養費算定基準額は、原則として、80,100円＋(医療費－267,000円)×１％である。

★
Q 497
□□
【令２】

標準報酬月額が56万円である60歳の被保険者が、慢性腎不全で１つの病院から人工腎臓を実施する療養を受けている場合において、当該療養に係る高額療養費算定基準額は10,000円とされている。

★
Q 498
□□
【平25】

高額介護合算療養費は、計算期間（前年８月１日から７月31日までの１年間）の末日において健康保険の被保険者及びその被扶養者についてそれぞれ個別に算定し支給する。

A 494 □□ 速P79

70歳未満の者のいわゆる低所得者に係る高額療養費算定基準額は、35,400円（多数回該当の場合は、24,600円）である。（令42①五） ×

A 495 □□ 速P80

高額療養費多数回該当の場合とは、療養のあった月以前の12ヵ月以内にすでに高額療養費が支給されている月数が「3ヵ月」以上ある場合をいう。この場合にあっては、「4ヵ月目」からは、高額療養費算定基準額が引き下げられる。（令42①） ×

A 496 □□ 速P81

70歳以上の者であって、療養を受ける月の標準報酬月額が28万円以上53万円未満のものに係る高額療養費算定基準額は、「80,100円＋（医療費－267,000円）×100分の1」である。（令42③四） ○

A 497 □□ 速P82

特定疾病に係る高額療養費算定基準額は、原則として、10,000円である。ただし、①70歳未満で標準報酬月額が53万円以上の被保険者又はその70歳未満の被扶養者が、②人工透析を要する慢性腎不全である場合には、当該療養に係る高額療養費算定基準額は、20,000円となる。したがって、設問の場合には、20,000円である。（令41⑨、42⑨、昭59厚告156、平18厚労告489） ×

A 498 □□ 速P83

高額介護合算療養費は、計算期間（前年8月1日から7月31日までの1年間）に健康保険と介護保険の両方において自己負担があった世帯を単位として、算定し支給する。個別に算定するのではない。（法115の2、令43の2等） ×

8 資格喪失後の保険給付

★
Q 499
□□
【平27改】

被保険者の資格を喪失した日の前日まで引き続き１年以上一般の被保険者であった者であって、その資格を喪失した際に傷病手当金の支給を受けているものが、その資格を喪失後に特例退職被保険者の資格を取得した場合、被保険者として受けることができるはずであった期間、継続して同一の保険者からその給付を受けることができる。

★
Q 500
□□
【予想】

資格喪失時に療養の給付を受けていた者が、資格喪失後に初めて労務不能の状態になったときは、資格喪失の日の前日まで引き続き１年以上の被保険者期間があれば、傷病手当金が支給される。

★
Q 501
□□
【予想】

資格喪失後の傷病手当金の継続給付は、被保険者が療養のため労務不能となってから３日目に退職した場合には、支給されない。

よくある質問

質問　任意継続被保険者は傷病手当金を受けることはできないのでしょうか。

回答

任意継続被保険者は、原則として、傷病手当金を受けることはできません。ただし、資格喪失後の傷病手当金の継続給付を受けることは可能です。

傷病手当金の支給要件では、支給対象となる

A 499 □□ 速P85

一般の被保険者の資格喪失後に特例退職被保険者の資格を取得した場合には、傷病手当金の継続給付を受けることはできない。特例退職被保険者には、資格喪失後の継続給付としての傷病手当金を含め、傷病手当金は支給されない。（法104、法附３⑤） ×

A 500 □□ 速P85

被保険者資格を喪失した際に傷病手当金の支給を受けている場合（又は受けることができる状態にある場合）は、傷病手当金の継続給付の対象となる。したがって、資格喪失後に初めて労務不能となっても傷病手当金は支給されない。（法104） ×

A 501 □□ 速P85

労務不能となってから３日目に退職した場合は、現に傷病手当金の支給を受けておらず、また、支給を受けることができる状態にもないため、傷病手当金は支給されない。（法104条、昭32.1.31保発２） ○

「被保険者」から任意継続被保険者を除いています。そのため、任意継続被保険者に傷病手当金が支給されることは、通常ありません。しかし、任意継続被保険者が資格喪失後の傷病手当金の継続給付の支給要件（①１年以上被保険者であったこと、②資格喪失の際に傷病手当金の支給を受けているか受けることができる状態にあったこと）を満たしている場合には、傷病手当金の継続給付を受けることができます。

★
Q 502
□□
【令元】

資格喪失後、継続給付としての傷病手当金の支給を受けている者について、一旦稼働して当該傷病手当金が不支給となったとしても、完全治癒していなければ、その後更に労務不能となった場合、当該傷病手当金の支給が復活する。

★
Q 503
□□
【予想】

被保険者の資格を喪失した日後３ヵ月以内の死亡について、埋葬料が支給されるためには、１年以上被保険者であったことが必要である。

★
Q 504
□□
【平25】

引き続き１年以上の被保険者期間（任意継続被保険者期間、特例退職被保険者期間又は共済組合の組合員である期間を除く。）を有し、資格喪失後６か月以内に出産した者が、健康保険の被扶養者になっている場合、請求者の選択により被保険者本人としての出産育児一時金、又は被扶養者としての家族出産育児一時金のいずれかを受給することとなる。

Q 505
□□
【平30】

被保険者の資格喪失後の出産により出産育児一時金の受給資格を満たした被保険者であった者が、当該資格喪失後に船員保険の被保険者になり、当該出産について船員保険法に基づく出産育児一時金の受給資格を満たした場合、いずれかを選択して受給することができる。

A 502 □□ 速P86 ×

傷病手当金の継続給付を受けている者が、一旦労務可能となり傷病手当金が不支給となった場合には、完全治ゆであると否とを問わず、その後さらに労務不能となっても傷病手当金の支給は復活しない。（昭26.5.1保文発1346）

A 503 □□ 速P86 ×

被保険者であった者が被保険者の資格を喪失した日後3ヵ月以内に死亡したときは、埋葬料の支給対象となる。この場合において、資格喪失前の被保険者であった期間の長短は問われない。（法105①）

A 504 □□ 速P87 ○

設問の引き続き1年以上被保険者であった者が、被保険者の資格を喪失した日後6ヵ月以内に出産し、出産したときに健康保険の被扶養者となっている場合は、被保険者であった者として資格喪失後の出産育児一時金を受給するか、被扶養者としての家族出産育児一時金を受給するかは、請求者の選択による。（法106、114、昭48.11.7保険発99・庁保険発21）

A 505 □□ 速P87 ×

被保険者であった者が船員保険の被保険者となったときは、資格喪失後の保険給付（傷病手当金・出産手当金の継続給付、資格喪失後の死亡に関する給付及び資格喪失後の出産育児一時金の給付）は、受給することができない。（法107）

9 日雇特例被保険者

★
Q 506
□□
【予想】

適用事業所の事業主は、日雇労働者を使用するに至ったときは、その日から5日以内に、厚生労働大臣に対して日雇特例被保険者手帳の交付を申請しなければならない。

★
Q 507
□□
【令元】

日雇特例被保険者の保険の保険者の業務のうち、日雇特例被保険者手帳の交付、日雇特例被保険者に係る保険料の徴収及び日雇拠出金の徴収並びにこれらに附帯する業務は、全国健康保険協会が行う。

★
Q 508
□□
【平30】

日雇特例被保険者が出産した場合において、その出産の日の属する月の前4か月間に通算して30日分以上の保険料がその者について納付されていなければ、出産育児一時金が支給されない。

★
Q 509
□□
【令4】

日雇特例被保険者に係る傷病手当金の支給期間は、同一の疾病又は負傷及びこれにより発した疾病に関しては、その支給を始めた日から起算して6か月（厚生労働大臣が指定する疾病に関しては、1年6か月）を超えないものとする。

★★
Q 510
□□
【平26】

初めて日雇特例被保険者手帳の交付を受けた者に対する特別療養費の支給期間は、日雇特例被保険者手帳の交付を受けた日の属する月の初日から起算して3か月間（月の初日に日雇特例被保険者手帳の交付を受けた者については2か月間）である。

A 506 □□ 速P90

日雇労働者は、日雇特例被保険者となったときは、日雇特例被保険者となった日から起算して5日以内に、厚生労働大臣に日雇特例被保険者手帳の交付を申請しなければならない。申請者は、日雇特例被保険者本人である。(法126①)　×

A 507 □□ 速P90

日雇特例被保険者の保険の保険者は、全国健康保険協会であるが、保険者の業務のうち、日雇特例被保険者手帳の交付、日雇特例被保険者に係る保険料の徴収及び日雇拠出金の徴収並びにこれらに附帯する業務は、厚生労働大臣が行う。(法123②)　×

A 508 □□ 速P91

日雇特例被保険者自身の出産に係る給付の保険料納付要件は、出産の日の属する月の前4ヵ月間に通算して「26日分」以上の保険料が納付されていることである。(法137)　×

A 509 □□ 速P92

日雇特例被保険者に係る傷病手当金は、同一の傷病に関し、支給開始日から起算して6ヵ月を限度として支給される。ただし、厚生労働大臣が指定する疾病（結核性疾病）に関しては、1年6ヵ月が限度となる。(法135③)　○

A 510 □□ 速P93～P94

特別療養費の支給期間は、日雇特例被保険者手帳の交付を受けた日の属する月の初日から起算して3ヵ月間（月の初日に日雇特例被保険者手帳の交付を受けた者については2ヵ月間）である。(法145①)　○

10 費用の負担

★★
Q 511
□□
【令6】

国庫は、毎年度、予算の範囲内において健康保険事業の事務の執行に要する費用を負担することになっており、健康保険組合に対して交付する国庫負担金は、各健康保険組合における被保険者数を基準として、厚生労働大臣が算定する。また、その国庫負担金は概算払いをすることができる。

★
Q 512
□□
【令3】

全国健康保険協会管掌健康保険の事業の執行に要する費用のうち、出産育児一時金、家族出産育児一時金、埋葬料（埋葬費）及び家族埋葬料の支給に要する費用については、国庫補助は行われない。

★
Q 513
□□
【平22】

全国健康保険協会は、被保険者が介護保険第2号被保険者でない場合であっても、当該被保険者に介護保険第2号被保険者である被扶養者がある場合には、規約により、当該被保険者（特定被保険者）に介護保険料額の負担を求めることができる。

★★
Q 514
□□
【予想】

全国健康保険協会が管掌する健康保険の被保険者に関する一般保険料率は、1,000分の30から1,000分の120までの範囲内において、支部被保険者を単位として全国健康保険協会が決定する。

A 511 □□ 速P95

国庫は、毎年度、予算の範囲内において、健康保険の事務費についてその保険者を問わず負担するが、健康保険組合に対して交付する国庫負担金は、各健康保険組合における被保険者数を基準として、厚生労働大臣が算定する。また、その国庫負担金については、概算払いをすることができる。（法151、152） ○

A 512 □□ 速P95

国庫補助の対象とならない保険給付は、出産育児一時金、家族出産育児一時金、埋葬料（埋葬費）及び家族埋葬料である。なお、これらを除く保険給付についての国庫補助は、全国健康保険協会に対してのみ行われ、その補助割合は1,000分の164（当分の間）である。（法153①） ○

A 513 □□ 速P97

健康保険組合は、規約で定めるところにより、介護保険第２号被保険者である被保険者以外の被保険者であって、介護保険第２号被保険者である被扶養者があるもの（特定被保険者）に関する保険料額を、一般保険料額と介護保険料額との合算額とすることができる。（法附７①） ×

A 514 □□ 速P97

協会管掌健康保険の被保険者に関する一般保険料率は、1,000分の30から1,000分の130までの範囲内において、支部被保険者を単位として全国健康保険協会が決定する。（法160①） ×

Q 515
□□
【平27】

健康保険組合が一般保険料率を変更しようとするときは、その変更について厚生労働大臣の認可を受けなければならず、一般保険料率と調整保険料率とを合算した率の変更が生じない一般保険料率の変更の決定についても、認可を受けることを要する。

★★
Q 516
□□
【平30】

一般の被保険者に関する毎月の保険料は、翌月末日までに、納付しなければならない。任意継続被保険者に関する毎月の保険料は、その月の10日までに納付しなければならないが、初めて納付すべき保険料については、被保険者が任意継続被保険者の資格取得の申出をした日に納付しなければならない。

★
Q 517
□□
【予想】

任意継続被保険者に関する保険料が前納された場合には、前納に係る期間の各月が経過した際に、それぞれその月の保険料が納付されたものとみなされる。

★★
Q 518
□□
【平26】

産前産後休業をしている被保険者が使用される事業所の事業主が、厚生労働省令で定めるところにより保険者等に申出をしたときは、その産前産後休業を開始した日の属する月からその産前産後休業が終了する日の翌日が属する月の前月までの期間、当該被保険者に関する保険料を徴収しない。

A 515 □□ 速P99

健康保険組合が一般保険料率を変更しようとするときは、その変更について厚生労働大臣の認可を受けなければならない。ただし、一般保険料率と調整保険料率とを合算した率の変更が生じない一般保険料率の変更の決定については、厚生労働大臣の認可は不要であり、その決定をしたときに、変更後の一般保険料率を厚生労働大臣に届け出ることで足りる。（法160⑬、法附2⑧⑨） ×

A 516 □□ 速P99、P100

被保険者に関する毎月の保険料は、翌月末日までに、納付しなければならない。ただし、任意継続被保険者に関する保険料については、その月の10日（初めて納付すべき保険料については、保険者が指定する日）までとされている。（法164①） ×

A 517 □□ 速P100

任意継続被保険者は、将来の一定期間の保険料を前納することができる。この場合の前納された保険料については、前納に係る期間の各月の初日が到来したときに、それぞれその月の保険料が納付されたものとみなす。（法165③） ×

A 518 □□ 速P102

産前産後休業期間中の被保険者に関する保険料免除は、当該被保険者が使用される事業所の事業主が保険者等に申出をしたときに行われる。また、保険料が免除される期間は、「産前産後休業を開始した日の属する月からその産前産後休業が終了する日の翌日が属する月の前月まで」である。（法159の3） ○

★★
Q 519
□□
【予想】

被保険者が適用事業所に使用されなくなった場合において、事業主は、当該被保険者の負担すべき前々月及び前月の標準報酬月額に係る保険料をその者の報酬から控除することができる。

★
Q 520
□□
【令5】

健康保険法第172条によると、保険料は、納付義務者が破産手続開始の決定を受けたときは、納期前であっても、すべて徴収することができる。

★
Q 521
□□
【平23】

全国健康保険協会が、保険料の滞納処分について、国税滞納処分の例により処分を行う場合には、処分後に厚生労働大臣にその旨を報告しなければならない。

Q 522
□□
【予想】

日雇特例被保険者が1日において二以上の事業所に使用される場合に、その日の標準賃金日額に係る保険料を納付する義務は、その者を使用する各事業主が負う。

よくある質問

質問　報酬から保険料を2ヵ月分控除される場合とは、どのような場合でしょうか。

回答

報酬から保険料を2ヵ月分控除できるのは、月末に退職する場合です。

保険料は、資格取得日の属する月から資格喪失日の属する月の前月までが徴収の対象となります。たとえば、3月31日に退職する場合は、「4

A 519
□□
速P102

事業主が被保険者の報酬（通貨で支払う報酬）から控除することができる保険料は、当該被保険者の負担すべき前月（被保険者がその事業所に使用されなくなった場合においては、前月及びその月）の標準報酬月額に係るものである。（法167①） ×

A 520
□□
速P103

①破産手続開始の決定を受けたとき、②法人である納付義務者が解散をしたとき、③被保険者の使用される事業所が廃止されたとき等は、保険料の繰上徴収が行われる。（法172） ○

A 521
□□
速P103

全国健康保険協会又は健康保険組合が保険料等の滞納者に対し、国税滞納処分の例により処分を行う場合においては、厚生労働大臣の認可を受けなければならない。（法180⑤） ×

A 522
□□
速P105

日雇特例被保険者が１日において二以上の事業所に使用される場合に、その日の標準賃金日額に係る保険料を納付する義務を負うのは、初めにその者を使用する事業主のみである。（法169②） ×

月１日」（退職日の翌日）に資格を喪失し、その前月である「３月分」までの保険料が徴収されます。報酬から控除するのは、原則として前月分の保険料ですから、この「３月分の保険料」は、「４月に支払う報酬」から控除することになります。ところが、３月に最後の報酬を支払う場合は、「４月に支払う報酬」がないため、この場合は３月に支払う報酬から、前月分と当月分（２月・３月分）の保険料を控除できます。

11 不服申立て、時効、届出等

★
Q 523
□□
【平26】

被保険者の資格、標準報酬又は保険給付に関する処分に不服がある者は、社会保険審査官に対して審査請求をすることができるが、被保険者の資格又は標準報酬に関する処分が確定したときは、その処分についての不服を当該処分に基づく保険給付に関する処分についての不服の理由とすることはできない。

★★
Q 524
□□
【平22改】

保険料等を徴収しまたはその還付を受ける権利及び保険給付を受ける権利は、これらを行使することができる時から３年を経過したときは時効によって消滅するが、保険料等の納入の告知または督促は、時効の更新の効力がある。

★
Q 525
□□
【平28】

適用事業所の事業主に変更があったときは、変更後の事業主は、①事業所の名称及び所在地、②変更前の事業主及び変更後の事業主の氏名又は名称及び住所、③変更の年月日を記載した届書を厚生労働大臣又は健康保険組合に５日以内に提出しなければならない。

★
Q 526
□□
【令３】

毎年７月１日現に使用する被保険者の標準報酬月額の定時決定の届出は、同月末日までに、健康保険被保険者報酬月額算定基礎届を日本年金機構又は健康保険組合に提出することによって行う。

Q 527
□□
【予想】

健康保険事業に関して職務上知り得た秘密を正当な理由がなく漏らした全国健康保険協会の役員又は職員は、１年以下の懲役又は100万円以下の罰金に処せられる。

A 523 □□ 速P109

社会保険審査官に対する審査請求の対象となるは、①被保険者の資格、②標準報酬又は③保険給付に関する処分である。また、①又は②に関する処分が確定したときは、その処分についての不服を当該処分に基づく保険給付に関する処分についての不服の理由とすることができない。（法189①④） ○

A 524 □□ 速P109

保険料等を徴収し、又はその還付を受ける権利及び保険給付を受ける権利は、これらを行使することができる時から2年を経過したときは、時効によって消滅する。保険料等の納入の告知又は督促は、時効の更新の効力を有する。（法193） ×

A 525 □□ 速P110

事業主の変更の届出は、変更後の事業主が、5日以内に、所定の事項を記載した届書を厚生労働大臣又は健康保険組合に提出することによって行う。（則31） ○

A 526 □□ 速P110

標準報酬月額の定時決定の届出は、7月10日までに行わなければならない。届書の提出先は、日本年金機構又は健康保険組合である。（則25①） ×

A 527 □□ 速P111

全国健康保険協会の役員又は職員等は、健康保険事業に関して職務上知り得た秘密を正当な理由がなく漏らしてはならず、これに違反して秘密を漏らした者は、1年以下の懲役又は100万円以下の罰金に処せられる。（法207の2） ○

POINTマスター

健康保険法

※以下、全国健康保険協会は「協会」と略記する。

1 保険者

原則	協会又は健康保険組合
日雇特例被保険者の場合	協会
任意継続被保険者の場合	協会又は健康保険組合
特例退職被保険者の場合	特定健康保険組合

2 健康保険組合における各要件等のまとめ

任意設立	①単一組合…1又は2以上の適用事業所について常時700人以上の被保険者を使用する事業主 総合組合…合算して常時3,000人以上の被保険者を使用する2以上の事業主 ②被保険者の2分の1以上の同意と規約の作成 ③厚生労働大臣の認可
合併・分割	①組合会議員の定数の4分の3以上の多数による議決 ②厚生労働大臣の認可
解散	①組合会議員の定数の4分の3以上の多数による議決 ②健康保険組合の事業の継続不能 ③厚生労働大臣の解散命令 ※①又は②による解散は、厚生労働大臣の認可が必要 →解散により消滅した健康保険組合の権利義務は、協会が承継
地域型健康保険組合	合併年度及びこれに続く5ヵ年度に限り、 ①組合会議員の定数の3分の2以上の多数による議決 ②厚生労働大臣の認可 により、不均一の一般保険料率の決定が可能

3 任意継続被保険者・特例退職被保険者

	任意継続被保険者	特例退職被保険者
資格要件	①適用事業所に使用されなくなったため、又は適用除外者に該当するに至ったため被保険者（日雇特例被保険者を除く。）の資格を喪失したこと ②資格喪失の日の前日まで継続して２ヵ月以上被保険者（日雇特例被保険者、任意継続被保険者又は共済組合の組合員である被保険者を除く。）であったこと ③資格喪失の日から20日以内に保険者に申し出ること	①特定健康保険組合の組合員である被保険者であったこと ②国民健康保険法の退職被保険者となるべき者であること ③特定健康保険組合に申し出ること
資格取得日	被保険者の資格を喪失した日（さかのぼって取得）	申出が受理された日

4 被扶養者の要件

居住地等
①日本国内に住所を有するもの ②外国において留学をする学生その他の日本国内に住所を有しないが渡航目的その他の事情を考慮して日本国内に生活の基礎があると認められるものとして厚生労働省令で定めるもの

生計維持等	範囲
生計維持のみ	①直系尊属、②配偶者、③子、④孫、⑤兄弟姉妹 ※②には事実上の婚姻関係にある者を含む
生計維持＋同一世帯	①３親等内の親族（上記以外の者） ②事実上の婚姻関係にある配偶者の父母及び子 ③上記②の配偶者の死亡後におけるその父母及び子

5 標準報酬月額の決定・改定

	対象者等
資格取得時決定	被保険者の資格を取得した者
有効期間	1月～5月に資格取得⇒その年の8月まで 6月～12月に資格取得⇒翌年の8月まで
定時決定	7月1日現に使用される被保険者（①②の者以外） ①6月1日～7月1日の被保険者資格取得者 ②7月～9月のいずれかの月からの随時改定者・育児休業等又は産前産後休業終了時改定者
有効期間	その年の9月から翌年の8月まで
随時改定	次のいずれも満たす者 ①固定的賃金に変動があったこと ②上記①に変動月以後の継続した3ヵ月間の報酬支払基礎日数がすべて17日以上であること ③原則として従前の標準報酬月額等級との間に2等級以上の差が生じていること
有効期間	1月～6月に改定⇒その年の8月まで 7月～12月に改定⇒翌年の8月まで
育児休業等終了時改定	育児休業等終了後に3歳未満の子を養育する被保険者のうち、保険者等に申し出た者
産前産後休業終了時改定	産前産後休業終了後に当該休業に係る子を養育する被保険者のうち、保険者等に申し出た者
有効期間	いずれも随時改定と同様

6 保険医療機関・保険医等

	保険医療機関・保険薬局	保険医・保険薬剤師
指定・登録	厚生労働大臣の指定 有効期間：6年	厚生労働大臣の登録 有効期間：なし
上記の拒否	指定取消日又は登録取消日から5年未経過　等	
指定の辞退 登録の抹消	1ヵ月以上の予告期間を設けることが必要	

7 保険給付の自己負担額・支給額

<table>
<tr><td>療養の給付・家族療養費</td><td>一部負担金等の負担割合
①6歳年度末までの被扶養者⇒2割
②70歳未満の被保険者・被扶養者（①以外）⇒3割
③70歳以上の被保険者・被扶養者（④以外）⇒2割
④標準報酬月額が28万円以上である70歳以上の被保険者・その70歳以上の被扶養者⇒原則として3割</td></tr>
<tr><td>傷病手当金・出産手当金</td><td>支給額：1日につき、原則として、「支給開始日の属する月以前の直近の継続した12ヵ月間の各月の標準報酬月額の平均額の30分の1相当額」×3分の2</td></tr>
<tr><td>出産育児一時金</td><td>支給額：1児につき、48万8,000円
産科医療補償制度に加入する病院等での出産
⇒上記金額に3万円を超えない範囲内で保険者が定める金額（現在1万2,000円）を加算</td></tr>
<tr><td>埋葬料（埋葬費）</td><td>支給額：5万円
（埋葬費はこの範囲内で実費相当額）</td></tr>
<tr><td>高額療養費</td><td>高額療養費算定基準額　【　】内は多数回該当
※標準報酬月額を「標月」と略記する。</td></tr>
</table>

<table>
<tr><th></th><th>70歳未満</th><th colspan="2">70歳以上</th></tr>
<tr><td>標月83万円以上</td><td colspan="3">252,600円
＋(医療費－842,000円)×100分の1
【140,100円】</td></tr>
<tr><td>標月53万円以上83万円未満</td><td colspan="3">167,400円
＋(医療費－558,000円)×100分の1
【93,000円】</td></tr>
<tr><td>標月28万円以上53万円未満</td><td colspan="3">80,100円
＋(医療費－267,000円)×100分の1
【44,400円】</td></tr>
<tr><td rowspan="2">標月28万円未満</td><td rowspan="2">57,600円
【44,400円】</td><th>外来（個人）</th><th>外来・入院（世帯）</th></tr>
<tr><td>18,000円
（年間／144,000円）</td><td>57,600円
【44,400円】</td></tr>
<tr><td>低所得Ⅱ</td><td rowspan="2">35,400円
【24,600円】</td><td rowspan="2">8,000円</td><td>24,600円</td></tr>
<tr><td>低所得Ⅰ</td><td>15,000円</td></tr>
</table>

第8章 国民年金法

1 総論

★
Q 528
□□
【平26】

国民年金は、国民の老齢、障害又は死亡に関して必要な保険給付を行うものとされ、国民年金法に基づくすべての給付は保険原理により行われる。

★
Q 529
□□
【予想】

国民年金法は、昭和34年11月に無拠出制の福祉年金制度に係る部分が施行され、その後、昭和36年４月に全面施行された。これにより、国民皆年金が確立することとなった。

Q 530
□□
【平30改】

国民年金事業の事務の一部は、政令の定めるところにより、法律によって組織された共済組合、国家公務員共済組合連合会、全国市町村職員共済組合連合会、地方公務員共済組合連合会又は日本私立学校振興・共済事業団に行わせることができる。

★
Q 531
□□
【予想】

老齢基礎年金に係る裁定請求の受理は、日本年金機構が行うが、その裁定に係る事務は、国民年金の管掌者たる政府が直接行うこととされ、日本年金機構が行うことはできない。

「被保険者」、「届出」、「老齢基礎年金」、「保険料」が出題の柱です。
過去問の焼直しが多いため、過去問の学習により高得点が狙えます。

A 528
□□
速P118

国民年金は、国民の老齢、障害又は死亡に関して必要な給付を行うものとされている。保険給付ではない。また、すべての給付が保険原理により行われるわけではなく、20歳前の傷病による障害基礎年金など、福祉的に支給されるものもある。（法2、30の4等）

×

A 529
□□
速P119、P120

国民年金法は、昭和34年11月に一部施行（無拠出制の福祉年金制度が開始）され、昭和36年4月に全面施行（拠出制の年金制度が開始）された。これにより、国民皆年金が確立した。（法附1）

○

A 530
□□
速P121

国民年金事業の事務の一部（共済組合等に関する事務）は、共済組合、国家公務員共済組合連合会、全国市町村職員共済組合連合会、地方公務員共済組合連合会又は日本私立学校振興・共済事業団に行わせることができる。（法3②）

○

A 531
□□
速P121

裁定請求の受理は、権限の委任により、日本年金機構が行う。また、その裁定に係る事務（裁定請求の受理及び当該裁定を除く。）は、事務の委託により、日本年金機構が行う。つまり、どちらも日本年金機構が行うこととなる。（法109の4①五、109の10①三）

×

2 被保険者

★

Q 532
□□
【平22改】

日本国内に住所を有する20歳以上60歳未満の者で、第2号被保険者及び第3号被保険者のいずれにも該当しない外国人（本法の適用を除外すべき特別の理由がある者として厚生労働省令で定める者には該当しないものとする。）は、厚生年金保険法に基づく老齢給付等を受けることができない場合、原則として第1号被保険者となる。

★★

Q 533
□□
【平26改】

65歳以上の厚生年金保険の被保険者は、老齢又は退職を支給事由とする年金給付の受給権を有していなくても、障害を支給事由とする年金給付の受給権を有していれば、第2号被保険者とならない。

★★

Q 534
□□
【平24】

第2号被保険者の被扶養配偶者と認められる場合であっても、20歳以上の大学生は、第3号被保険者ではなく第1号被保険者としての適用を受け、学生の保険料納付特例の対象になる。

Q 535
□□
【予想】

第3号被保険者に関し、主として第2号被保険者の収入により生計を維持することの認定は、健康保険法、国家公務員共済組合法、地方公務員等共済組合法及び私立学校教職員共済法における被扶養者の認定の取扱いを勘案して日本年金機構が行う。

A 532 □□ 速P123、P124

日本国内に住所を有する20歳以上60歳未満の者であって第2号被保険者及び第3号被保険者の要件に該当しないものは、第1号被保険者となる。国民年金の強制被保険者については、すべて国籍要件がない。なお、厚生年金保険法に基づく老齢給付等を受けることができる者その他本法の適用を除外すべき特別の理由がある者として厚生労働省令で定める者は、第1号被保険者とならない。（法7①一） ○

A 533 □□ 速P124

厚生年金保険の被保険者のうち、第2号被保険者とならないのは、65歳以上で老齢又は退職を支給事由とする年金給付（老齢給付等）の受給権を有している者である。障害を支給事由とする年金給付の受給権を有していても、第2号被保険者となる。（法7①二、法附3） ×

A 534 □□ 速P125、P216

第2号被保険者の被扶養配偶者であって、20歳以上60歳未満のものは、大学生であっても、第3号被保険者となる。したがって、保険料を納付する義務はなく、学生納付特例の対象となる余地はない。（法7①三、90の3） ×

A 535 □□ 速P125

第3号被保険者に係る生計維持要件に該当することの認定は、健康保険法等における被扶養者の認定の取扱い（年収130万円未満など）を勘案して日本年金機構が行う。（令4） ○

★

Q 536

□□

【平29】

60歳で被保険者資格を喪失し日本に居住している特別支給の老齢厚生年金の受給権者（30歳から60歳まで第２号被保険者であり、その他の被保険者期間はない。）であって、老齢基礎年金の支給繰上げの請求を行っていない者は、国民年金の任意加入被保険者になることができる。

★★

Q 537

□□

【予想】

昭和41年４月１日以前に生まれた任意加入被保険者が65歳に達した場合において、老齢給付等の受給権を有しないときは、特例による任意加入の申出があったものとみなされる。

★★

Q 538

□□

【予想】

日本国内に住所を有しない者が任意加入被保険者となることの申出を行おうとする場合には、原則として、口座振替納付を希望する旨の申出を厚生労働大臣に対してしなければならない。

★

Q 539

□□

【平23】

65歳以上70歳未満の任意加入被保険者は、寡婦年金、死亡一時金、脱退一時金等の給付に関する規定の適用については、第１号被保険者とみなされる。

★

Q 540

□□

【平22】

日本国内に住所を有しない20歳以上60歳未満の在外邦人で任意加入していない者が第２号被保険者の被扶養配偶者になったときは、その日に第３号被保険者の資格を取得する。

A 536 □□ 速P126、P169

日本国内に住所を有する60歳以上65歳未満の者は、繰上げ支給の老齢基礎年金の受給権者であるときを除き、任意加入被保険者となることができる。特別支給の老齢厚生年金の受給権者であるか否かは問われない。（法附5①二、9の2の3） ○

A 537 □□ 速P127

任意加入被保険者（昭和40年4月1日以前に生まれた者に限る。）が65歳に達した場合において、老齢給付等の受給権を有しないときは、特例による任意加入の申出があったものとみなされる。（平6法附11③、平16法附23③） ×

A 538 □□ 速P127

日本国内に住所を有する者が任意加入被保険者となることの申出を行おうとする場合には、原則として、口座振替納付を希望する旨の申出をしなければならない。日本国内に住所を有しない者は、口座振替納付を希望する旨の申出をする必要はない。（法附5②等） ×

A 539 □□ 速P127、P128

特例による任意加入被保険者は、死亡一時金、脱退一時金等の給付に関する規定の適用については、第1号被保険者とみなされるが、寡婦年金に関する規定の適用については、第1号被保険者とみなされない。（平6法附11⑨、平16法附23⑨） ×

A 540 □□ 速P125、P128

設問の者は、第3号被保険者の要件（被扶養配偶者であって、20歳以上60歳未満のもの）を満たすこととなる。この場合の資格の取得時期は、その当日である。（法7①三、8五） ○

★★
Q 541
□□
【平30】

第１号被保険者又は第３号被保険者が60歳に達したとき（第２号被保険者に該当するときを除く。）は、60歳に達したときに該当するに至った日に被保険者の資格を喪失する。

★★
Q 542
□□
【平28】

任意加入被保険者は、いつでも厚生労働大臣に申し出て、被保険者の資格を喪失することができるが、その資格喪失の時期は当該申出が受理された日の翌日である。

★
Q 543
□□
【平24】

65歳未満の任意加入被保険者は、保険料納付済期間や、いわゆる保険料の多段階免除期間（その段階に応じて規定されている月数）を合算し、満額の老齢基礎年金が受けられる480月に達したときは、本人から資格喪失の申出がなくても、被保険者の資格を喪失する。

よくある質問

質問　日本国内に住所を有する60歳以上65歳未満の任意加入被保険者が、日本国内に住所を有しなくなったときは、その日の翌日に被保険者の資格を喪失するということですが、日本国籍を有する場合は、引き続き任意加入被保険者の要件に該当し、被保険者の資格を喪失しないのでは？

回答

任意加入被保険者は要件に該当しなくなれば被保険者の資格を喪失します。

A 541 □□ 速P129

第1号被保険者及び第3号被保険者には「20歳以上60歳未満であること」という年齢要件があるため、これらの者は、60歳に達したときは、被保険者の資格を喪失する。この場合の資格の喪失時期は、その当日である。（法9三）　○

A 542 □□ 速P129

任意加入被保険者は、厚生労働大臣に申し出ることにより、いつでも、その資格を喪失することができる。この場合の資格の喪失時期は、申出が受理された日の当日である。（法附5④⑤三等）　×

A 543 □□ 速P129

65歳未満の（原則による）任意加入被保険者は、老齢基礎年金の額に反映される月数を合算した月数が480に達したときは、自動的にその資格を喪失する。当該月数が480に達したときは、満額の老齢基礎年金を受給することができるためである。（法附5⑤四）　○

> 任意加入被保険者は、要件に該当しても自動的に任意加入被保険者となるわけではありません。任意加入被保険者となるためには申出が必要です。この点は、加入意思の有無を問わず、要件に該当すれば被保険者となる強制被保険者とは異なります。
>
> ご質問の任意加入被保険者は、日本国内に住所を有しなくなれば、被保険者の資格を喪失します。引き続き任意加入被保険者となるためには、改めて加入の申出が必要です。

3 被保険者期間、届出等

★★
Q 544
□□
【平25】

昭和36年4月1日から昭和61年3月31日までの間の厚生年金保険の被保険者期間は、老齢基礎年金の受給資格期間に関して、そのすべての期間が国民年金の保険料納付済期間とみなされる。

★★
Q 545
□□
【令2】

保険料全額免除期間とは、第1号被保険者としての被保険者期間であって、法定免除、申請全額免除、産前産後期間の保険料免除、学生納付特例又は納付猶予の規定による保険料を免除された期間（追納した期間を除く。）を合算した期間である。

★
Q 546
□□
【令5】

被保険者が、被保険者の資格を取得した日の属する月にその資格を喪失したときは、その月を1か月として被保険者期間に算入するが、その月に更に被保険者の資格を取得したときは、前後の被保険者期間を合算し、被保険者期間2か月として被保険者期間に算入する。

★
Q 547
□□
【予想】

第3号被保険者は、その配偶者と離婚したときは、当該事実があった日から14日以内に、第1号被保険者への種別の変更の届出を厚生労働大臣に対して行わなければならない。

A 544 □□ 速P131

老齢基礎年金の受給資格期間に関しては、昭和36年4月1日から昭和61年3月31日までの厚生年金保険の被保険者期間のうち、20歳以上60歳未満の期間に限り、保険料納付済期間とみなされる。20歳前と60歳以後の期間は、合算対象期間となる。（昭60法附8②） ×

A 545 □□ 速P132

保険料全額免除期間は、法定免除、申請全額免除、学生納付特例又は納付猶予の規定により保険料の納付を免除された期間（追納した期間を除く。）を合算した期間である。産前産後期間の保険料免除の規定により保険料の納付を免除された期間は、保険料納付済期間である。（法5③等） ×

A 546 □□ 速P133

被保険者の資格を取得した月にその資格を喪失したとき（いわゆる同月得喪の場合）は、その月を1ヵ月として被保険者期間に算入する。ただし、その月にさらに被保険者の資格を取得したときは、後の資格についての1ヵ月として被保険者期間に算入する。（法11②） ×

A 547 □□ 速P134

第1号被保険者への種別変更の届出は、14日以内に、市町村長に対して行わなければならない。なお、第3号被保険者への種別変更の届出は、14日以内に、厚生労働大臣に対して行わなければならない（実際の届書の提出先は、日本年金機構）。（法12①、則6の2①） ×

★★
Q 548
□□
【平27】

第１号被保険者であった者が就職により厚生年金保険の被保険者の資格を取得したため第２号被保険者となった場合、国民年金の種別変更に該当するため10日以内に市町村長へ種別変更の届出をしなければならない。

Q 549
□□
【平25改】

老齢基礎年金の受給権者は、住所又は氏名を変更したときは、日本年金機構に所定の事項を記載した届書を提出しなければならないが、厚生労働大臣が住民基本台帳ネットワークシステムにより当該受給権者に係る機構保存本人確認情報の提供を受けることができる者については、当該届書を提出する必要はない。

★
Q 550
□□
【平26】

年金受給権者の属する世帯の世帯主その他その世帯に属する者は、年金受給権者の所在が１か月以上明らかでない場合は、厚生労働大臣に対し、年金受給権者の所在が１か月以上明らかでない旨の届出をしなければならない。

★
Q 551
□□
【予想】

厚生労働大臣は、国民年金原簿を備え、これに第１号被保険者（任意加入被保険者を含む。）の氏名、資格の取得及び喪失、種別の変更、保険料の納付状況、基礎年金番号その他厚生労働省令で定める事項を記録するが、第２号被保険者及び第３号被保険者に関する事項については、国民年金原簿には記録しない。

A 548
□□
速P134

第２号被保険者については、国民年金による届出を行う必要はない。厚生年金保険法の規定により、事業主等が届出を行う。（法附７の４）

×

A 549
□□
速P136

老齢基礎年金の受給権者は、住所又は氏名を変更したときは、所定の届書を、日本年金機構に提出しなければならない。ただし、住民基本台帳ネットワークシステムにより機構保存本人確認情報の提供を受けることができる者については、届書の提出は不要である。（則19①、20①）

○

A 550
□□
速P137

年金給付の受給権者の所在不明の届出は、年金給付の受給権者の所在が１ヵ月以上明らかでないときに、受給権者の属する世帯の世帯主その他その世帯に属する者が行わなければならない。（法105③、則23①等）

○

A 551
□□
速P139

厚生労働大臣は、国民年金原簿を備え、これに被保険者の氏名、資格の取得及び喪失、種別の変更、保険料の納付状況、基礎年金番号等を記録する。この記録の対象は、第２号被保険者及び第３号被保険者を含むすべての被保険者である。ただし、当分の間、第２号・第３号・第４号厚生年金被保険者である第２号被保険者は、この記録の対象から除かれる。（法14）

×

4 給付の通則

★
Q 552
□□
【予想】

年金給付を受ける権利を裁定する場合又は年金給付の額を改定する場合において、年金給付の額に５円未満の端数が生じたときは、これを切り捨て、５円以上10円未満の端数が生じたときは、これを10円に切り上げる。

★★
Q 553
□□
【平27】

遺族基礎年金を受給している子が、婚姻したときは遺族基礎年金は失権し、婚姻した日の属する月の前月分までの遺族基礎年金が支給される。

★
Q 554
□□
【令２】

遺族基礎年金を減額して改定すべき事由が生じたにもかかわらず、その事由が生じた日の属する月の翌月以降の分として減額しない額の遺族基礎年金が支払われた場合における当該遺族基礎年金の当該減額すべきであった部分は、その後に支払うべき遺族基礎年金の内払とみなすことができる。

★★
Q 555
□□
【平26】

船舶に乗っていた者がその船舶の航行中に行方不明となり、その生死が１か月間分からない場合には、死亡を支給事由とする給付の支給に関する規定の適用については、行方不明となった日に、その者が死亡したものと推定する。

A 552 □□ 速P141

年金給付を受ける権利を裁定する場合又は年金給付の額を改定する場合において、年金給付の額に50銭未満の端数が生じたときは、これを切り捨て、50銭以上１円未満の端数が生じたときは、これを１円に切り上げる。つまり、１円未満の端数を四捨五入することとなる。（法17①） ×

A 553 □□ 速P142、P192

遺族基礎年金の受給権者である子が婚姻したときは、婚姻した日に、当該遺族基礎年金の受給権が消滅する。年金給付は権利が消滅した日の属する月まで支給されるため、設問の場合は、婚姻した日の属する月分までの遺族基礎年金が支給される。（法18①、40①二） ×

A 554 □□ 速P143

年金（障害基礎年金又は遺族基礎年金）を減額して改定すべき事由が生じたにもかかわらず、その事由が生じた日の属する月の翌月以降の分として減額しない額の年金が支払われたときは、過払い分をその後に支払うべき年金の内払いとみなすことができる。（法21②） ○

A 555 □□ 速P145

船舶に乗っていた者がその船舶の航行中に行方不明となり、その生死が３ヵ月間分からない場合又はその者の死亡が３ヵ月以内に明らかとなり、かつ、その死亡の時期が分からない場合には、その者は、行方不明となった日に、死亡したものと推定する。（法18の３） ×

Q 556
□□
【予想】
失踪の宣告を受けたことにより死亡したとみなされた者については、当該死亡を支給事由とする給付の支給に関する生計維持関係及び身分関係は、行方不明となった当時において判断される。

★★
Q 557
□□
【令元】
未支給の年金を受けるべき者の順位は、死亡した者の配偶者、子、父母、孫、祖父母、兄弟姉妹及びこれらの者以外の３親等内の親族の順位とされている。

★
Q 558
□□
【平28】
給付を受ける権利は、原則として譲り渡し、担保に供し、又は差し押さえることができないが、脱退一時金を受ける権利については国税滞納処分の例により差し押さえることができる。

★
Q 559
□□
【令６】
国民年金法第20条第１項の併給の調整の規定により、支給停止された年金給付については、同条第２項の支給停止の解除申請により選択受給することができるが、申請時期は、毎年、厚生労働大臣が受給権者に係る現況の確認を行う際に限られる。

A 556 □□ 速P145

民法の失踪の宣告を受けた者は、原則として失踪の日の翌日から起算して7年を経過した日に死亡したものとみなされる。この場合において、各給付の支給に関する保険料納付要件、被保険者資格及び生計維持関係は、行方不明となった当時において判断される。身分関係、年齢及び障害の状態は、死亡したものとみなされた日において判断される。（法18の４） ×

A 557 □□ 速P145、P146

未支給の年金は、死亡した者の①配偶者、②子、③父母、④孫、⑤祖父母、⑥兄弟姉妹又は⑦これらの者以外の３親等内の親族であって、その者の死亡の当時その者と生計を同じくしていたものが、その支給を請求することができる。未支給の年金を受けるべき者の順位は、上記①～⑦の順序による。（令４の３の２） ○

A 558 □□ 速P146

受給権の保護の例外として、老齢基礎年金、付加年金又は脱退一時金の受給権を国税滞納処分により差し押さえることができる。（法24、法附９の３の２⑦、令14の５） ○

A 559 □□ 速P147

併給の調整により支給を停止された年金給付についての支給停止の解除申請及び当該申請の撤回（年金給付の選択）は、いつでも、行うことができる。現況の確認を行う際に限られない。（法20②④） ×

★★
Q 560
□□
【令3】

老齢厚生年金と老齢基礎年金を受給中の67歳の厚生年金保険の被保険者が、障害等級２級の障害厚生年金の受給権者（障害基礎年金の受給権は発生しない。）となった。老齢厚生年金の額より障害厚生年金の額の方が高い場合、この者は、障害厚生年金と老齢基礎年金の両方を受給できる。

★
Q 561
□□
【令元】

受給権者が、正当な理由がなくて、国民年金法第107条第１項に規定する受給権者に関する調査における命令に従わず、又は当該調査における職員の質問に応じなかったときは、年金給付の額の全部又は一部につき、その支給を一時差し止めることができる。

★
Q 562
□□
【予想】

国民年金事業の財政が、財政均衡期間の終了時に必要な積立金を保有しつつ当該財政均衡期間にわたってその均衡を保つことができないと見込まれる場合には、付加年金以外の年金たる給付の額を調整するものとする。

★
Q 563
□□
【令2】

年金額の改定は、受給権者が68歳に到達する年度よりも前の年度では、物価変動率を基準として、また68歳に到達した年度以後は名目手取り賃金変動率を基準として行われる。

A 560
□□
速P148

受給権者の年齢を問わず、障害厚生年金と老齢基礎年金の両方を受給（併給）することはできない。受給権者が65歳に達している場合に、異なる支給事由であっても併給することができるのは、次の①～③の組合せである。（法20①）
①老齢基礎年金（及び付加年金）＋遺族厚生年金
②障害基礎年金＋老齢厚生年金
③障害基礎年金＋遺族厚生年金

×

A 561
□□
速P149

正当な理由がなくて、調査に関する命令に従わないとき等は、年金給付の額の全部又は一部につき、その支給を停止することができる。一時差止めではない。（法72一）

×

A 562
□□
速P152

政府は、財政の現況及び見通しを作成するにあたり、国民年金事業の財政が、財政均衡期間の終了時に給付の支給に支障が生じないようにするために必要な積立金を保有しつつ当該財政均衡期間にわたってその均衡を保つことができないと見込まれる場合には、年金たる給付（付加年金を除く。）の額を調整する。（法16の２①）

○

A 563
□□
速P153

年金額の改定は、68歳に到達する年度よりも前の年度（基準年度前）は名目手取り賃金変動率を基準として、68歳に到達した年度以後（基準年度以後）は物価変動率を基準として行う。（法27の２②、27の３①）

×

5 老齢基礎年金

★

Q 564

□□

【予想】

65歳に達した者の保険料納付済期間と保険料免除期間とを合算した期間が８年である場合は、合算対象期間を６年有していても、その者に老齢基礎年金は支給されない。

★★

Q 565

□□

【予想】

学生納付特例又は納付猶予による期間は、老齢基礎年金の受給資格期間には算入されるが、年金額の計算においては、保険料が追納されない限り、その算定の基礎とされない。

★

Q 566

□□

【平26】

昭和29年４月２日生まれの女性が、厚生年金保険の被保険者であった夫の被扶養配偶者として国民年金の任意加入被保険者になっていた間の保険料を納付していなかった期間については、合算対象期間となる。

よくある質問

質問　老齢基礎年金の支給要件で、保険料免除期間から、学生納付特例及び納付猶予による期間を除く場合と、含む場合があるのですが、全く逆のことをいっているので矛盾していませんか。

回答

学生納付特例及び納付猶予による期間は、受給資格期間には算入されるが、老齢基礎年金の額の計算の基礎にはならないということです。

学生納付特例及び納付猶予による期間は老齢基

A 564 □□ 速P157、P158

保険料納付済期間、保険料免除期間及び合算対象期間を合算した期間が10年以上ある者は、老齢基礎年金の受給資格期間を満たす。設問の者は、受給資格期間を満たし、他の要件も満たしているので、老齢基礎年金が支給される。（法26、法附9①） ×

A 565 □□ 速P158、P216等

学生納付特例又は納付猶予による期間は、老齢基礎年金の受給資格期間には算入されるが、追納を行わない限り、老齢基礎年金の額には反映されない。（法26、27、平16法附19④等） ○

A 566 □□ 速P158

「被扶養配偶者として国民年金の任意加入被保険者になっていた間」とは、旧法における任意加入被保険者の期間である。この期間のうち、保険料を納付していなかった期間は、合算対象期間となる。（平24法附11①） ○

➚礎年金の額の計算の基礎とならないため、「保険料納付済期間又は保険料免除期間があること」という要件の保険料免除期間からは除かれています。

しかし、学生納付特例及び納付猶予による期間も被保険者期間ですから、「保険料納付済期間、保険料免除期間及び合算対象期間を合算した期間が10年以上ある（受給資格期間を満たしている）こと」という要件の保険料免除期間には含まれるのです。

★
Q 567
□□
【予想】

老齢基礎年金の額の計算において、保険料４分の１免除期間については、原則として、480月から保険料納付済期間の月数を控除して得た月数を限度として、その月数の８分の７に相当する月数が年金額の計算の基礎とされるが、当該限度を超える部分については、全く年金額の計算の基礎とされない。

★★
Q 568
□□
【令３】

老齢基礎年金の支給繰上げの請求をした場合の振替加算については、受給権者が65歳に達した日以後に行われる。老齢基礎年金の支給繰下げの申出をした場合は、振替加算も繰下げて支給されるが、振替加算額が繰下げにより増額されることはない。

★
Q 569
□□
【予想】

老齢基礎年金の受給権者が、その額の計算の基礎となる厚生年金保険の被保険者期間の月数が240以上である老齢厚生年金を受けることができるときは、当該老齢基礎年金の額に振替加算は行われない。

★
Q 570
□□
【平28】

振替加算の額は、その受給権者の老齢基礎年金の額に受給権者の生年月日に応じて政令で定める率を乗じて得た額として算出される。

★★
Q 571
□□
【平26改】

任意加入被保険者である者は、老齢基礎年金の支給繰上げの請求をすることはできない。

A 567
□□
速P162

老齢基礎年金の額の計算において、保険料４分の１免除期間は、原則として、８分の７の評価割合で年金額の計算の基礎とされるが、「480月－保険料納付済期間の月数」を超える部分については、８分の３の評価割合で年金額の計算の基礎とされる。（法27二三）

×

A 568
□□
速P165

振替加算は、支給繰上げの請求をした場合は、65歳に達した日の属する月の翌月から加算され（減額なし）、支給繰下げの申出をした場合は、申出のあった日の属する月の翌月から加算される（増額なし）。（昭60法附14①等）

○

A 569
□□
速P165

振替加算は、その対象者である老齢基礎年金の受給権者が、老齢厚生年金（その額の計算の基礎となる被保険者期間の月数が240以上であるものに限る。）等を受けることができるときは、行われない。（昭60法附14①等）

○

A 570
□□
速P166

振替加算の額は、「224,700円に改定率を乗じて得た額にその者（老齢基礎年金の受給権者）の生年月日に応じて政令で定める率を乗じて得た額」である。老齢基礎年金の額を元に算出するのではない。（昭60法附14①）

×

A 571
□□
速P167

任意加入被保険者は、その年齢や生年月日にかかわらず、老齢基礎年金の支給繰上げの請求をすることができない。（法附９の２①）

○

★
Q 572
□□
【平30】

繰上げ支給の老齢基礎年金の受給権者に遺族厚生年金の受給権が発生した場合、65歳に達するまでは、繰上げ支給の老齢基礎年金と遺族厚生年金について併給することができないが、65歳以降は併給することができる。

★★
Q 573
□□
【平24】

寡婦年金の受給権者であった者は、老齢基礎年金の繰下げ支給を受けることはできない。

Q 574
□□
【令２改】

老齢基礎年金の受給権者であって、66歳に達した日後75歳に達する日前に遺族厚生年金の受給権を取得した者が、75歳に達した日に老齢基礎年金の支給繰下げの申出をした場合には、遺族厚生年金を支給すべき事由が生じた日に、支給繰下げの申出があったものとみなされる。

★
Q 575
□□
【予想】

老齢基礎年金の受給権は、受給権者が日本国内に住所を有しなくなったことにより消滅することはない。

A 572 ○

□□

速P148、P169

繰上げ支給の老齢基礎年金と遺族厚生年金は、受給権者が65歳に達するまでは、併給することができず、いずれかを選択して受給することとなる。受給権者が65歳に達すると、これらを併給することができる。（法20①、法附９の２の４）

A 573 ×

□□

速P170、P171

老齢基礎年金の支給繰下げの申出をすることができないのは、65歳に達したとき又はその日から66歳に達した日までの間において、次の他の年金たる給付の受給権者であった（となった）ときである。寡婦年金の受給権は65歳で消滅するため、設問の者は、老齢基礎年金の繰下げ支給を受けることができる。（法28①）

①他の年金給付（付加年金を除く。）

②厚生年金保険法による年金たる保険給付（老齢を支給事由とするものを除く。）

A 574 ○

□□

速P172

66歳に達した日後75歳に達する日前に他の年金たる給付（遺族厚生年金等）の受給権を取得した者が、当該受給権を取得した日後に老齢基礎年金の支給繰下げの申出をしたときは、他の年金たる給付を支給すべき事由が生じた日に、支給繰下げの申出があったものとみなされる。（法28②一）

A 575 ○

□□

速P172

老齢基礎年金の受給権が消滅するのは、受給権者が死亡したときのみである。（法29）

6 障害基礎年金

★★
Q 576 □□ 【平24】

初診日から起算して、1年6か月を経過した日又はその期間後に傷病が治った場合は、その治った日を障害認定日とする。

★★
Q 577 □□ 【予想】

傷病の初診日において第2号被保険者であり、障害認定日において障害等級に該当する程度の障害の状態になかった者が、同日後65歳に達する日の前日までの間において、同一の傷病により障害等級に該当する程度の障害の状態になったときは、その者の年齢にかかわらず、障害基礎年金の支給を請求することができる。

★
Q 578 □□ 【平30】

傷病の初診日において19歳であった者が、20歳で第1号被保険者の資格を取得したものの当該被保険者の期間が全て未納期間であった場合、初診日から1年6か月経過後の障害認定日において障害等級1級又は2級に該当していたとしても、障害基礎年金の受給権は発生しない。

よくある質問

質問 保険料納付要件の「初診日の前日において、初診日の属する月の前々月までに被保険者期間がある場合」がよく分かりません。

回答

「初診日の前日」の時点で保険料納付要件を判断し、その対象となる被保険者期間は「初診日の属する月の前々月」までということです。

保険料納付要件は、初診日において確定している保険料の納付実績で判断します。それは、「初

A 576 □□ 速P175

障害認定日は、初診日から起算して1年6ヵ月を経過した日（その期間内に傷病が治った場合においては、その治った日）である。（法30①） ×

A 577 □□ 速P176

設問の事後重症による障害基礎年金の支給の請求は、65歳に達する日の前日までの間に限り、行うことができる。なお、この場合には、初診日要件及び保険料納付要件を満たし、かつ、65歳に達する日の前日までの間に障害等級（1・2級）に該当する必要がある。（法30の2①） ×

A 578 □□ 速P178

20歳前の傷病による障害基礎年金については、初診日要件及び保険料納付要件は問われない。そのため、設問の場合は、障害認定日において、障害基礎年金の受給権が発生する。（法30の4①） ×

診日の前日」までに納付された保険料です。したがって、「初診日の前日」において納付実績を判断します。

また、保険料の納期限は翌月末日ですから、初診日の属する月において、納期限が経過し、納付状況が確定しているのは、その「前々月」までです。

たとえば、初診日の属する月が4月だとすると、納期限が経過しているのは2月分（納期限は3月末日）までです。ここまでの被保険者期間が保険料納付要件をみるときの対象になります。

★
Q 579
□□
【予想】

障害基礎年金に係る子の加算は、受給権者が当該受給権を取得した日の翌日以後に、初めてその者によって生計を維持するその者の子を有するに至った場合には、行われない。

★
Q 580
□□
【令５改】

障害の程度が増進したことによる障害基礎年金の額の改定請求については、障害の程度が増進したことが明らかである場合として厚生労働省令で定める場合を除き、当該障害基礎年金の受給権を取得した日又は厚生労働大臣の障害の程度の診査を受けた日から起算して１年を経過した日後でなければ行うことができない。

★
Q 581
□□
【令３】

障害基礎年金の受給権者が、厚生年金保険法第47条第２項に規定する障害等級に該当する程度の障害の状態に該当しなくなった日から起算して同項に規定する障害等級に該当する程度の障害の状態に該当することなく３年を経過した日において、65歳に達していないときでも、当該障害基礎年金の受給権は消滅する。

★
Q 582
□□
【令元】

20歳前傷病による障害基礎年金を受給中である者が、労災保険法の規定による年金たる給付を受給できる（その全額につき支給を停止されていないものとする。）場合、その該当する期間、当該20歳前傷病による障害基礎年金は支給を停止する。

A 579
□□
速P180

障害基礎年金の子の加算の対象となる子は、受給権者によって生計を維持しているその者の子（18歳に達する日以後の最初の３月31日までの間にある子及び20歳未満であって障害等級（１・２級）に該当する障害の状態にある子に限る。）である。障害基礎年金の受給権を取得した当時において子がない場合でも、その後、上記の要件に該当する子を有するに至ったときは、子の加算が行われる。（法33の２①）

×

A 580
□□
速P181

障害基礎年金の受給権者は、厚生労働大臣に対し、障害の程度が増進したことによる額の改定を請求することができる。ただし、この請求は、原則として、受給権を取得した日又は厚生労働大臣の診査を受けた日から起算して１年を経過した日後でなければ行うことができない。（法34③）

○

A 581
□□
速P182

障害基礎年金の受給権は、受給権者が厚生年金保険法の障害等級（１～３級）に該当しなくなっても、①65歳に達し、かつ、②当該障害等級に該当しなくなってから３年を経過するまでは、消滅しない。設問の場合は、65歳に達していないため、障害基礎年金の受給権は消滅しない。（法35三）

×

A 582
□□
速P183

20歳前の傷病による障害基礎年金は、受給権者が労災保険法の規定による年金たる給付を受けることができるときは、その該当する期間、その支給が停止される。ただし、労災保険法の規定による年金たる給付が、その全額につき支給を停止されているときは、原則として、当該障害基礎年金の支給は停止されない。（法36の２①②）

○

7 遺族基礎年金

★
Q 583
□□
【令４改】

保険料納付済期間と保険料免除期間とを合算した期間が25年以上である55歳の第１号被保険者が死亡したとき、当該死亡日の前日において、当該死亡日の属する月の前々月までの１年間に保険料が未納である月があった場合は、遺族基礎年金は支給されない。

★
Q 584
□□
【予想】

遺族基礎年金の受給権者である子が、18歳に達する日以後の最初の３月31日までの間に障害等級に該当する障害の状態となったときは、当該障害の状態にある限り、遺族基礎年金は、当該子が20歳に達するまで支給される。

★
Q 585
□□
【平30】

夫が死亡し、その死亡の当時胎児であった子が生まれ、妻に遺族基礎年金の受給権が発生した場合、当該受給権の発生日は当該夫の死亡当時に遡ることとなり、当該遺族基礎年金は当該子が出生するまでの期間、支給停止され、当該子の出生により将来に向かって支給停止が解除される。なお、当該子以外に子はいないものとする。

★★
Q 586
□□
【平29】

配偶者に支給する遺族基礎年金は、当該配偶者が、死亡した被保険者によって生計を維持されていなかった10歳の子と養子縁組をしたときは、当該子を養子とした日の属する月の翌月から年金額が改定される。

A 583
□□
速P186

老齢基礎年金の受給権者（保険料納付済期間と保険料免除期間とを合算した期間が25年以上である者に限る。）又は保険料納付済期間と保険料免除期間とを合算した期間が25年以上である者が死亡したときは、保険料納付要件を問わず、その者の遺族に遺族基礎年金が支給される。（法37）

×

A 584
□□
速P188

遺族基礎年金の受給権を取得した当時障害の状態になかった子が、その後18歳に達する日以後の最初の３月31日までの間に障害等級（１・２級）に該当する障害の状態になった場合は、その状態が続く限り、20歳に達するまで遺族基礎年金を受給することができる。（法37の２①二、40③）

○

A 585
□□
速P189

被保険者等の死亡の当時胎児であった子が生まれたときは、将来に向かって、その子は、被保険者等の死亡の当時その者によって生計を維持していたものとみなし、配偶者は、その者の死亡の当時その子と生計を同じくしていたものとみなす。したがって、受給権の発生日は、子が出生した日であり、子が出生するまでの期間について、支給停止となる取扱いもない。（法37の２②）

×

A 586
□□
速P190

配偶者に支給する遺族基礎年金について、子の加算に係る増額改定が行われるのは、その受給権を取得した当時胎児であった子が生まれたときのみである。設問の場合は、遺族基礎年金の額は改定されない。なお、胎児の出生による増額改定は、出生日の属する月の翌月から行われる。（法39②）

×

★
Q587
□□
【令３改】

遺族基礎年金の受給権者が４人の子のみである場合、遺族基礎年金の受給権者の子それぞれが受給する遺族基礎年金の額は、「780,900円×改定率」による額に、子の加算として「224,700円×改定率」、「224,700円×改定率」、「74,900円×改定率」による額を合計した金額を子の数で除した金額となる。

★
Q588
□□
【令元】

遺族基礎年金の受給権者である子が、死亡した被保険者の兄の養子となったとしても、当該子の遺族基礎年金の受給権は消滅しない。

★★
Q589
□□
【予想】

子に対する遺族基礎年金は、生計を同じくするその子の父があることを理由として、その支給が停止されることはないが、生計を同じくするその子の母があるときは、その間、その支給が停止される。

★
Q590
□□
【令３】

配偶者に対する遺族基礎年金が、その者の１年以上の所在不明によりその支給を停止されているときは、子に対する遺族基礎年金もその間、その支給を停止する。

A 587 □□ 速P191

子に支給する遺族基礎年金の額は、「(基本額＋2人目以降の子に係る加算額)÷子の数」で得られる。この場合の子に係る加算額は、第2子が「224,700円×改定率」、第3子以降が「74,900円×改定率」である。したがって、子の数が4人である場合は、「(780,900円×改定率＋224,700円×改定率＋74,900円×改定率＋74,900円×改定率)÷4」が遺族基礎年金の額となる。(法38、39の2①) ×

A 588 □□ 速P192

遺族基礎年金の受給権は、受給権者が直系血族又は直系姻族以外の者の養子となったときは、消滅する。死亡した被保険者の兄は、子からみて直系血族又は直系姻族以外の者（傍系血族）である。(法40①三) ×

A 589 □□ 速P193

子に対する遺族基礎年金は、生計を同じくするその子の父又は母があるときは、その間、その支給が停止される。したがって、設問のいずれの場合も、遺族基礎年金の支給が停止されることとなる。(法41②) ×

A 590 □□ 速P193

子に対する遺族基礎年金は、配偶者が遺族基礎年金の受給権を有するときは、その間、その支給を停止する。ただし、配偶者による遺族基礎年金が、自らの申出又は所在不明によりその支給を停止されているときは、子に対する遺族基礎年金は、支給を停止しない。(法41②) ×

8 第1号被保険者の独自給付

★

Q 591 □□ 【平29改】

付加年金の額は、毎年度、老齢基礎年金と同様の改定率によって改定される。

★★

Q 592 □□ 【平29改】

付加保険料に係る保険料納付済期間を有する者が老齢基礎年金の支給繰下げの申出を行ったときは、付加年金についても支給が繰り下げられ、この場合の付加年金の額は、老齢基礎年金と同じ率で増額される。

★

Q 593 □□ 【令４】

第１号被保険者としての被保険者期間に係る保険料納付済期間が25年以上あり、老齢基礎年金及び障害基礎年金の支給を受けたことがない夫が死亡した場合において、死亡の当時当該夫によって生計を維持し、かつ、夫との婚姻関係が10年以上継続した妻が60歳未満であるときは、寡婦年金の受給権が発生する。

★★

Q 594 □□ 【平28】

寡婦年金の額は、死亡日の属する月の前月までの第１号被保険者としての被保険者期間に係る死亡日の前日における保険料納付済期間及び保険料免除期間につき、国民年金法第27条の老齢基礎年金の額の規定の例によって計算した額とされている。

★★

Q 595 □□ 【令４】

寡婦年金は、受給権者が繰上げ支給による老齢基礎年金の受給権を取得した場合でも支給される。

A 591 □□ 速P195

付加年金の額は、「200円×付加保険料納付済期間の月数」による額であり、改定率を乗じる措置はない（改定率によって改定されない。）。（法44） ×

A 592 □□ 速P196

老齢基礎年金の支給繰下げの申出をした場合は、付加年金は、併せて繰り下げられる。また、この場合の付加年金の額は、老齢基礎年金と同じ増額率で増額される。（法46） ○

A 593 □□ 速P197

寡婦年金の受給権は、第１号被保険者としての被保険者期間に係る保険料納付済期間と保険料免除期間とを合算した期間が10年以上である夫が死亡したこと等の要件を満たす場合に、65歳未満の妻に対して発生する。なお、設問の60歳未満の妻に対する寡婦年金の支給は、当該妻が60歳に達した日の属する月の翌月から開始される。（法49①） ○

A 594 □□ 速P198

寡婦年金の額は、死亡した夫の第１号被保険者期間に基づく老齢基礎年金の額の４分の３に相当する額である。この場合の老齢基礎年金の額は、死亡日の属する月の前月までの第１号被保険者（任意加入被保険者を含む。）としての被保険者期間に係る死亡日の前日における保険料納付済期間及び保険料免除期間を基礎として計算する。（法50） ×

A 595 □□ 速P198

寡婦年金は、受給権者が繰上げ支給による老齢基礎年金の受給権を取得したときは、受給権が消滅する（支給されない。）。（法附９の２⑤） ×

★

Q 596

□□

【令2】

死亡した者の死亡日においてその者の死亡により遺族基礎年金を受けることができる者があるときは、当該死亡日の属する月に当該遺族基礎年金の受給権が消滅した場合であっても、死亡一時金は支給されない。

★★

Q 597

□□

【予想】

死亡一時金の支給を受けることができる者が、同一人の死亡により寡婦年金を受けとることができるときは、その者の選択により、死亡一時金か寡婦年金のどちらか一つを受給することができる。

★

Q 598

□□

【令4】

脱退一時金の支給の請求に関し、最後に被保険者の資格を喪失した日に日本国内に住所を有していた者は、同日後初めて、日本国内に住所を有しなくなった日から起算して２年を経過するまでに、その支給を請求しなければならない。

★

Q 599

□□

【予想】

脱退一時金の支給を受けた者が再び被保険者の資格を取得し65歳に達した場合において、その者の保険料納付済期間と保険料免除期間とを合算した期間が、脱退一時金の額の計算の基礎となった第１号被保険者としての被保険者であった期間を含めて10年以上であるときは、この者に老齢基礎年金が支給される。

A 596 □□ 速P199

同一人の死亡により遺族基礎年金の受給権者があるときは、死亡一時金は支給されない。ただし、当該死亡日（遺族基礎年金の受給権発生日）の属する月に当該遺族基礎年金の受給権が消滅したときは、当該遺族基礎年金の支給期間がないことから、死亡一時金は支給される。（法52の２②一）

×

A 597 □□ 速P200

同一人の死亡により、死亡一時金と寡婦年金を受けることができるときは、その者の選択により、いずれか一方が支給され、他方は支給されない。（法52の６）

○

A 598 □□ 速P201

脱退一時金の支給の請求は、最後に被保険者の資格を喪失した日（同日において日本国内に住所を有していた者にあっては、同日後初めて、日本国内に住所を有しなくなった日）から起算して２年を経過しているときは、することができない。つまり、当該２年を経過するまでに、その支給を請求しなければならない。（法附９の３の２①三）

○

A 599 □□ 速P202

脱退一時金の支給を受けたときは、支給を受けた者は、その額の計算の基礎となった第１号被保険者としての被保険者であった期間は、被保険者でなかったものとみなす。設問の者に老齢基礎年金が支給されるには、脱退一時金の額の基礎となった上記の期間を除いて、保険料納付済期間等が10年以上でなければならない。（法26、法附９の３の２④）

×

9 費用の負担

★
Q600
□□
【令元】

政府は、政令の定めるところにより、市町村（特別区を含む。）に対し、市町村長（特別区の区長を含む。）が国民年金法又は同法に基づく政令の規定によって行う事務の処理に必要な費用の２分の１に相当する額を交付する。

Q601
□□
【予想】

財政の現況及び見通しが作成されるときは、厚生労働大臣は、厚生年金保険の実施者たる政府が負担し、又は実施機関たる共済組合等が納付すべき基礎年金拠出金について、その将来にわたる予想額を算定するものとされている。

★★
Q602
□□
【平30】

被保険者は、第１号被保険者としての被保険者期間及び第２号被保険者としての被保険者期間については国民年金保険料を納付しなければならないが、第３号被保険者としての被保険者期間については国民年金保険料を納付することを要しない。

★★
Q603
□□
【令６】

被保険者は、出産の予定日（厚生労働省令で定める場合にあっては、出産の日）の属する月の前月（多胎妊娠の場合においては、３か月前）から出産予定月の翌々月までの期間に係る保険料は、納付することを要しない。

★
Q604
□□
【平30】

付加保険料を納付する者となったものは、いつでも、厚生労働大臣に申し出て、その申出をした日の属する月以後の各月に係る保険料に限り、付加保険料を納付する者でなくなることができる。

A 600
□□
速P206

政府は、市町村に対し、事務の処理に必要な費用（の全額）を交付する。「2分の1に相当する額」ではない。（法86）

×

A 601
□□
速P206

厚生年金保険の実施者たる政府及び実施機関たる共済組合等は、毎年度、基礎年金拠出金を負担・納付する。厚生労働大臣は、財政の現況及び見通しが作成されるときは、基礎年金拠出金について、将来にわたる予想額を算定する。（法94の2③）

○

A 602
□□
速P207

被保険者は、保険料を納付しなければならない。ただし、第2号被保険者及び第3号被保険者としての被保険者期間については、被保険者は、保険料を納付することを要しない。（法88①、94の6）

×

A 603
□□
速P208

第1号被保険者の産前産後において保険料の納付が免除される期間は、出産の予定日（厚生労働省令で定める場合にあっては、出産の日）の属する月（以下「出産予定月」という。）の前月（多胎妊娠の場合においては、3ヵ月前）から出産予定月の翌々月までである。（法88の2）

○

A 604
□□
速P209

付加保険料を納付する者でなくなることの申出は、申出をした日の属する月の前月以後の各月に係る保険料について、することができる。申出をした日の属する月以後ではない。（法87の2③）

×

★
Q 605
□□
【平28】

第１号被保険者に対しては、市町村長から、毎年度、各年度の各月に係る保険料について、保険料の額、納期限等の通知が行われる。

★★
Q 606
□□
【平23】

任意加入被保険者は、生活保護法による生活扶助を受けることとなった場合でも、いわゆる法定免除の対象とならない。

★
Q 607
□□
【令２】

障害基礎年金の受給権者であることにより法定免除の要件に該当する第１号被保険者は、既に保険料が納付されたものを除き、法定免除事由に該当した日の属する月の前月から保険料が免除となるが、当該被保険者からこの免除となった保険料について保険料を納付する旨の申出があった場合、申出のあった期間に係る保険料を納付することができる。

よくある質問

質問　第２号被保険者と第３号被保険者は、保険料を納付しなくてもよいのでしょうか？

回答

第２号被保険者及び第３号被保険者は、国民年金の保険料を納付しません。その代わりに、厚生年金保険の実施者たる政府及び実施機関たる共済組合等が、自らに係る第２号被保険者及びその被扶養配偶者である第３号被保険者の人数に応じ

A 605 □□ 速P210

第1号被保険者に対し、毎年度、各年度の各月に係る保険料について通知するのは、厚生労働大臣である。市町村長ではない。（法92①） ×

A 606 □□ 速P212

任意加入被保険者は、すべての保険料免除の対象とならない。法定免除の事由に該当しても、保険料は免除されない。（法附5⑩、平16法附19⑤等） ○

A 607 □□ 速P212、P213

法定免除の事由に該当したときは、すでに納付された保険料を除き、法定免除事由に該当した日の属する月の前月から保険料が免除される。また、被保険者から法定免除の期間の保険料を納付する旨の申出があったときは、申出のあった期間の保険料を納付することができる（法定免除の規定は適用されない。）。（法89） ○

て、基礎年金拠出金を負担し、又は納付します。

つまり、第２号被保険者及び第３号被保険者から個々に国民年金の保険料を徴収するのではなく、政府及び共済組合等から拠出金という形で基礎年金の給付に要する費用を徴収する仕組みになっているため、第２号被保険者及び第３号被保険者は国民年金の保険料を納付しなくてよいのです。

★★
Q 608
□□
【平24】

法第90条第１項に定めるいわゆる保険料の申請免除については、同一世帯における世帯主又は配偶者のいずれかが免除事由に該当しないときであっても、免除の対象となる。

★
Q 609
□□
【予想】

保険料の半額免除を受けることができる所得基準は、扶養親族等がない場合には、免除を受けるべき月の属する年の前年の所得（１月から６月までの月分の保険料については、前々年の所得）が135万円以下であることとされている。

★
Q 610
□□
【平27】

学生等被保険者が学生納付特例事務法人に学生納付特例申請の委託をしたときは、障害基礎年金の保険料納付要件に関しては、当該委託をした日に、学生納付特例申請があったものとみなされる。

★★
Q 611
□□
【予想】

令和12年12月までの期間において、保険料の納付猶予の事由に該当する第１号被保険者又は第１号被保険者であった者が申請をしたときは、厚生労働大臣が指定する期間に係る保険料が免除される。

A 608
□□
速P214

法90条１項に定める保険料の申請免除（申請全額免除）の適用を受けるためには、被保険者のみならず、世帯主及び配偶者も所定の免除事由に該当していなければならない。（法90①）

×

A 609
□□
速P215

半額免除の場合の所得基準は、扶養親族等がない場合は128万円である。なお、扶養親族等がある場合は、128万円に扶養親族等１人につき原則として38万円を加算した額である。（法90の２②、令６の９、則77の２）

×

A 610
□□
速P216

学生納付特例事務法人は、その設置する大学等の教育施設において学生等被保険者（当該教育施設の学生等である被保険者）の委託を受けて、学生納付特例申請をすることができる。学生等被保険者が学生納付特例申請の委託をしたときは、当該委託をした日に、学生納付特例申請があったものとみなされる。（法109の２の２②）

○

A 611
□□
速P217

令和12年６月までの時限措置として、50歳に達する日の属する月の前月までの被保険者期間がある第１号被保険者又は第１号被保険者であった者であって所定の免除事由に該当するものから申請があったときは、厚生労働大臣は、その指定する期間に係る保険料の納付を免除することができる。（平16法附19②、平26法附14①）

×

★
Q 612
□□
【予想】

前納された保険料について保険料納付済期間を計算する場合においては、前納に係る期間の各月の初日が到来したときに、それぞれその月の保険料が納付されたものとみなす。

★★
Q 613
□□
【平30】

被保険者又は被保険者であった者（老齢基礎年金の受給権者を除く。）は、厚生労働大臣の承認を受け、学生納付特例の規定により納付することを要しないものとされた保険料につき、厚生労働大臣の承認の日の属する月前10年以内の期間に係るものに限り、追納することができる。

★
Q 614
□□
【令５】

保険料の４分の３免除、半額免除及び４分の１免除の規定により、その一部の額につき納付することを要しないものとされた保険料について、追納を行うためには、その免除されていない部分である残余の額が納付されていなければならない。

★★
Q 615
□□
【平27】

保険料の督促をしようとするときは、厚生労働大臣は、納付義務者に対して、督促状を発する。督促状により指定する期限は、督促状を発する日から起算して５日以上を経過した日でなければならない。

A 612 □□ 速P219

前納された保険料について保険料納付済期間を計算する場合は、前納に係る期間の各月が経過した際に、それぞれその月の保険料が納付されたものとみなす。（法93③）

×

A 613 □□ 速P219

被保険者又は被保険者であった者は、厚生労働大臣の承認を受け、保険料免除期間に係る保険料（承認の日の属する月前10年以内の期間に係るものに限る。）の全部又は一部について追納をすることができる。ただし、老齢基礎年金の受給権者は、追納をすることができない。（法94①）

○

A 614 □□ 速P220

保険料一部免除に係る保険料については、免除されない残余の額が納付されたときに限り、追納を行うことができる。（法94①）

○

A 615 □□ 速P222

督促状により指定する期限は、督促状を発する日から起算して10日以上を経過した日でなければならない。なお、国民年金法においては、督促は任意とされている。（法96②③）

×

10 不服申立て、雑則、罰則

★★
Q 616
□□
【平29】

厚生労働大臣が行った年金給付に関する処分の取消しの訴えは、当該処分についての再審査請求に対する社会保険審査会の裁決を経た後でなければ、提起することができない。

★★
Q 617
□□
【平27】

年金給付を受ける権利及び死亡一時金を受ける権利は、その支給事由が生じた日から５年を経過したときは、時効によって消滅する。

Q 618
□□
【予想】

厚生労働大臣は、必要があると認めるときは、被保険者の資格又は保険料に関する処分に関し、被保険者に対し、出産予定日に関する書類、被保険者若しくは被保険者の配偶者若しくは世帯主又はこれらの者であった者の資産若しくは収入の状況に関する書類その他の物件の提出を命ずることができる。

Q 619
□□
【令４】

世帯主が第１号被保険者に代わって第１号被保険者に係る資格の取得及び喪失、種別の変更、氏名及び住所の変更の届出の規定により届出をする場合において、虚偽の届出をした世帯主は、30万円以下の罰金に処せられる。

A 616
□□
速P224、P225

被保険者の資格に関する処分又は給付に関する処分の取消しの訴えは、当該処分についての審査請求に対する社会保険審査官の決定を経た後でなければ、提起することができない。再審査請求に対する社会保険審査会の裁決を経ている必要はない。（法101の2）

×

A 617
□□
速P225

年金給付を受ける権利は、その支給すべき事由が生じた日から5年を経過したときは時効によって消滅し、死亡一時金を受ける権利は、これを行使することができる時から2年を経過したときは時効によって消滅する。（法102①④）

×

A 618
□□
速P226

厚生労働大臣は、必要があると認めるときは、被保険者の資格又は保険料に関する処分に関し、被保険者に対し、出産予定日に関する書類、被保険者等の資産・収入の状況に関する書類その他の物件の提出を命ずることができる。なお、厚生労働大臣は、当該職員をして被保険者に質問させることもできる。（法106①）

○

A 619
□□
速P226

被保険者の資格の取得及び喪失、種別の変更、氏名及び住所の変更に関する届出について、虚偽の届出をした被保険者又は世帯主は、6ヵ月以下の懲役又は30万円以下の罰金に処せられる。罰金刑のほか懲役刑の対象にもなる。（法112二）

×

11 国民年金基金

Q 620

□□

【平26】

国民年金基金に置かれる代議員会の議事は、原則として、出席した代議員の過半数で決し、可否同数のときは議長が決するが、規約の変更（国民年金基金令第５条各号に掲げる事項に係るものを除く。）の議事は、代議員の定数の３分の２以上の多数で決する。

★

Q 621

□□

【平29改】

日本国籍を有し、日本国内に住所を有しない20歳以上65歳未満の任意加入被保険者は、国民年金基金の加入員となることができない。

★★

Q 622

□□

【平25】

第１号被保険者は、国民年金基金に対し加入員となる申出をした日に当該加入員の資格を取得し、加入員資格の喪失の申出が受理された日にその加入員の資格を喪失する。

★

Q 623

□□

【予想】

国民年金基金の加入員の資格を取得した者が、その資格を取得した月に第２号被保険者となったときは、その加入員の資格を取得した日にさかのぼって、加入員でなかったものとみなす。

★★

Q 624

□□

【令３】

国民年金基金は、加入員又は加入員であった者の老齢に関し年金の支給を行い、あわせて加入員又は加入員であった者の障害に関し、一時金の支給を行うものとされている。

A 620 □□ 速P229

国民年金基金の代議員会の議事は、「出席した代議員の過半数」で決し、可否同数のときは議長が決することを原則とする。ただし、規約の変更（事務所の所在地等一定の事項に係る者を除く。）の議事は、「代議員の定数の３分の２以上の多数」で決する。（基金令12①②） ○

A 621 □□ 速P231

任意加入被保険者のうち、次の者は、国民年金基金の加入員となることができる。（法附5⑪） ×

①日本国内に住所を有する60歳以上65歳未満の者

②日本国籍を有する者であって、日本国内に住所を有しない20歳以上65歳未満のもの

A 622 □□ 速P231

加入員の資格は申出により取得し、資格の取得日は、加入員となる旨の申出をした日である。これに対し、加入員の資格は、申出により喪失することはできない。（法127②③） ×

A 623 □□ 速P231、P232

国民年金基金の加入員は、第２号被保険者となったときは、その日に、加入員の資格を喪失する。設問の場合は、加入員の資格を取得した月にその資格を喪失することとなるため、さかのぼって加入員でなかったものとみなされる。（法127③④） ○

A 624 □□ 速P232

国民年金基金は、加入員又は加入員であった者の老齢に関し年金の支給を行い、あわせて加入員又は加入員であった者の死亡に関し一時金の支給を行う。障害に関し一時金の支給は行わない。（法115、128①） ×

★
Q625
□□
【予想】

国民年金基金は、特に認可等の手続きを要することなく、その業務の一部を信託会社、信託業務を営む金融機関、生命保険会社、農業協同組合連合会、共済水産業協同組合連合会、国民年金基金連合会その他の法人に委託することができる。

★
Q626
□□
【平29】

国民年金基金が徴収する掛金の額は、額の上限の特例に該当する場合を除き、1か月につき68,000円を超えることはできない。

Q627
□□
【平30】

国民年金基金（以下「基金」という。）における「中途脱退者」とは、当該基金の加入員期間の年数にかかわらず、当該基金の加入員の資格を喪失した者（当該加入員の資格を喪失した日において当該基金が支給する年金の受給権を有する者を除く。）をいう。

よくある質問

質問　平成31年４月から全国国民年金基金が発足しましたが、従来からある国民年金基金連合会とは違うのですか。

回答
全国国民年金基金と国民年金基金連合会（以下「連合会」という。）は、異なる法人です。
全国国民年金基金は、47の地域型国民年金基金と22の職能型国民年金基金が合併し、平成31年４月に発足したものです。合併の目的の１つは

A 625 □□ 速P232、P233

国民年金基金は、その業務の一部を信託会社、信託業務を営む金融機関、生命保険会社、農業協同組合連合会、共済水産業協同組合連合会、国民年金基金連合会その他の法人に委託することができるが、この場合には、厚生労働大臣の認可を受けることが必要である。(法128⑤)

×

A 626 □□ 速P233

国民年金基金に係る掛金は、年金の額の計算の基礎となる各月につき、徴収される。掛金の額の上限は、原則として、1ヵ月につき68,000円である。(基金令34)

○

A 627 □□ 速P233

中途脱退者とは、加入員の資格を喪失した者(当該加入員の資格を喪失した日において当該国民年金基金が支給する年金の受給権を有する者を除く。)であって、加入員期間が15年に満たないものをいう。加入員期間の年数が問われる。(法137の17①、基金令45①)

×

➚事業運営の効率化であり、それまで各国民年金基金が別々に行っていた業務を、合併後は全国国民年金基金が集約して行います。また、都道府県を越えた住所移転の際の手続きが簡素化されるなど、加入者や受給者の利便性の向上も合併の目的とされています。

一方、連合会は、国民年金基金が共同して設立したもので、中途脱退者や解散基金加入員に対する年金又は一時金の支給を行います。また、確定拠出年金の個人型年金の実施主体でもあります。

POINTマスター

国民年金法

1 強制被保険者の要件と適用除外

強制被保険者の種別	要件（※国籍は不問）		適用除外
	居住	年齢	
第1号	国内	20歳以上 60歳未満	・老齢給付等の受給権者 ・特別の理由がある者
第2号	不問	不問	・65歳以上の老齢給付等の受給権者
第3号	原則国内	20歳以上 60歳未満	・特別の理由がある者

2 被保険者の資格の喪失時期

喪失事由	強制被保険者			任意加入被保険者	
	第1号	第2号	第3号	原則	特例
死亡した	翌日	翌日	翌日	翌日	翌日
60歳に達した	当日	喪失せず	当日	喪失せず	−
国内居住者が日本国内に住所を有しなくなった	翌日※1	喪失せず	喪失せず	翌日※2	翌日※2
老齢給付等の受給権を取得した	当日	喪失せず	喪失せず	喪失せず	翌日
（国民年金の）保険料を滞納した	喪失せず	−	−	国内居住者→督促状の指定期限の翌日 海外居住者→2年経過日の翌日	

※1：日本国内に住所を有しなくなった日に、第2号被保険者又は第3号被保険者の要件に該当したときは、当日喪失

※2：その日にさらに資格を取得したときは、当日喪失

3 任意加入被保険者に関する制限

○：可能　×：不可能

	原則	特例
保険料の免除	×	×
国民年金基金への加入	○※	×
付加保険料の納付	○	×
その者の死亡に係る寡婦年金の支給	○	×
その者の死亡に係る死亡一時金の支給	○	○

※次の者に限る。
①日本国内に住所を有する60歳以上65歳未満の者
②日本国籍を有し日本国内に住所を有しない20歳以上65歳未満の者

4 老齢基礎年金の額（免除期間の反映割合）

（1）平成21年4月以後の免除期間（法本来の反映割合）

種類	限度月数までの反映割合	限度超月数の反映割合
1/4免除	8分の7	8分の3
半額免除	4分の3（8分の6）	4分の1（8分の2）
3/4免除	8分の5	8分の1
全額免除	2分の1（8分の4）	－

（2）平成21年3月以前の免除期間（経過措置等による反映割合）

種類	限度月数までの反映割合	限度超月数の反映割合
1/4免除	6分の5	2分の1（6分の3）
半額免除	3分の2（6分の4）	3分の1（6分の2）
3/4免除	2分の1（6分の3）	6分の1
全額免除	3分の1（6分の2）	－

※限度月数：1/4免除……480－納付済
半額免除……480－（納付済＋1/4免除）
3/4免除……480－（納付済＋1/4免除＋半額免除）
全額免除……480－（納付済＋1/4免除＋半額免除＋3/4免除）

5 老齢基礎年金の支給の繰上げ・繰下げのまとめ

	繰上げ	繰下げ
老齢基礎年金の額	減額 〔減額率＝1,000分の4×繰上げ月数〕	増額 〔増額率＝1,000分の7×繰下げ月数（上限120）〕
振替加算	【支給】65歳から開始 【額】不変	【支給】同時に繰下げ 【額】不変
付加年金	【支給】同時に繰上げ 【額】減額（同じ減額率）	【支給】同時に繰下げ 【額】増額（同じ増額率）

6 障害基礎年金のまとめ

種類	要件		1・2級該当日	受給権発生日	支給開始
	初診日	保険料納付			
原則	必要	必要	障害認定日	障害認定日	受給権発生日の翌月
事後重症	必要	必要	65歳前	請求日	受給権発生日の翌月
基準障害	必要※1	必要※1	65歳前	1・2級該当日	請求日の翌月
20歳前傷病（当然支給型）	不問※2	不問	20歳到達日※3	20歳到達日※3	受給権発生日の翌月

※1：後発傷病（基準傷病）について満たす必要あり
※2：ただし、初診日において20歳未満であることが必要
※3：障害認定日が20歳到達日後であるときは、障害認定日

7 保険料の免除事由と免除期間

	法定免除	申請全額免除、一部免除、学生納付特例、納付猶予
免除事由	①障害基礎年金、障害厚生年金又は障害共済年金（障害等級1・2級）等の受給権者（3級不該当から3年を経過した受給権者等を除く） ②生活保護法による生活扶助を受けるとき等 ③ハンセン病療養所等に入所しているとき	①前年の所得が一定額以下であるとき※ ②生活保護法による生活扶助以外の扶助を受けるとき ③障害者、寡婦等であって、前年の所得が135万円以下であるとき ④天災その他の事由があるとき
免除期間	該当した月の前月から不該当となった月まで	厚生労働大臣の指定する期間

※所得基準は次のとおり。

	扶養親族等がない場合	扶養親族等1人あたりの加算額
申請全額免除、納付猶予	67万円	35万円
4分の3免除	88万円	38万円
半額免除、学生納付特例	128万円	
4分の1免除	168万円	

8 国民年金基金が行う給付

老齢に関する年金	支給要件	老齢基礎年金の受給権を取得したときには、支給されるものでなければならない。
	額	「200円×基金の加入員期間の月数」で計算した額を超えるものでなければならない。
死亡に関する一時金	支給要件	遺族が死亡一時金を受けたときには、支給されるものでなければならない。
	額	8,500円を超えるものでなければならない。

第9章 厚生年金保険法

1 総論

★
Q 628
□□
【平30】

厚生年金保険制度は、老齢、障害又は死亡によって国民生活の安定がそこなわれることを国民の共同連帯によって防止し、もって健全な国民生活の維持及び向上に寄与することを目的としている。

★
Q 629
□□
【平30】

厚生年金保険は、厚生年金保険法に定める実施機関がそれぞれ管掌することとされている。

Q 630
□□
【令2】

被保険者の報酬月額の算定に当たり、報酬の一部が通貨以外のもので支払われている場合には、その価額は、その地方の時価によって、厚生労働大臣が定める。

★
Q 631
□□
【予想】

厚生年金保険法において、「配偶者」、「夫」及び「妻」には、婚姻の届出をしていないが、事実上婚姻関係と同様の事情にある者を含むものとする。

長文問題が多く出題され、全体的に難易度が高い科目です。老齢・障害・遺族の３つの年金の内容を中心に、丹念に学習することが必要です。

A 628 □□ 速P240

厚生年金保険法は、労働者の老齢、障害又は死亡について保険給付を行い、労働者及びその遺族の生活の安定と福祉の向上に寄与することを目的としている。設問は、国民年金制度の目的である。（法１） ×

A 629 □□ 速P241

厚生年金保険は、政府が、管掌する。実施機関（厚生労働大臣及び共済組合等）は、被保険者の種別に応じてそれぞれ事務の処理を行う。（法２） ×

A 630 □□ 速P242

報酬月額の算定の基礎となる報酬の全部又は一部が通貨以外のもので支払われている場合は、その現物給与の価額は、その地方の時価によって、厚生労働大臣が定める。（法25） ○

A 631 □□ 速P243

本法における配偶者、夫及び妻には、いわゆる事実婚関係（内縁関係）にある者が含まれる。これは、社会保険各法において共通する取扱いである。（法３②） ○

2 適用事業所と被保険者

★★
Q 632
□□
【令4】

宿泊業を営み、常時10人の従業員を使用する個人事業所は、任意適用の申請をしなくとも、厚生年金保険の適用事業所となる。

★★
Q 633
□□
【令5改】

任意適用事業所の事業主は、厚生労働大臣の認可を受けることにより当該事業所を適用事業所でなくすることができるが、このためには、当該事業所に使用される者の全員の同意を得ることが必要である。なお、当該事業所には厚生年金保険法第12条各号のいずれかに該当する者又は特定４分の３未満短時間労働者に該当する者はいないものとする。

★
Q 634
□□
【平30】

２以上の船舶の船舶所有者が同一である場合には、当該２以上の船舶を１つの適用事業所とすることができる。このためには厚生労働大臣の承認を得なければならない。

★
Q 635
□□
【令5】

厚生年金保険の任意単独被保険者となっている者は、厚生労働大臣の認可を受けて、被保険者の資格を喪失することができるが、資格喪失に際しては、事業主の同意を得る必要がある。

A 632 □□ 速P245

宿泊業は、非適用業種に該当するため、個人事業所（個人経営）である限り、常時使用する従業員数を問わず、強制適用事業所とならない。この事業所が適用事業所となるためには、事業主が任意適用の申請をし、厚生労働大臣の認可を受けなければならない。(法6①③) ×

A 633 □□ 速P245

任意適用事業所の事業主が、当該事業所を適用事業所でなくするための要件は、次のとおりである。(法8) ×

①その事業所に使用される者（適用除外となる者を除く。）の４分の３以上の同意

②事業主の認可申請

③厚生労働大臣の認可

A 634 □□ 速P246

２以上の船舶の船舶所有者が同一である場合には、当該２以上の船舶は、法律上当然に１つの適用事業所とされる。厚生労働大臣の承認を得る必要はない。(法8の3) ×

A 635 □□ 速P247

任意単独被保険者は、厚生労働大臣の認可を受けて、被保険者の資格を喪失することができる。資格喪失に際し、事業主の同意を得る必要はない。(法11) ×

★★
Q 636
□□
【予想】

70歳以上の障害厚生年金の受給権者は、老齢厚生年金、老齢基礎年金その他の老齢又は退職を支給事由とする年金の受給権を有しないときは、高齢任意加入被保険者となることができる。

★
Q 637
□□
【予想】

適用事業所に使用される高齢任意加入被保険者であって、保険料の半額負担及び納付義務についての事業主の同意がないものは、保険料（初めて納付すべき保険料を除く。）を滞納し、督促状の指定の期限までにその保険料を納付しないときは、当該保険料の納期限の属する月の前月の末日に、その資格を喪失する。

★★
Q 638
□□
【平26改】

適用事業所以外の事業所に使用される70歳以上の者が高齢任意加入被保険者になるには、事業主の同意を得たうえで、厚生労働大臣に対して申出を行うこととされている。

★
Q 639
□□
【令４改】

適用事業所に使用される70歳未満の者であって、２か月以内の期間を定めて臨時に使用され、当該定めた期間を超えて使用されることが見込まれない者（船舶所有者に使用される船員を除く。）は、厚生年金保険法第12条第１号に規定する適用除外に該当せず、使用される当初から厚生年金保険の被保険者となる。

★★
Q 640
□□
【平28】

４か月間の臨時的事業の事業所に使用される70歳未満の者は、その使用されるに至った日から被保険者となる。

A 636 □□ 速P247、P248

70歳以上の者であって、老齢（退職）年金の受給権を有しないものは、高齢任意加入被保険者となることができる。障害厚生年金の受給権者であるか否かは問われない。（法附４の３①、４の５①） ○

A 637 □□ 速P249

適用事業所に使用される高齢任意加入被保険者であって、自ら保険料の納付義務を負う（事業主の同意がない）ものは、保険料を滞納し、督促状の指定期限までにその保険料を納付しないときは、その資格を喪失する。この場合の資格喪失日は、滞納した保険料の納期限の属する月の前月の末日である。（法附４の３⑥） ○

A 638 □□ 速P249

適用事業所以外の事業所に使用される者が高齢任意加入被保険者となるためには、①事業主の同意を得た上で、②厚生労働大臣の認可を受けなければならない。（法附４の５①） ×

A 639 □□ 速P250

臨時に使用される者（船舶所有者に使用される船員を除く。）であって、２ヵ月以内の期間を定めて使用され、当該定めた期間を超えて使用されることが見込まれないものは、適用除外に該当する。この者は、定めた期間を超えて引き続き使用されるに至った場合に、そのときから被保険者となる。（法12一ロ） ×

A 640 □□ 速P250

臨時的事業の事業所に使用される者は、当初から継続して６ヵ月を超えて使用されるべき場合を除き、被保険者とならない。設問の者は、使用される期間が４ヵ月であるため、被保険者とならない。（法12四） ×

★
Q641
□□
【令3】

第1号厚生年金被保険者が同時に第2号厚生年金被保険者の資格を有するに至ったときは、その日に、当該第1号厚生年金被保険者の資格を喪失する。

★
Q642
□□
【予想】

適用事業所に使用される高齢任意加入被保険者については、実施機関に対する資格取得の申出が受理された日に、被保険者の資格を取得する。

★★
Q643
□□
【令元】

適用事業所に使用される70歳未満の被保険者が70歳に達したときは、それに該当するに至った日の翌日に被保険者の資格を喪失する。

よくある質問

質問　任意単独被保険者は、保険料を滞納したことによって資格を喪失することはないのでしょうか？

回答

任意単独被保険者の保険料は、事業主が納付義務を負うため、滞納によって、任意単独被保険者がその資格を喪失することはありません。

任意単独被保険者の資格を取得する際の要件である「事業主の同意」とは、「事業主が保険料を半額負担し、その納付義務及び諸届出の義務を負➚

A 641 □□ 速P252

第１号厚生年金被保険者が同時に第２号・第３号・第４号厚生年金被保険者の資格を有するに至ったときは、その日に、当該第１号厚生年金被保険者の資格を喪失する。（法18の２②） ○

A 642 □□ 速P253

高齢任意加入被保険者については、①適用事業所に使用される者の場合には、資格取得の申出が受理された日に、②適用事業所以外の事業所に使用される者の場合には、資格取得の認可があった日に、被保険者の資格を取得する。（法附４の３②） ○

A 643 □□ 速P253

適用事業所に使用される70歳未満の被保険者（当然被保険者）は、70歳に達したときは、その日に、その資格を喪失する。翌日に喪失するのではない。（法14五） ×

うこと」についての同意です。

したがって、保険料を滞納しても、その責任は納付義務者である事業主にあり、被保険者には何らの責任もないため、被保険者の資格を喪失することはありません。

なお、適用事業所に使用される高齢任意加入被保険者であって、保険料の半額負担及び納付義務についての事業主の同意がないもの（自ら納付義務を負う者）は、保険料の滞納によって、その資格を喪失することがあります。

3　被保険者期間の計算、届出等

★★
Q 644
□□
【令6改】

甲は、令和7年5月1日に厚生年金保険の被保険者の資格を取得したが、同月15日にその資格を喪失し、同日、国民年金の第1号被保険者の資格を取得した。この場合、同年5月分については、1か月として厚生年金保険における被保険者期間に算入する。

★
Q 645
□□
【令3改】

同一の月において被保険者の種別に変更があったときは、その月は変更後の被保険者の種別の被保険者であった月とみなす。

★
Q 646
□□
【予想】

昭和61年4月1日から平成3年3月31日までの間に第3種被保険者としての被保険者期間を15ヵ月有する者については、当該期間を20ヵ月として厚生年金保険の被保険者期間とする。

★★
Q 647
□□
【令3】

第1号厚生年金被保険者（船員被保険者を除く。）の資格喪失の届出が必要な場合は、当該事実があった日から10日以内に、所定の届書又は所定の届書に記載すべき事項を記録した光ディスクを日本年金機構に提出しなければならない。

Q 648
□□
【令2】

船舶所有者による船員被保険者の資格の取得の届出については、船舶所有者は船長又は船長の職務を行う者を代理人として処理させることができる。

A 644 □□ 速P255

被保険者の資格を取得した月にその資格を喪失した場合であって、その月にさらに国民年金の第1号被保険者の資格を取得したときは、その月は、国民年金の第1号被保険者としての被保険者期間に算入し、厚生年金保険の被保険者期間には算入しない。（法19②） ×

A 645 □□ 速P256

被保険者の種別に変更があった月は、変更後の種別の被保険者であった月とみなす。（法19⑤） ○

A 646 □□ 速P256

昭和61年４月１日から平成３年３月31日までの間の第３種被保険者であった期間は、「実期間×５分の６」による月数を被保険者期間とする。設問の場合、「15ヵ月×５分の６」により、18ヵ月となる。（昭60法附47④） ×

A 647 □□ 速P257

第１号厚生年金被保険者（船員被保険者を除く。）の資格喪失の届出は、５日以内に、行わなければならない。10日以内ではない。なお、船員被保険者の資格喪失の届出は、10日以内に、行わなければならない。（則22①） ×

A 648 □□ 速P257

被保険者の資格取得の届出、資格喪失の届出その他の所定の届出については、船舶所有者は船長又は船長の職務を行う者を代理人として処理させることができる。代理人選任の届出は不要である。（則29の２） ○

★★
Q 649
□□
【令元】

障害等級１級又は２級の障害の状態にある障害厚生年金の受給権者は、当該障害厚生年金の加給年金額の対象者である配偶者が65歳に達したときは、10日以内に所定の事項を記載した届書を日本年金機構に提出しなければならないとされている。

★
Q 650
□□
【予想】

受給権者が死亡したときは、受給権者の属する世帯の世帯主その他その世帯に属する者は、一定の場合を除き、10日以内に、その旨を厚生労働大臣に届け出なければならない。

Q 651
□□
【平27改】

厚生労働大臣は、第１号厚生年金被保険者に係る標準報酬の決定又は改定（合意分割又は３号分割による標準報酬の改定又は決定を除く。）を行ったときは、その旨を事業主に通知しなければならない。

よくある質問

質問　届出の種類がたくさんあって覚えるのが大変なのですが、なにかよい方法はないでしょうか？

回答

確かに、届出は種類が多いのですが、「覚えることをできるだけ少なくすること」はできます。

本試験で問われるのは、届出の期限が中心です。これには「原則的な期限」があるので、これに該当しない届出だけを意識的に覚えます。そうすると、特に覚えていない届出の期限が問われれ

A 649 □□ 速P259、P260

障害厚生年金の加給年金額対象者の不該当の届出は、10日以内に、届書を日本年金機構に提出することにより行わなければならない。ただし、年齢要件により不該当となった場合の届出は不要であり、設問の場合は、届書の提出は不要である。(則46)

×

A 650 □□ 速P259、P260

受給権者が死亡したときに、10日以内に、その旨を厚生労働大臣に届け出なければならないのは、「戸籍法の規定による死亡の届出義務者」である。「受給権者の属する世帯の世帯主その他その世帯に属する者」ではない。(法98④)

×

A 651 □□ 速P260

厚生労働大臣は、標準報酬の決定又は改定など、第1号厚生年金被保険者に係る一定の処分を行ったときは、その旨を事業主に通知しなければならない。(法29①)

○

ば、それは「原則的な期限」と考えて解答すればよいのです。

たとえば、厚生年金保険法に規定する事業主が行う届出の原則的な期限は「5日以内(船舶関係を除く。)」です。そこで、期限がこれに該当しない届出を覚えます。つまり、届出の期限が「速やかに」や「10日以内」などであるものを意識的に覚えておけば、これら以外のものは、「5日以内」と判断できます。全部を覚えていなくても、このように対応すればよいのです。

4 標準報酬に関する事項

★★
Q 652
□□
【令５】

毎年12月31日における全被保険者の標準報酬月額を平均した額の100分の200に相当する額が標準報酬月額等級の最高等級の標準報酬月額を超える場合において、その状態が継続すると認められるときは、政令で、当該最高等級の上に更に等級を加える標準報酬月額の等級区分の改定を行わなければならない。

★
Q 653
□□
【平29】

同時に２か所の適用事業所Ａ及びＢに使用される第１号厚生年金被保険者について、同一の月に適用事業所Ａから200万円、適用事業所Ｂから100万円の賞与が支給された。この場合、適用事業所Ａに係る標準賞与額は150万円、適用事業所Ｂに係る標準賞与額は100万円として決定され、この合計である250万円が当該被保険者の当該月における標準賞与額とされる。

★
Q 654
□□
【予想】

老齢厚生年金の額の計算の基礎となる「平均標準報酬額」とは、被保険者期間の計算の基礎となる各月の標準報酬月額と標準賞与額に、それぞれ改定率を乗じて得た額の総額を、当該被保険者期間の月数で除して得た額をいう。

★
Q 655
□□
【令５改】

３歳に満たない子を養育する被保険者等の標準報酬月額の特例が適用される場合には、老齢厚生年金の額の計算のみならず、保険料額の計算に当たっても、実際の標準報酬月額ではなく、従前標準報酬月額が用いられる。

A 652
□□
速P262

本法における標準報酬月額等級の上限の弾力的変更は、①毎年3月31日における全被保険者の標準報酬月額を平均した額の100分の200に相当する額が最高等級の額を超える場合において、②その状態が継続すると認められるときに行われる。また、その改定の時期は、その年の9月1日からであり、政令によって、最高等級の上にさらに等級を加える改定を行うことができる。(法20②) ×

A 653
□□
速P263

同一の月に2以上の事業所で賞与を受ける場合には、その合算額をその月の賞与額として標準賞与額が決定される。設問の場合、300万円(＝200万円＋100万円)をその月の賞与額として標準賞与額が決定されるが、標準賞与額の上限は1ヵ月につき150万円である。このため、150万円が当該月における標準賞与額とされる。(法24の4) ×

A 654
□□
速P264

平均標準報酬額とは、「被保険者期間の計算の基礎となる各月の標準報酬月額と標準賞与額に、それぞれ再評価率を乗じて得た額の総額を、当該被保険者期間の月数で除して得た額」をいう。(法43①) ×

A 655
□□
速P265

3歳に満たない子を養育する被保険者等の標準報酬月額の特例(養育期間の標準報酬月額の特例)が適用される場合は、従前標準報酬月額を平均標準報酬額の計算の基礎とする標準報酬月額とみなす。保険料額の計算にあたっては、実際の(低下した)標準報酬月額を用いる。(法26①) ×

5 保険給付の通則

★★
Q 656
□□
【平26】

年金は、年６期に分けて偶数月にそれぞれの前月分までが支払われることとなっており、前支払期月に支払うべきであった年金についても次の偶数月に支払われ、奇数月に支払われることはない。

★
Q 657
□□
【予想】

同一人に対して国民年金法による遺族基礎年金の支給を停止して厚生労働大臣が支給する障害厚生年金を支給すべき場合において、障害厚生年金を支給すべき事由が生じた月の翌月以後の分として遺族基礎年金の支払いが行われたときは、その支払われた遺族基礎年金を障害厚生年金の内払いとみなすことができる。

★
Q 658
□□
【令４】

保険給付の受給権者が死亡し、その死亡した者に支給すべき保険給付でまだその者に支給しなかったものがあるときにおいて、未支給の保険給付を受けるべき同順位者が２人以上あるときは、その１人のした請求は、全員のためその全額につきしたものとみなし、その１人に対しての支給は、全員に対してしたものとみなされる。

★★
Q 659
□□
【令２】

老齢厚生年金の保険給付として支給を受けた金銭を標準として、租税その他の公課を課することはできない。

A 656 □□ 速P268

年金は、毎年２月、４月、６月、８月、10月及び12月（偶数月）の６期に、それぞれその前月分までが支払われる。ただし、①前支払期月に支払うべきであった年金又は②権利が消滅した場合若しくは年金の支給を停止した場合におけるその期の年金は、支払期月でない月（奇数月）であっても支払われる。（法36③） ×

A 657 □□ 速P269

国民年金の年金たる給付と厚生年金保険の年金たる保険給付（厚生労働大臣が支給するものに限る。）との間では、誤って支払われた年金は、本来支給すべき年金の内払いとみなすことができる。（法39③） ○

A 658 □□ 速P270

未支給の保険給付がある場合において、これを受けるべき同順位者が２人以上あるときは、その１人のした請求は、全員のためその全額につきしたものとみなされ、その１人に対してした支給は、全員に対してしたものとみなされる。（法37⑤） ○

A 659 □□ 速P271

租税その他の公課は、保険給付として支給を受けた金銭を標準として、課することができない。ただし、例外として、老齢厚生年金については、租税その他の公課を課することができる。（法41②） ×

★★
Q 660
□□
【平24改】

遺族厚生年金（その受給権者が65歳に達しているものとする。）は、老齢基礎年金及び付加年金又は障害基礎年金と併給できる。

★
Q 661
□□
【予想】

被保険者又は被保険者であった者が、自己の故意の犯罪行為又は重大な過失により、障害若しくは死亡又はこれらの原因となった事故を生ぜしめたときは、当該障害又は死亡を支給事由とする保険給付は行わない。

★
Q 662
□□
【平30】

厚生年金保険法に基づく保険料率は、国民の生活水準、賃金その他の諸事情に著しい変動が生じた場合には、変動後の諸事情に応ずるため、速やかに改定の措置が講ぜられなければならない。

★
Q 663
□□
【平30】

財政の現況及び見通しにおける財政均衡期間は、財政の現況及び見通しが作成される年以降おおむね100年間とされている。

A 660 □□ 速P272

受給権者が65歳に達しているときは、異なる支給事由であっても、次の組合せの年金を併給することができる。（法38①、法附17）

①老齢基礎年金及び付加年金＋遺族厚生年金

②障害基礎年金＋老齢厚生年金

③障害基礎年金＋遺族厚生年金

○

A 661 □□ 速P274

自己の故意の犯罪行為又は重大な過失により、障害若しくは死亡又はこれらの原因となった事故を発生させたときは、「保険給付の全部又は一部を行わないことができる」という相対的給付制限の対象となる。（法73の2）

×

A 662 □□ 速P275

厚生年金保険法による年金たる保険給付の額は、国民の生活水準、賃金その他の諸事情に著しい変動が生じた場合には、変動後の諸事情に応ずるため、速やかに改定の措置が講ぜられなければならない。（法2の2）

×

A 663 □□ 速P276

財政の現況及び見通し（厚生年金保険事業の財政に係る収支についてその現況及び財政均衡期間における見通し）は、政府が、少なくとも5年ごとに作成する。財政均衡期間は、財政の現況及び見通しが作成される年以降おおむね100年間である。（法2の4②）

○

6 老齢厚生年金（1）

★★
Q 664
□□
【令元】

老齢基礎年金の受給資格期間を満たしている場合であっても、１年以上の厚生年金保険の被保険者期間を有していない場合には、特別支給の老齢厚生年金の受給権は生じない。

★
Q 665
□□
【予想】

特別支給の老齢厚生年金の受給資格期間を満たしている場合において、昭和40年４月２日に生まれた民間の一般女子については、63歳から報酬比例部分相当の特別支給の老齢厚生年金が支給される。

★
Q 666
□□
【令５】

報酬比例部分のみの特別支給の老齢厚生年金の受給権を有する者が、被保険者でなく、かつ、障害の状態にあるときは、老齢厚生年金の額の計算に係る特例の適用を請求することができる。ただし、ここでいう障害の状態は、厚生年金保険の障害等級１級又は２級に該当する程度の障害の状態に限定される。

★★
Q 667
□□
【令４】

老齢厚生年金の支給繰上げの請求は、老齢基礎年金の支給繰上げの請求を行うことができる者にあっては、その請求を同時に行わなければならない。

A 664 □□ 速P281

特別支給の老齢厚生年金が支給されるためには、1年以上の厚生年金保険の被保険者期間を有することが必要である。なお、原則支給の老齢厚生年金については、1ヵ月以上の厚生年金保険の被保険者期間を有していればよい。（法附8）

○

A 665 □□ 速P282

昭和39年4月2日から昭和41年4月1日までの間に生まれた民間の一般女子については、64歳から、報酬比例部分相当の特別支給の老齢厚生年金が支給される。（法附8の2②）

×

A 666 □□ 速P283

特別支給の老齢厚生年金に係る障害者の特例は、老齢厚生年金の受給権者が、被保険者でなく、かつ、傷病により障害等級（3級以上）に該当する程度の障害の状態にあるときに、当該特例の適用を請求することができる。障害等級1級又は2級に該当する程度の障害の状態に限定されない。（法附9の2①）

×

A 667 □□ 速P285

老齢厚生年金と老齢基礎年金の支給繰上げの請求は、同時に行わなければならない。なお、これに対し、支給繰下げの申出は、同時に行う必要はない。（法附7の3②）

○

Q 668
□□
【令4】

老齢厚生年金の支給繰下げの申出を行った場合でも、経過的加算として老齢厚生年金に加算された部分は、当該老齢厚生年金の支給繰下げの申出に応じた増額の対象とはならない。

★
Q 669
□□
【予想】

老齢厚生年金の額の計算に用いる「1,000分の5.481」の給付乗率は、昭和21年４月１日以前に生まれた者については、生年月日に応じて、1,000分の7.308から1,000分の5.562の範囲内の率に読み替えられる。

★★
Q 670
□□
【令４改】

65歳以上の老齢厚生年金受給者については、毎年基準日である７月１日において被保険者である場合、基準日の属する月前の被保険者であった期間をその計算の基礎として、基準日の属する月の翌月から、年金の額を改定する。

よくある質問

質問　老齢厚生年金が難しくて学習するのに苦労しています。よい学習法はありませんか？

回答

老齢厚生年金の学習は、国民年金の老齢基礎年金の学習と反復して行うことが重要です。

老齢厚生年金は制度自体が複雑であり、誰もが学習に苦労を感じる項目です。学習のポイントは、老齢基礎年金との関係を把握することです。

A 668 □□ 速P286

老齢厚生年金の支給を繰り下げた場合の繰下げ加算額は、「繰下げ対象額×増額率」により計算するが、繰下げ対象額には、経過的加算額が含まれる。つまり、経過的加算として加算された部分も増額の対象となる。（令3の5の2①） ×

A 669 □□ 速P287

老齢厚生年金の額は、原則として「平均標準報酬額×1,000分の5.481×被保険者期間の月数」により計算される。そして、1,000分の5.481の給付乗率は、昭和21年4月1日以前に生まれた者については、生年月日に応じて、有利に読み替えられる。（法43①、昭60法附59①、同別表第7） ○

A 670 □□ 速P290

65歳以上の老齢厚生年金の受給権者が、毎年基準日である9月1日において被保険者である場合は、在職定時改定が行われる。この場合は、基準日の属する月前の被保険者であった期間を計算の基礎として、基準日の属する月の翌月から、老齢厚生年金の額を改定する。（法43②） ×

> 老齢基礎年金と老齢厚生年金は２階建ての構造となっていることから、共通する規定が多くあります。また、加給年金額と振替加算の関係も学習上重要です。
>
> これらの関係を明確に把握するためには、根気強く、繰り返して学習することが重要であり、近道です。「老齢基礎年金→老齢厚生年金→老齢基礎年金→老齢厚生年金…」というように２回・３回と反復して学習すると、関係を把握できるようになってきます。

7 老齢厚生年金（2）

★★
Q 671
□□
【平26】

加給年金額の対象となる子が３人いる場合は、対象となる子が１人のときに加算される加給年金額の３倍の額の加給年金額が加算される。

Q 672
□□
【令５】

昭和９年４月２日以後に生まれた老齢厚生年金の受給権者については、配偶者の加給年金額に更に特別加算が行われる。特別加算額は、受給権者の生年月日によって異なり、その生年月日が遅いほど特別加算額が少なくなる。

★★
Q 673
□□
【予想】

加給年金額の加算の対象である子が養子縁組による子である場合において、受給権者と当該子が離縁をしたときは、その月から、当該子に係る加給年金額は加算されなくなる。

★
Q 674
□□
【平29】

子の加算額が加算された障害基礎年金の支給を受けている者に、当該子に係る加給年金額が加算された老齢厚生年金が併給されることとなった場合、当該老齢厚生年金については、当該子について加算する額に相当する部分の支給が停止される。

★★
Q 675
□□
【予想】

報酬比例部分の額に加給年金額が加算された老齢厚生年金の受給権者について在職老齢年金制度を適用する場合、基本月額は、加給年金額を除いた老齢厚生年金の額を12で除して得た額となる。

A 671 □□ 速P293

加給年金額（子１人あたりの額）は、第１子及び第２子については「224,700円×改定率」、第３子以降については「74,900円×改定率」による額である。したがって、設問の場合、３倍の額とはならない。（法44②）

×

A 672 □□ 速P293

老齢厚生年金の配偶者に係る加給年金額には、受給権者が昭和９年４月２日以後生まれであるときは、特別加算額が加算される。特別加算額は、受給権者の生年月日が遅いほど多い額となり、受給権者が昭和18年４月２日以後生まれである場合に、最高額となる。（昭60法附60②）

×

A 673 □□ 速P294

加給年金額対象者である子（養子縁組による子）と離縁をしたときは、その月の翌月から、当該子に係る加給年金額が加算されなくなる。（法44④六）

×

A 674 □□ 速P294

65歳以上の者が障害基礎年金と老齢厚生年金とを併給する場合において、障害基礎年金に子の加算額が加算されているときは、老齢厚生年金の子について加算する額（加給年金額）に相当する部分の支給が停止される。（法44①）

○

A 675 □□ 速P296

基本月額は、「老齢厚生年金の額÷12」による額であるが、この「老齢厚生年金の額」から、加給年金額は除かれる。なお、繰下げ加算額及び経過的加算額が加算されている場合は、これらの加算額も、老齢厚生年金の額から除かれる。（法46①）

○

★
Q 676
□□
【令4】

在職中の被保険者が65歳になり老齢基礎年金の受給権が発生した場合において、老齢基礎年金は在職老齢年金の支給停止額を計算する際に支給停止の対象とはならないが、経過的加算額については在職老齢年金の支給停止の対象となる。

★★
Q 677
□□
【平27】

在職老齢年金を受給する者の総報酬月額相当額が改定された場合は、改定が行われた月の翌月から、新たな総報酬月額相当額に基づいて支給停止額が再計算され、年金額が改定される。

★
Q 678
□□
【平29】

特別支給の老齢厚生年金は、その受給権者が雇用保険法の規定による基本手当の受給資格を有する場合であっても、当該受給権者が同法の規定による求職の申込みをしないときは、基本手当との調整の仕組みによる支給停止は行われない。

Q 679
□□
【予想】

65歳未満の被保険者である老齢厚生年金の受給権者が雇用保険の高年齢雇用継続基本給付金の支給を受けることができる場合において、その者に係る標準報酬月額が、60歳到達時の賃金月額（雇用保険法のみなし賃金日額に30を乗じて得た額）の100分の64に相当する額未満であるときは、老齢厚生年金について、高年齢雇用継続基本給付金の額の100分の４に相当する額の支給が停止される。

A 676 □□ 速P297

在職老齢年金制度においては、経過的加算額は支給停止の対象とならない。なお、繰下げ加算額も、支給停止の対象とならない。（法46①、昭60法附62①）

×

A 677 □□ 速P297

在職老齢年金制度による支給停止は、その月分の老齢厚生年金について、その月における総報酬月額相当額と基本月額に基づき、行われる。したがって、総報酬月額相当額が改定された場合は、改定されたその月から、支給停止額が再計算される。（法46①等）

×

A 678 □□ 速P298

老齢厚生年金と基本手当との調整（老齢厚生年金の支給停止）は、特別支給（又は繰上げ支給）の老齢厚生年金の受給権者について基本手当に係る求職の申込みがあった月の翌月から行われる。求職の申込みがあったことが前提となるため、求職の申込みをしないときは、老齢厚生年金の支給停止は行われない。（法附11の５）

○

A 679 □□ 速P299

65歳未満の在職老齢年金の受給権者が、雇用保険の高年齢雇用継続給付（高年齢雇用継続基本給付金又は高年齢再就職給付金）の支給を受けることができるときは、在職老齢年金の仕組みによる支給停止に加えて、老齢厚生年金の一部の支給が停止される。この場合の支給停止額は、標準報酬月額が60歳到達時の賃金月額の100分の64に相当する額未満であるときに、最高額である「標準報酬月額の100分の４」に相当する額となる。（法附11の６①）

×

8 障害厚生年金と障害手当金

Q 680

□□

【平28】

「精神又は神経系統に、労働が著しい制限を受けるか、又は労働に著しい制限を加えることを必要とする程度の障害を残すもの」は、厚生年金保険の障害等級３級の状態に該当する。

★★

Q 681

□□

【令２】

71歳の高齢任意加入被保険者が障害認定日において障害等級３級に該当する障害の状態になった場合は、当該高齢任意加入被保険者期間中に当該障害に係る傷病の初診日があり、初診日の前日において保険料の納付要件を満たしているときであっても、障害厚生年金は支給されない。

★

Q 682

□□

【予想】

基準障害による障害厚生年金の支給は、初めて、基準障害と他の障害とを併合して障害等級の１級又は２級に該当する程度の障害の状態に該当するに至った月の翌月から、始められる。

★★

Q 683

□□

【平29】

障害厚生年金の受給権を取得した当時は障害等級２級に該当したが、現在は障害等級３級である受給権者に対して、新たに障害等級２級の障害厚生年金を支給すべき事由が生じたときは、前後の障害を併合した障害の程度による障害厚生年金を支給することとし、従前の障害厚生年金の受給権は消滅する。

A 680 □□ 速P301

障害等級に該当する障害の状態の程度は、ほぼ次のとおりである。（令3の8、同別表第1）

1級…日常生活の用を不能ならしめる程度

2級…日常生活が著しい制限を受ける程度

3級…労働が著しい制限を受ける程度等

○

A 681 □□ 速P302

障害厚生年金の初診日要件である「初診日において被保険者であること」については、被保険者の種類は問われないため、設問の者は、初診日要件を満たしている。また、障害認定日において障害等級3級に該当し、障害認定日要件を満たしている。さらに、保険料納付要件も満たしているため、障害厚生年金は支給される。（法47）

×

A 682 □□ 速P304

基準障害による障害厚生年金の受給権は、所定の要件に該当したときに、当然に発生する。ただし、その支給は、当該障害厚生年金の請求があった月の翌月から始められる。（法47の3③）

×

A 683 □□ 速P304

併合認定は、障害厚生年金（当初から3級のものを除く。）の受給権者に対して、さらに障害厚生年金（1級又は2級のものに限る。）を支給すべき事由が生じたときに、行われる。設問の場合、従前の障害厚生年金は当初から3級ではないため、併合認定が行われ、従前の障害厚生年金の受給権は消滅する。（法48）

○

★★
Q684
□□
【予想】

障害等級１級に該当する者に支給する障害厚生年金の額は、老齢厚生年金の額の計算の例により計算した額の100分の125に相当する額とする。

★
Q685
□□
【令４】

障害等級２級の障害厚生年金の額は、老齢厚生年金の例により計算した額となるが、被保険者期間については、障害認定日の属する月の前月までの被保険者期間を基礎とし、計算の基礎となる月数が300に満たないときは、これを300とする。

★★
Q686
□□
【平24】

障害等級３級に該当する障害厚生年金の受給権者の障害の程度が増進し２級に改定された場合、その受給権を取得した日以後に、その者によって生計を維持している65歳未満の配偶者を有するに至ったときであっても、配偶者加給年金額は加算されない。

★
Q687
□□
【予想】

実施機関は、障害厚生年金の受給権者について、その障害の程度を診査し、その程度が従前の障害等級以外の障害等級に該当すると認めるときは、その程度に応じて、障害厚生年金の額を改定することができるが、当該改定後の額による障害厚生年金の支給が開始されるのは、改定が行われた月の翌月からである。

A 684
□□
速P305

障害厚生年金の額は、原則として、老齢厚生年金の額の計算の例により計算した額（報酬比例の年金額）であり、障害等級１級の場合は、その100分の125相当額である。（法50②）

○

A 685
□□
速P305、P306

障害厚生年金の額については、障害認定日の属する月後における被保険者であった期間は、その計算の基礎としない。つまり、障害認定日の属する月までの被保険者期間を計算の基礎とする。また、計算の基礎となる被保険者期間の月数が300に満たないときは、これを300とする。（法50①、51）

×

A 686
□□
速P306

障害厚生年金の加給年金額は、障害等級１級又は２級に該当する障害厚生年金の受給権者によって生計を維持しているその者の65歳未満の配偶者があるときに、加算される。その受給権を取得した日の翌日以後に上記の配偶者を有するに至ったときであっても、障害厚生年金の額に配偶者加給年金額が加算される。（法50の２①③）

×

A 687
□□
速P308

実施機関による障害厚生年金の額の改定は、いつでも行うことができる。この場合の改定後の額による障害厚生年金の支給は、改定が行われた月の翌月から開始される。（法52①⑥）

○

★★
Q 688
□□
【令2】
障害等級３級の障害厚生年金の受給権者の障害の状態が障害等級に該当しなくなったため、当該障害厚生年金の支給が停止され、その状態のまま３年が経過した。その後、65歳に達する日の前日までに当該障害厚生年金に係る傷病により障害等級３級に該当する程度の障害の状態になったとしても、当該障害厚生年金は支給されない。

★
Q 689
□□
【平30】
障害厚生年金は、その受給権が20歳到達前に発生した場合、20歳に達するまでの期間、支給が停止される。

★
Q 690
□□
【令4】
障害手当金の受給要件に該当する被保険者が、障害手当金の障害の程度を定めるべき日において遺族厚生年金の受給権者である場合は、その者には障害手当金は支給されない。

★
Q 691
□□
【予想】
障害手当金の額は、障害厚生年金の額を定める厚生年金保険法第50条第１項の規定の例により計算した額の100分の200に相当する額である。ただし、その額が同条第３項に定める障害厚生年金の最低保障額に２を乗じて得た額に満たないときは、当該２を乗じて得た額が、障害手当金の額となる。

A 688
□□
速P310

障害の状態が障害等級に該当しなくなった場合は、障害厚生年金の支給が停止されるが、その状態が継続していても、65歳に達する前に受給権が消滅することはない。65歳に達する日の前日までに障害等級に該当する程度の障害の状態になれば、支給停止が解除され、障害厚生年金が支給される。（法53三、54②）

×

A 689
□□
速P310

障害厚生年金が受給権者の年齢によって支給を停止されることはない。障害厚生年金の支給が停止されるのは、次のいずれかの場合である。（法54）

①当該傷病について労働基準法の規定による障害補償を受ける権利を取得したとき
…6年間支給停止

②障害等級（1級～3級）に該当する程度の障害の状態に該当しなくなったとき
…障害の状態に該当しない間支給停止

×

A 690
□□
速P311

障害手当金は、障害の程度を定めるべき日において、厚生年金保険の年金たる保険給付（障害厚生年金にあっては、一定の場合を除く。）の受給権者である者には、支給されない。（法56一）

○

A 691
□□
速P311

障害手当金の額は、「3級の障害厚生年金の額×100分の200」による額である。ただし、「障害厚生年金の最低保障額に2を乗じて得た額」が、障害手当金の最低保障額となる。（法57）

○

9 遺族厚生年金、脱退一時金

★
Q 692
□□
【予想】

被保険者であった者が、被保険者の資格を喪失した後に、被保険者であった間に初診日がある傷病により資格を喪失した日から起算して５年を経過する日前に死亡した場合は、その者が保険料納付要件を満たしていれば、その遺族に遺族厚生年金が支給される。

★★
Q 693
□□
【令５】

遺族厚生年金は、障害等級１級又は２級に該当する程度の障害の状態にある障害厚生年金の受給権者が死亡したときにも、一定の要件を満たすその者の遺族に支給されるが、その支給要件において、その死亡した者について保険料納付要件を満たすかどうかは問わない。

★
Q 694
□□
【平25】

被保険者又は被保険者であった者の死亡の当時その者と生計を同じくしていた子であっても、年額130万円以上の収入を将来にわたって有すると認められる場合は、その者によって生計を維持されていたとは認められず、遺族厚生年金を受けることができる遺族になることはない。

よくある質問

質問　遺族厚生年金の受給順位が第１順位である者が失権したときは、第２順位の者は遺族厚生年金を受給することができるのでしょうか？

回答

第１順位の者が失権したとしても、第２順位の者は遺族厚生年金を受給することはできません。

第１順位の受給権者がいる場合には、第２順位以降の者は、遺族厚生年金を受けることができる

A 692 □□ 速P313、P314

被保険者であった者の死亡について遺族厚生年金が支給されるのは、「被保険者の資格を喪失した後に、被保険者であった間に初診日がある傷病により当該初診日から起算して５年を経過する日前に死亡したとき」である。（法58①二）

×

A 693 □□ 速P313、P314

障害等級の１級又は２級に該当する障害の状態にある障害厚生年金の受給権者が死亡したときは、死亡した者について保険料納付要件を問われることなく、その者の所定の遺族に、遺族厚生年金が支給される。（法58①）

○

A 694 □□ 速P315

遺族厚生年金を受けることができる遺族に該当するか否かに係る生計維持の基準は、「生計を同じくし、年額850万円（所得655万5,000円）以上の収入を将来にわたって有すると認められる者以外のもの等であること」である。（令３の10、平23年発0323第１）

×

遺族とはなりません。労災保険法の遺族（補償）等年金のように、次順位の者に受給権が移るという「転給」の制度もありません。したがって、第１順位の者が失権すると、遺族厚生年金の支給は終了します。

これは、「第２順位の者と第３順位以降の者」、「第３順位の者と第４順位の者」についても同様です。つまり、先順位の者が受給権者になると、後順位の者は遺族厚生年金を受けることができる遺族とはなりません。

★
Q 695
□□
【令6】

厚生年金保険の被保険者が死亡したときに、被保険者によって生計を維持されていた遺族が50歳の父と54歳の母だけであった場合、父には遺族厚生年金の受給権は発生せず、母にのみ遺族厚生年金の受給権が発生する。

★
Q 696
□□
【平27】

子のない妻が、被保険者である夫の死亡による遺族厚生年金の受給権を取得したときに30歳以上40歳未満であった場合、妻が40歳に達しても中高齢寡婦加算は加算されない。

Q 697
□□
【予想】

経過的寡婦加算額が加算された遺族厚生年金の受給権者が、国民年金法による障害基礎年金の支給を受けるときは、その間、経過的寡婦加算額に相当する部分の支給が停止される。

★★
Q 698
□□
【予想】

障害等級の1級に該当する状態にある子の有する遺族厚生年金の受給権は、当該子が20歳に達したときであっても、消滅しない。

★★
Q 699
□□
【平24】

被保険者又は被保険者であった者の死亡の当時胎児であった子が出生したときは、父母、孫、祖父母の遺族厚生年金の受給権は消滅するが、妻の受給権は消滅しない。

A 695 □□ 速P315、P316

父母が遺族厚生年金の受給権を取得するには、被保険者等の死亡の当時その者によって生計を維持し、かつ、55歳以上でなければならない。設問の父と母は、いずれも年齢要件を満たさないため、遺族厚生年金の受給権はいずれにも発生しない。（法59①一） ×

A 696 □□ 速P318

子のない妻に支給される遺族厚生年金に中高齢寡婦加算が加算されるためには、妻が、遺族厚生年金の受給権を取得した当時40歳以上65歳未満でなければならない。設問の子のない妻は、この要件を満たしていない。（法62①） ○

A 697 □□ 速P320

経過的寡婦加算が加算された遺族厚生年金の受給権者が、遺族基礎年金又は障害基礎年金の支給を受けることができる間は、遺族厚生年金の経過的寡婦加算額に相当する部分の支給が停止される。（昭60法附73①） ○

A 698 □□ 速P320

遺族厚生年金の受給権者が障害等級１級又は２級に該当する状態の子であっても、その受給権は、20歳に達したときは、必ず消滅する。（法63②） ×

A 699 □□ 速P320

被保険者等の死亡の当時胎児であった子が出生したときは、その子は、遺族厚生年金の受給権を取得する。そのため、後順位の遺族である父母、孫、祖父母の受給権は消滅するが、同順位である妻（配偶者）の受給権は消滅しない。（法63③） ○

★★
Q 700
□□
【令３】

厚生年金保険の被保険者の死亡により、被保険者の死亡当時27歳で子のいない妻が遺族厚生年金の受給権者となった。当該遺族厚生年金の受給権は、当該妻が30歳になったときに消滅する。

Q 701
□□
【平30】

被保険者の死亡により、その妻と子に遺族厚生年金の受給権が発生した場合、子に対する遺族厚生年金は、妻が遺族厚生年金の受給権を有する期間、その支給が停止されるが、妻が自己の意思で妻に対する遺族厚生年金の全額支給停止の申出をしたときは、子に対する遺族厚生年金の支給停止が解除される。

★
Q 702
□□
【予想】

遺族厚生年金の受給権を取得した夫が60歳未満であっても、同一の死亡について当該夫が国民年金法による遺族基礎年金の受給権を有するときは、当該遺族厚生年金の支給は停止されない。

Q 703
□□
【令２】

障害厚生年金の支給を受けたことがある場合でも、障害の状態が軽減し、脱退一時金の請求時に障害厚生年金の支給を受けていなければ脱退一時金の支給を受けることができる。

★★
Q 704
□□
【予想】

脱退一時金の支給を受けたときは、その額の計算の基礎となった被保険者であった期間は、老齢厚生年金の受給資格期間には算入されるが、老齢厚生年金の額の計算の基礎とはならない。

A 700 □□ 速P320

30歳未満の妻が遺族厚生年金の受給権を取得した場合であって、同一の支給事由による遺族基礎年金の受給権を取得しないときは、当該遺族厚生年金の受給権は、受給権を取得した日から起算して5年を経過したときに、消滅する。(法63①五) ×

A 701 □□ 速P321

子に対する遺族厚生年金の支給停止が解除されるのは、①(夫が)60歳未満で若年停止、②子のみが遺族基礎年金の受給権を有すること又は③所在不明により配偶者に対する遺族厚生年金が支給を停止されている間である。妻(配偶者)が全額支給停止の申出をしても、支給停止は解除されない。(法66①) ×

A 702 □□ 速P322

夫、父母又は祖父母に対する遺族厚生年金は、受給権者が60歳に達するまでの期間、その支給を停止するが、夫については、同一の死亡について遺族基礎年金の受給権を有するときは、遺族厚生年金の支給を停止しない。(法65の2) ○

A 703 □□ 速P323

障害厚生年金その他政令で定める保険給付の受給権を有したことがある場合は、脱退一時金の支給を受けることはできない。脱退一時金の請求時に障害厚生年金の支給を受けていたか否かは問われない。(法附29①二) ×

A 704 □□ 速P324

脱退一時金の支給を受けた者は、その額の計算の基礎となった期間は、被保険者でなかったものとみなす。つまり、当該期間は、老齢厚生年金の受給資格期間には算入されず、老齢厚生年金の額の計算の基礎にもならない。(法附29⑤) ×

10 合意分割制度等

Q 705
□□
【令元】

離婚の届出をしていないが、夫婦としての共同生活が営まれておらず、事実上離婚したと同様の事情にあると認められる場合であって、両当事者がともに当該事情にあると認めている場合には、いわゆる合意分割の請求ができる。

★
Q 706
□□
【予想】

合意分割制度において請求すべき按分割合は、原則として、第１号改定者及び第２号改定者それぞれの対象期間標準報酬総額の合計額に対する第２号改定者の対象期間標準報酬総額の割合を超え４分の３以下の範囲内で定められなければならない。

★★
Q 707
□□
【平28】

厚生年金保険法第78条の６第１項及び第２項の規定によるいわゆる合意分割により改定され、又は決定された標準報酬は、その改定又は決定に係る標準報酬改定請求のあった日から将来に向かってのみその効力を有する。

★
Q 708
□□
【令３】

老齢厚生年金に配偶者の加給年金額が加算されるためには、老齢厚生年金の年金額の計算の基礎となる被保険者期間の月数が240以上という要件があるが、当該被保険者期間には、離婚時みなし被保険者期間を含めることはできない。

A 705 □□ 速P326

合意分割制度における離婚等とは、①離婚、②婚姻の取消し、③事実婚関係の解消（一定の場合に限る。）である。設問の事実上の離婚は離婚等に該当しないため、合意分割の請求はできない。（法78の２①、則78） ×

A 706 □□ 速P327

合意分割制度において、請求すべき按分割合は、「当事者それぞれの対象期間標準報酬総額の合計額に対する第２号改定者の対象期間標準報酬総額の割合を超え２分の１以下の範囲内」で定める必要がある。（法78の３①） ×

A 707 □□ 速P328

合意分割により改定又は決定された標準報酬の効力は、標準報酬改定請求のあった日から「将来に向かってのみ」生ずる。（法78の６④） ○

A 708 □□ 速P329

離婚時みなし被保険者期間は、老齢厚生年金の加給年金額の加算の要件となる被保険者期間に含まれない。したがって、加給年金額が加算されるためには、老齢厚生年金の額の計算の基礎となる被保険者期間の月数が、離婚時みなし被保険者期間を除いて240以上でなければならない。（法44①、78の11） ○

★
Q 709 □□ 【予想】

３号分割制度において、標準報酬の分割の対象となる特定期間は、平成21年４月１日以後の期間に限られており、同日前の期間は特定期間に算入されない。

★★
Q 710 □□ 【平26】

原則として、離婚が成立した日等の翌日から起算して２年を経過したときは、被扶養配偶者からの特定期間に係る被保険者期間の標準報酬の改定及び決定の請求を行うことができない。

★
Q 711 □□ 【予想】

被扶養配偶者みなし被保険者期間は、特別支給の老齢厚生年金の定額部分の額の計算の基礎とされる。

よくある質問

質問　離婚時みなし被保険者期間が受給資格期間として考慮されないのは、何故でしょうか？

回答

受給資格期間は、国民年金の被保険者期間について判断するからです。

離婚時みなし被保険者期間とは、実際には厚生年金保険の被保険者ではなかった期間を、厚生年金保険の被保険者期間とみなしたものです。この期間は、もともとは国民年金の第１号被保険者や

A 709
□□
速P330

3号分割制度は平成20年4月1日から施行された制度であり、特定期間には、同日前の期間は算入されない。（平16法附49）

×

A 710
□□
速P330

3号分割の請求は、原則として、離婚等をしたときから2年を経過するまでに、行わなければならない。（法78の14①、則78の17①二）

○

A 711
□□
速P331

被扶養配偶者みなし被保険者期間は、報酬比例の年金額の計算の基礎とされるが、特別支給の老齢厚生年金の定額部分の額の計算の基礎とされない。（法附17の12）

×

第3号被保険者としての期間に該当します。この期間は、本来の国民年金の第1号被保険者や第3号被保険者としての期間として受給資格期間に算入します。

離婚時みなし被保険者期間を受給資格期間に算入してしまうと、すでに受給資格期間に算入した期間を二重に算入する結果となってしまいます。このため、離婚時みなし被保険者期間は、受給資格期間を判断する場合には考慮されません。この取扱いは、被扶養配偶者みなし被保険者期間についても同様です。

★

Q 712

□□

【令6】

２以上の種別の被保険者であった期間を有する者に係る老齢厚生年金の額は、その者の２以上の被保険者の種別の被保険者であった期間を合算して一の期間に係る被保険者期間のみを有するものとみなして平均標準報酬額を算出し計算することとされている。

★

Q 713

□□

【予想】

２以上の種別の被保険者であった期間を有する者に係る障害厚生年金の支給に関する事務は、被保険者であった期間が最も長い被保険者の種別に応じた実施機関が行う。

★★

Q 714

□□

【平28】

第１号厚生年金被保険者期間が15年、第３号厚生年金被保険者期間が18年ある老齢厚生年金の受給権者が死亡したことにより支給される遺族厚生年金は、それぞれの被保険者期間に応じてそれぞれの実施機関から支給される。

★

Q 715

□□

【令３】

２以上の種別の被保険者であった期間を有する者について、３号分割標準報酬改定請求の規定を適用する場合においては、各号の厚生年金被保険者期間のうち１の期間に係る標準報酬についての当該請求は、他の期間に係る標準報酬についての当該請求と同時に行わなければならない。

A 712 □□ 速P332

老齢厚生年金の額の計算は、各号の厚生年金被保険者期間に係る被保険者期間ごと（被保険者の種別ごと）に行う。したがって、平均標準報酬額も、被保険者の種別ごとに算出する。２以上の種別の被保険者であった期間を合算するのではない。（法78の26②） ×

A 713 □□ 速P333

２以上の種別の被保険者であった期間を有する者に係る障害厚生年金の支給に関する事務は、当該障害に係る初診日における被保険者の種別に応じた実施機関が行う。（法78の33①） ×

A 714 □□ 速P333、P334

２以上の種別の被保険者であった期間を有する者が死亡したことによる長期要件の遺族厚生年金は、被保険者の種別ごとに受給権が発生し、それぞれの種別に応じた実施機関が遺族厚生年金を支給する。また、各実施機関が支給する遺族厚生年金の額は、被保険者の種別ごとの被保険者期間に応じて計算する。（法２の５①、78の32②） ○

A 715 □□ 速P334

３号分割標準報酬改定請求（３号分割制度による標準報酬の改定及び決定の請求）は、２以上の種別の被保険者であった期間を有する者の場合は、すべての被保険者期間に係る標準報酬について、同時に行わなければならない。なお、合意分割制度による標準報酬改定請求についても、同様である。（法78の36①） ○

11 費用

★
Q716
□□
【予想】

特別会計積立金の運用は、厚生労働大臣が、積立金の運用の目的に沿った運用に基づく納付金の納付を目的として、企業年金連合会に対し、特別会計積立金を寄託することにより行う。

★
Q717
□□
【予想】

保険料は、被保険者期間の計算の基礎となる各月につき徴収するものとし、その額は、標準報酬月額及び標準賞与額にそれぞれ保険料率を乗じて得た額とする。

★
Q718
□□
【平27】

第1号厚生年金被保険者が同時にいずれも適用事業所である船舶甲及び事業所乙に使用される場合、当該被保険者を使用する甲及び乙が負担すべき標準賞与額に係る保険料の額は、甲及び乙がその月に支払った賞与額をその月に当該被保険者が受けた賞与額で除して得た数を当該被保険者の保険料の半額に乗じて得た額とし、甲及び乙がそれぞれ納付する義務を負う。

★
Q719
□□
【令元】

育児休業期間中の第1号厚生年金被保険者に係る保険料の免除の規定については、任意単独被保険者は対象になるが、高齢任意加入被保険者はその対象にはならない。

A 716 □□ 速P336

特別会計積立金（年金特別会計の厚生年金勘定の積立金）の運用は、厚生労働大臣が、年金積立金管理運用独立行政法人に対し、特別会計積立金を寄託することにより行う。（法79の３①） ×

A 717 □□ 速P338

設問は、次の２点が論点である。（法81②③） ○

①保険料は、被保険者期間の計算の基礎となる各月（被保険者資格を取得した月から喪失した月の前月までの各月）につき徴収すること。

②保険料額は、「（標準報酬月額×保険料率）＋（標準賞与額×保険料率）」であること。

A 718 □□ 速P341

同時に船舶と船舶以外の事業所に使用される場合の標準賞与額に係る保険料の額は、船舶所有者（船舶甲）が支払った賞与額のみに基づいて計算する。また、船舶所有者のみが保険料の半額を負担し、保険料を納付する義務を負う。船舶所有者以外の事業主（事業所乙）は、保険料を負担せず、保険料を納付する義務を負わない。（法81③、82③、令４④） ×

A 719 □□ 速P341、P342

育児休業等期間中の保険料免除の規定の対象となるのは、当然被保険者、任意単独被保険者及び高齢任意加入被保険者である。なお、第４種被保険者は、育児休業等期間中の保険料免除の規定の対象とならない。（法81の２①） ×

★
Q 720
□□
【平30】

第１号厚生年金被保険者に対して通貨をもって報酬を支払う場合において、事業主が被保険者の負担すべき保険料を報酬から控除したときは、保険料の控除に関する計算書を作成し、その控除額を被保険者に通知しなければならない。

★
Q 721
□□
【令元】

被保険者の使用される船舶について、当該船舶が滅失し、沈没し、又は全く運航に堪えなくなるに至った場合には、事業主は当該被保険者に係る保険料について、当該至った日の属する月以降の免除の申請を行うことができる。

Q 722
□□
【平25】

保険料等の督促をしようとするときは、厚生労働大臣は、納付義務者に対して督促状を発する。保険料等の督促状は、納付義務者が健康保険法第180条の規定によって督促を受ける者であるときは、同法同条の規定による督促状により、これに代えることができる。

★
Q 723
□□
【令６】

厚生年金保険の保険料を滞納した者に対して督促が行われた場合において、督促状に指定した期限までに保険料を完納したとき、又は厚生年金保険法第87条第１項から第３項までの規定によって計算した金額が1,000円未満であるときは、延滞金は徴収しない。

A 720
□□
速P343

事業主は、被保険者に対して通貨をもって報酬を支払う場合には、被保険者の負担すべき保険料を報酬から控除（源泉控除）することができる。保険料の控除をしたときは、計算書を作成し、控除額を被保険者に通知しなければならない。（法84③）

○

A 721
□□
速P343

被保険者の使用される船舶が滅失等したときは、保険料は、納期前であっても、すべて徴収することができる（保険料の繰上徴収）。設問の場合に保険料免除の申請を行うことができるとする規定はない。（法81、85等）

×

A 722
□□
速P344

厚生労働大臣が納付義務者に対して発する保険料等の督促状は、納付義務者が健康保険法の規定によって督促を受ける者であるときは、同法の規定による督促状に併記して、発することができる。同法の督促状により、これに代えることはできない。（法86②③）

×

A 723
□□
速P344

延滞金は、次のいずれかに該当するときは、徴収されない。（法87④）

①保険料額が1,000円未満であるとき。
②延滞金の額が100円未満であるとき。
③納期を繰り上げて徴収するとき。
④公示送達の方法で督促したとき。
⑤督促状の指定期限までに保険料を完納したとき。
⑥滞納につきやむを得ない事情があると認められるとき。

×

12 不服申立て、雑則、罰則

★
Q724
□□
【予想】

厚生労働大臣による保険料の賦課又は徴収の処分に不服がある者であっても、社会保険審査官に対して審査請求をすることは認められていない。

★
Q725
□□
【令4】

保険給付を受ける権利に基づき支払期月ごとに支払うものとされる保険給付の支給を受ける権利については、「支払期月の翌月の初日」がいわゆる時効の起算点とされ、各起算点となる日から５年を経過したときに時効によって消滅する。

★
Q726
□□
【平29】

第１号厚生年金被保険者に係る適用事業所の事業主は、厚生年金保険に関する書類を原則として、その完結の日から２年間、保存しなければならないが、被保険者の資格の取得及び喪失に関するものについては、保険給付の時効に関わるため、その完結の日から５年間、保存しなければならない。

Q727
□□
【平29】

第１号厚生年金被保険者を使用する事業主が、正当な理由がなく厚生年金保険法第27条の規定に違反して、厚生労働大臣に対し、当該被保険者に係る報酬月額及び賞与額に関する事項を届け出なければならないにもかかわらず、これを届け出なかったときは、６か月以下の懲役又は50万円以下の罰金に処する旨の罰則が定められている。

A 724 □□ 速P347

保険料の賦課又は徴収の処分に不服がある者について認められている不服申立ては、社会保険審査会に対して直接行う審査請求である。(法91①) ○

A 725 □□ 速P348

設問の「支払期月ごとに支払うものとされる保険給付の支給を受ける権利」とは、いわゆる支分権である。支分権の消滅時効の期間は5年であり、その起算日(起算点)は、支払期月の翌月の初日である。(法92①) ○

A 726 □□ 速P348

事業主は、その厚生年金保険に関する書類を、その完結の日から2年間、保存しなければならない。被保険者の資格の取得及び喪失に関するものについて、5年間保存する旨の規定はない。(則28) ×

A 727 □□ 速P349

事業主が、正当な理由がなく法27条(被保険者資格の得喪、報酬月額・賞与額に関する届出)の規定に違反して、届出をせず、又は虚偽の届出をしたときは、6ヵ月以下の懲役又は50万円以下の罰金に処せられる。(法102①一) ○

POINTマスター

厚生年金保険法

1　目的条文等

①厚生年金保険法の目的（法1）

この法律は、労働者の老齢、障害又は死亡について保険給付を行い、労働者及びその遺族の生活の安定と福祉の向上に寄与することを目的とする。

②被保険者の種別と実施機関（法2の5①）

被保険者の種別	該当者	実施機関
第１号厚生年金被保険者	下記以外の者（民間被用者）	厚生労働大臣
第２号厚生年金被保険者	国家公務員共済組合の組合員	国家公務員共済組合及び国家公務員共済組合連合会
第３号厚生年金被保険者	地方公務員共済組合の組合員	地方公務員共済組合、全国市町村共済組合連合会及び地方公務員共済組合連合会
第４号厚生年金被保険者	私立学校教職員共済制度の加入者	日本私立学校振興・共済事業団

2　被保険者の種類と資格取得の要件

種類	使用される事業所	年齢	資格取得の要件
当然	適用事業所	70歳未満	特になし
任意単独	適用事業所以外の事業所		①事業主の同意 ②大臣の認可
高齢任意加入※	適用事業所	70歳以上	実施機関へ申出
	適用事業所以外の事業所		①事業主の同意 ②大臣の認可

※老齢（退職）年金の受給権を有していないことが前提。

3 主な届出の期限のまとめ

（1）事業主が行う主な届出

届出の種類	届出期限
被保険者資格取得届	5日以内 （船舶関係は10日以内）
被保険者資格喪失届	
被保険者賞与支払届	
新規適用事業所の届出	
70歳以上被用者該当届	
70歳以上被用者不該当届	
事業主の氏名等変更届	5日以内 （船舶関係は速やかに）
被保険者氏名変更届	速やかに （船舶関係も速やかに）
被保険者住所変更届	

（2）被保険者が行う主な届出

届出の種類	届出期限
年金事務所の選択届	10日以内
2以上事業所勤務の届出	
適用事業所に使用される高齢任意加入被保険者の氏名・住所変更届	

（3）受給権者等に関する主な届出

届出の種類	届出期限
受給権者の氏名変更届	10日以内
受給権者の住所変更届	
遺族厚生年金の失権の届出	
加給年金額対象者の不該当の届出	
受給権者の死亡の届出	
障害厚生年金受給権者の障害不該当の届出	速やかに
支給停止事由該当・消滅の届出	
受給権者の所在不明の届出	
現況の届出	誕生月の末日

4 老齢厚生年金の額に係る各種の計算方法

報酬比例部分	平均標準報酬額×1,000分の5.481 ×被保険者期間の月数
定額部分	1,628円×改定率（×支給乗率） ×被保険者期間の月数
経過的加算額	定額部分の額から「昭和36年4月1日以後の期間に係る20歳以上60歳未満の厚生年金保険の被保険者期間の月数」を計算の基礎とした老齢基礎年金の額を控除して得た額

★報酬比例部分の給付乗率及び定額部分の支給乗率は、昭和21年4月1日以前生まれの者について、生年月日に応じて有利に読み替える経過措置がある。

5 加給年金額のまとめ

	老齢厚生年金	障害厚生年金
加給年金額が加算され得る年金	①特別支給の老齢厚生年金のうち定額部分が支給されるもの ②65歳から支給される老齢厚生年金	障害等級の1級又は2級に該当する者に対する障害厚生年金
加給年金額対象者	所定の要件を満たした配偶者及び子	所定の要件を満たした配偶者のみ
特別加算額	あり ①配偶者に係る加給年金額のみに加算 ②受給権者が昭和9年4月2日以後生まれであることが必要	なし

★加給年金額対象者の生計維持要件は、老齢厚生年金の場合は、原則として受給権取得当時に満たしていることが必要であるが、障害厚生年金の場合は、受給権取得後に満たしてもよい。

6 遺族厚生年金の失権事由

①	死亡したとき
②	婚姻（事実上の婚姻関係を含む。）をしたとき
③	直系血族及び直系姻族以外の者の養子（事実上の養子縁組関係と同様の事情にある者を含む。）となったとき
④	離縁によって、死亡した被保険者等との親族関係が終了したとき
⑤	妻について、次の日から起算して５年を経過したとき ア　子のない30歳未満の妻 →遺族厚生年金の受給権を取得した日 イ　30歳到達日前に遺族基礎年金の受給権が消滅した妻 →遺族基礎年金の受給権が消滅した日
⑥	子又は孫について、次のいずれかに該当したとき ア　18歳年度末が終了したとき（障害等級１級又は２級に該当する障害の状態にあるときを除く。） イ　障害等級１級又は２級に該当する障害の状態がやんだとき（18歳年度末までの間にあるときを除く。） ウ　20歳に達したとき
⑦	父母、孫又は祖父母について、被保険者等の死亡の当時胎児であった子が出生したとき

7 保険料の負担・納付義務・納期限

	原則（右記以外）	適用事業所に使用される高齢任意加入被保険者		第４種被保険者
		同意あり	同意なし	
負担	折半負担	折半負担	全額自己負担	全額自己負担
納付義務	事業主	事業主	被保険者	被保険者
納期限	翌月末日	翌月末日	翌月末日	当月10日

第10章 社会保険に関する一般常識

1 社会保険諸法令－1

《国民健康保険法》

★
Q 728
□□
【令4】

国民健康保険組合を設立しようとするときは、主たる事務所の所在地の都道府県知事の認可を受けなければならない。当該認可の申請は、10人以上の発起人が規約を作成し、組合員となるべき者100人以上の同意を得て行うものとされている。

★★
Q 729
□□
【令3】

都道府県が当該都道府県内の市町村（特別区を含む。）とともに行う国民健康保険の被保険者は、都道府県の区域内に住居を有するに至った日の翌日又は国民健康保険法第6条各号のいずれにも該当しなくなった日の翌日から、その資格を取得する。

★
Q 730
□□
【令元】

市町村及び国民健康保険組合は、被保険者の出産及び死亡に関しては、条例又は規約の定めるところにより、出産育児一時金の支給又は葬祭費の支給若しくは葬祭の給付を行うものとする。ただし、特別の理由があるときは、その全部又は一部を行わないことができる。

★★
Q 731
□□
【予想】

保険医療機関等は療養の給付に関し、保険医及び保険薬剤師は国民健康保険の診療又は調剤に関し、都道府県知事又は市町村長の指導を受けなければならない。

社会保険諸法令の基本条文の内容からの出題が中心です。過去問を解いて、法律ごとに出題パターンを理解しましょう。

A 728 □□ 速P91

国民健康保険組合を設立しようとするときは、①15人以上の発起人が規約を作成し、②組合員となるべき者300人以上の同意を得て、③主たる事務所の所在地の都道府県知事の認可を受けなければならない。(国保法17①②)

×

A 729 □□ 速P93

都道府県等が行う国民健康保険の被保険者の資格取得の時期は、①都道府県の区域内に住所を有するに至った日又は②国民健康保険法6条に定める適用除外のいずれにも該当しなくなった日である。(国保法7)

×

A 730 □□ 速P93

被保険者の出産及び死亡に関しては、条例又は規約の定めるところにより、出産育児一時金の支給又は葬祭費の支給若しくは葬祭の給付を行うものとされている。ただし、特別の理由があるときは、その全部又は一部を行わないことができる。つまり、これらの保険給付は、法定任意給付である。(法58①)

○

A 731 □□ 速P94～P95

①保険医療機関等は療養の給付に関し、②保険医及び保険薬剤師は国民健康保険の診療又は調剤に関し、厚生労働大臣又は都道府県知事の指導を受けなければならない。(国保法41①)

×

★
Q 732
□□
【平27改】
国は、都道府県等が行う国民健康保険の財政の安定化を図るため、政令で定めるところにより、都道府県に対し、療養の給付等に要する費用並びに前期高齢者納付金及び後期高齢者支援金、介護納付金並びに流行初期医療確保拠出金の納付に要する費用について、一定の額の合算額の100分の32を負担する。

《高齢者医療確保法》

★
Q 733
□□
【予想】
国は、高齢者医療確保法の趣旨を尊重し、住民の高齢期における医療に要する費用の適正化を図るための取組み及び高齢者医療制度の運営が適切かつ円滑に行われるよう所要の施策を実施しなければならない。

★
Q 734
□□
【平24改】
都道府県は、都道府県医療費適正化計画を定め、又はこれを変更しようとするときは、あらかじめ、関係市町村及び保険者協議会に協議しなければならない。

★★
Q 735
□□
【平29改】
保険者は、特定健康診査等基本指針に即して、6年ごとに、6年を1期として、特定健康診査等の実施に関する計画を定めるものとされている。

★★
Q 736
□□
【令5】
都道府県は、被保険者の死亡に関しては、高齢者医療確保法の定めるところにより、葬祭費の支給又は葬祭の給付を行うものとする。ただし、特別の理由があるときは、その全部又は一部を行わないことができる。

A 732 □□ 速P95

国は、都道府県等が行う国民健康保険の財政の安定化を図るため、都道府県に対し、療養の給付等に要する費用等について、その100分の32を負担する。（国保法70①） ○

A 733 □□ 速P99

高齢者医療確保法の趣旨を尊重し、住民の高齢期における医療に要する費用の適正化を図るための取組み及び高齢者医療制度の運営が適切かつ円滑に行われるよう所要の施策を実施しなければならないという規定は、地方公共団体の責務として定められている。（高確法４） ×

A 734 □□ 速P100

都道府県医療費適正化計画の策定又は変更にあたっては、都道府県に対し、あらかじめ、関係市町村及び保険者協議会に協議することが義務づけられている。（高確法９⑦） ○

A 735 □□ 速P100

特定健康診査等の実施に関する計画は、６年ごとに、６年を１期として定めるものとされている。（高確法19①） ○

A 736 □□ 速P103

葬祭費の支給及び葬祭の給付は、「後期高齢者医療広域連合」が、「条例」の定めるところにより行うものとされている。ただし、特別の理由があるときは、その全部又は一部を行わないことができる（法定任意給付に該当）。（高確法86①） ×

Q737 □□ 【予想】

国は、後期高齢者医療の財政を調整するため、政令で定めるところにより、後期高齢者医療広域連合に対して、負担対象総額の見込額の総額の３分の１に相当する額を調整交付金として交付する。

《船員保険法》

★★ Q738 □□ 【令５】

被保険者（疾病任意継続被保険者を除く。）は、船員として船舶所有者に使用されるに至った日から、被保険者の資格を取得する。

★ Q739 □□ 【令２】

被保険者が職務上の事由により行方不明となったときは、その期間、被扶養者に対し、行方不明手当金を支給する。ただし、行方不明の期間が１か月未満であるときは、この限りでない。

★ Q740 □□ 【平30】

一般保険料率は、疾病保険料率、災害保健福祉保険料率及び介護保険料率を合算して得た率とされている。ただし、後期高齢者医療の被保険者等である被保険者及び独立行政法人等職員被保険者にあっては、一般保険料率は、災害保健福祉保険料率のみとされている。

A 737 □□ 速P103

国が後期高齢者医療広域連合に対して交付する調整交付金の総額は、負担対象総額の見込額の総額の12分の1に相当する額である。（高確法95） ×

A 738 □□ 速P106

船員保険の強制被保険者は、船員として船舶所有者に使用されるに至ったときは、その当日から、被保険者の資格を取得する。（船保法11） ○

A 739 □□ 速P108

行方不明手当金は、被保険者が職務上の事由により1ヵ月以上行方不明となったときに、被扶養者に対して支給される。なお、支給期間は、被保険者が行方不明となった日の翌日から起算して3ヵ月を限度とする。（船保法93） ○

A 740 □□ 速P109

一般保険料率は、疾病保険料率と災害保健福祉保険料率とを合計して得た率である。介護保険料率は合算しない。また、後期高齢者医療の被保険者等である被保険者等については、一般保険料率は、災害保健福祉保険料率のみである。（船保法120） ×

2　社会保険諸法令－2

《介護保険法》

★
Q741
□□
【予想】

介護保険法の目的には、要介護状態となり、介護等を要する者等について、これらの者が尊厳を保持し、その有する能力に応じ自立した日常生活を営むことができるよう、必要な給付を行う旨定められている。

★★
Q742
□□
【平23改】

介護保険法では、第２号被保険者とは、市町村の区域内に住所を有する20歳以上65歳未満の医療保険加入者をいう、と規定している。

★★
Q743
□□
【令元】

要介護認定は、その申請のあった日にさかのぼってその効力を生ずる。

よくある質問

質問　介護保険法の目的条文に書かれている「尊厳を保持」とはどういうことですか。

回答

「要介護者が、人として尊重されて介護生活を営むこと」を、介護保険法の制定目的の１つとして明確化するために「尊厳を保持」という文言が使用されています。

要介護者は、家族等に介護されながら日常生活を営みます。しかし、介護を行う側の知識や情報不足に加え、身体的・精神的負担が大きいことから、介護の悩みを解消できずに要介護者を虐待し

A 741 □□ 速P111

介護保険法の目的条文では、要介護状態となった者等が尊厳を保持し、その有する能力に応じ自立した日常生活を営むことができるよう、必要な給付を行う旨定められている。（介保法１） ○

A 742 □□ 速P112

第２号被保険者とは、市町村の区域内に住所を有する40歳以上65歳未満の医療保険加入者である。20歳以上65歳未満ではない。（介保法９二） ×

A 743 □□ 速P114

要介護認定の効力発生の時期は、申請のあった日である。申請のあった日にさかのぼって効力を生ずる。なお、要介護認定は、有効期間内に限り、その効力を有する。（介保法27⑧） ○

てしまうケースが多発しました。また、虐待とまではいかなくとも、介護の放棄など要介護者の人権を侵害する行為も珍しくなかったのです。

要介護者への虐待等を防止するためには、要介護者を保護する制度のほかに、介護を行う側を支援する制度の整備や、周囲の理解を促進する必要があります。それらが揃うことで、要介護者は人として尊重された生活を営むことができます。そこで、要介護者が安心して生活できる社会の形成を介護保険法の目的の１つとするため、改正により「尊厳を保持」という文言が目的条文に加えられました。

★★
Q 744
□□
【平26】

介護老人保健施設を開設しようとする者は、厚生労働省令で定めるところにより、都道府県知事の許可を受けなければならない。

★★
Q 745
□□
【令3】

介護保険審査会は、各都道府県に置かれ、保険給付に関する処分に対する審査請求は、当該処分をした市町村をその区域に含む都道府県の介護保険審査会に対してしなければならない。

《社会保険審査官及び社会保険審査会法》

★★
Q 746
□□
【令5】

社会保険審査官は、厚生労働省の職員のうちから厚生労働大臣が命じ、各地方厚生局（地方厚生支局を含む。）に置かれる。

★
Q 747
□□
【令2】

審査請求人は、社会保険審査官の決定があるまでは、いつでも審査請求を取り下げることができる。審査請求の取下げは、文書のみならず口頭でもすることができる。

《確定給付企業年金法》

★
Q 748
□□
【平28】

確定給付企業年金法における「厚生年金保険の被保険者」には、厚生年金保険法に規定する第４号厚生年金被保険者は含まれない。

A 744 □□ 速P118

介護老人保健施設を開設するためには、都道府県知事の許可を受けることが必要である。（介保法94①） ○

A 745 □□ 速P119

①保険給付に関する処分又は②保険料その他の徴収金に関する処分に不服のある者は、介護保険審査会に審査請求をすることができる。この審査請求は、処分をした市町村をその区域に含む都道府県の介護保険審査会に対してしなければならない。（介保法183①、184、191①） ○

A 746 □□ 速P120

健康保険法等の規定による審査請求の事件を取り扱わせるため、各地方厚生局（地方厚生支局を含む。）に社会保険審査官が置かれる。社会保険審査官は、厚生労働省の職員のうちから、厚生労働大臣が命ずる。（社審法１①、２） ○

A 747 □□ 速P121

審査請求の取下げは、文書でしなければならない。口頭ですることはできない。なお、再審査請求の取下げも、同様に、文書でしなければならない。（社審法12の２） ×

A 748 □□ 速P123

確定給付企業年金法における「厚生年金保険の被保険者」とは、厚生年金保険の被保険者のうち、第１号厚生年金被保険者及び第４号厚生年金被保険者をいう。（確定給付法２③） ×

★★
Q749
□□
【令4】
事業主（企業年金基金を設立して実施する確定給付企業年金を実施する場合にあっては、企業年金基金）は、障害給付金の給付を行わなければならない。

★
Q750
□□
【予想】
加入者は、政令で定める基準に従い規約で定めるところにより、事業主が拠出すべき掛金の全部又は一部を負担することができる。

《確定拠出年金法》

★★
Q751
□□
【予想】
厚生年金適用事業所の事業主は、企業型年金を実施しようとするときは、当該事業主が作成した企業型年金に係る規約について厚生労働大臣の認可を受けなければならない。

Q752
□□
【平29】
障害基礎年金の受給権者であることにより、国民年金保険料の法定免除の適用を受けている者は、確定拠出年金の個人型年金の加入者になることができる。

★★
Q753
□□
【令3】
企業型年金において、事業主は、政令で定めるところにより、年１回以上、定期的に掛金を拠出する。

A 749
□□
速P123

確定給付企業年金の給付のうち、老齢給付金及び脱退一時金は、「行うものとする」という法定給付であり、障害給付金及び遺族給付金は、「(規約で定めるところにより) 行うことができる」という任意給付である。(確定給付法29②)

×

A 750
□□
速P125

掛金は、原則として事業主が拠出するが、加入者は、政令で定める基準に従い規約で定めるところにより、事業主が拠出すべき掛金の一部を負担することができる。(確定給付法55②)

×

A 751
□□
速P128

厚生年金適用事業所の事業主は、企業型年金を実施しようとするときは、過半数労働組合等の同意を得て規約を作成し、当該規約について厚生労働大臣の承認を受けなければならない。(確定拠出法3①)

×

A 752
□□
速P129

国民年金の第1号被保険者のうち保険料免除者は、個人型年金の加入者となることができないが、障害給付の受給権者であることにより法定免除の適用を受けている者は、この保険料免除者から除かれる。したがって、個人型年金の加入者となることができる。(確定拠出法62①一)

○

A 753
□□
速P129

企業型年金の掛金は、原則として事業主が拠出する。事業主は、年1回以上、定期的に掛金を拠出する。(確定拠出法19①)

○

3 社会保険諸法令－3

《社会保険労務士法》

★
Q754
□□
【令元】

社会保険労務士は、事業における労務管理その他の労働に関する事項及び労働社会保険諸法令に基づく社会保険に関する事項について、裁判所において、補佐人として、弁護士である訴訟代理人に代わって出頭し、陳述をすることができる。

★★
Q755
□□
【平25】

失格処分を受けると、当該処分を受けた日から５年間は社会保険労務士となる資格を有しないので、その者の登録は抹消され、社会保険労務士の会員たる資格を失うこととなる。

★★
Q756
□□
【平30】

社会保険労務士法第14条の３に規定する社会保険労務士名簿は、都道府県の区域に設立されている社会保険労務士会ごとに備えなければならず、その名簿の登録は、都道府県の区域に設立されている社会保険労務士会ごとに行う。

★★
Q757
□□
【令６】

開業社会保険労務士及び社会保険労務士法人は、正当な理由がある場合でなければ、依頼（紛争解決手続代理業務に関するものを除く。）を拒んではならない。

A 754 □□ 速P136

社会保険労務士は、事業における労働に関する事項及び社会保険に関する事項について、裁判所において、補佐人として、弁護士である訴訟代理人とともに出頭し、陳述をすることができる。訴訟代理人に代わって出頭するのではない。（社労士法2の2①） ×

A 755 □□ 速P136、P138

懲戒処分により社会保険労務士の失格処分を受けた者は、当該処分を受けた日から3年間は社会保険労務士となる資格を有しなくなる。その者の登録は抹消され、社会保険労務士会の会員たる資格を失う。（社労士法5三、14の10①四） ×

A 756 □□ 速P137

社会保険労務士名簿は、全国社会保険労務士会連合会に備える。また、その登録も、全国社会保険労務士会連合会が行う。（社労士法14の3） ×

A 757 □□ 速P139

開業社会保険労務士及び社会保険労務士法人は、正当な理由がある場合でなければ、依頼を拒むことはできない。ただし、紛争解決手続代理業務に関するものは、除かれている。（社労士法20、25の20） ○

第10章 社一

★★
Q758
□□
【平28】

社会保険労務士法第25条の２第２項では、厚生労働大臣は、開業社会保険労務士が、相当の注意を怠り、労働社会保険諸法令に違反する行為について指示をし、相談に応じたときは、当該社会保険労務士の失格処分をすることができるとされている。

★★
Q759
□□
【予想】

社会保険労務士法人の社員及び社会保険労務士法人の使用人その他の従業者は、社会保険労務士でなければならない。

★★
Q760
□□
【令４】

紛争解決手続代理業務を行うことを目的とする社会保険労務士法人は、特定社会保険労務士である社員が常駐していない事務所においては、紛争解決手続代理業務を取り扱うことができない。

よくある質問

質問　特定社会保険労務士は、なぜ「相手方の協議を受けて賛助し、又はその依頼を承諾した事件」の紛争解決手続代理業務を行ってはならないのでしょうか。

回答

同じ事件について、１人の特定社会保険労務士が利害の対立する複数の者の代理を行うと、一方の依頼者の利益が他の依頼者の利益に反することがあり、矛盾が生じるためです。

この規定は、特定社会保険労務士が事件の内容について相談を受け、助言を与えた者や、紛争解決手続代理業務の依頼者を相手方とする紛争解決

A 758 □□ 速P141

相当の注意を怠り、労働社会保険諸法令に違反する行為について指示をしたとき等にすることができる処分（懲戒処分）は、戒告又は1年以内の業務の停止の処分である。失格処分をすることはできない。（社労士法25の２②）

×

A 759 □□ 速P142

社会保険労務士法人の社員は、社会保険労務士でなければならない。使用人その他の従業者は、社会保険労務士でなくてもよい。（社労士法25の８①）

×

A 760 □□ 速P143

紛争解決手続代理業務を行うことを目的とする社会保険労務士法人は、特定社会保険労務士である社員が常駐している事務所においてのみ、紛争解決手続代理業務を取り扱うことができる。（社労士法25の16の２）

○

手続代理業務を行うことを禁止するために設けられています。つまり、特定社会保険労務士が同じ事件の当事者の双方の代理を同時に行うこと（いわゆる双方代理）などを禁じているのです。

たとえば、紛争の当事者AとBがいたとして、ある特定社会保険労務士がAとBの双方と紛争解決手続代理業務に関する委任契約を締結したとします。利益の相反する複数の者の代理を同時に行うことを認めてしまっては、紛争解決の方向を社会保険労務士に操られてしまうおそれがあり、公平性の確保も難しくなってしまいます。依頼者の信頼を裏切らないようにするため、このような行為は禁止されているのです。

《児童手当法》

★ Q761 □□ 【予想】

5歳、2歳及び1歳の児童を監護し、かつ、この3人の子と生計を同じくしている日本国内に住所を有する父に支給される児童手当の額は、1ヵ月あたり50,000円である。

★ Q762 □□ 【令2改】

児童手当は、毎年1月、3月、5月、7月、9月及び11月の6期に、それぞれの前月までの分を支払う。ただし、前支払期月に支払うべきであった児童手当又は支給すべき事由が消滅した場合におけるその期の児童手当は、その支払期月でない月であっても、支払うものとする。

★★ Q763 □□ 【平30】

児童手当法では、児童手当の支給を受けている者につき、児童手当の額が減額することとなるに至った場合における児童手当の額の改定は、その事由が生じた日の属する月から行うと規定している。

《公的年金に関する特例法》

★ Q764 □□ 【予想】

年金生活者支援給付金法に定める老齢年金生活者支援給付金は、公的年金等の収入金額が一定の基準以下の老齢基礎年金の受給者に支給される。

A 761
□□
速P146

児童手当の額は、児童の年齢に応じて、①３歳未満の児童については15,000円、②３歳以上18歳年度末までの児童については10,000円である。ただし、③第３子以降の児童については、年齢にかかわらず、30,000円が支給される。したがって、設問の父（第１子が５歳、第２子が２歳、第３子が１歳）に支給される児童手当の額は、55,000円（＝10,000円＋15,000円＋30,000円）である。（児手法６①～③等）

×

A 762
□□
速P146

児童手当の支払期月は、原則として、毎年２月、４月、６月、８月、10月及び12月の６期であり、それぞれの前月までの分が支払われる。（児手法８④）

×

A 763
□□
速P146

児童手当の額の減額改定は、その事由が生じた日の属する月の翌月から行う。その月からではない。なお、増額改定は、改定後の額につき認定の請求をした日の属する月の翌月から行う。（児手法９③）

×

A 764
□□
速P150

老齢年金生活者支援給付金は、公的年金等の収入金額と一定の所得との合計額が一定の基準以下の老齢基礎年金の受給者に支給される。つまり、老齢基礎年金を含めても所得が低い者に対して支給される。（年金生活者支援給付金法１）

×

4 社会保険に関する理論

★
Q765
□□
【予想】

社会保険制度とは、健康で文化的な最低限度の生活を保障するとともに、その自立を助長することを目的とする制度であり、低所得者等に対し、困窮の程度に応じて必要な保護を行うものである。

★
Q766
□□
【平29】

社会保障協定とは、日本の年金制度と外国の年金制度の重複適用の回避をするために締結される年金に関する条約その他の国際約束であり、日本の医療保険制度と外国の医療保険制度の重複適用の回避については、対象とされていない。

★★
Q767
□□
【予想】

公的保険制度は、私的保険制度と異なり、任意に加入することはできない。

★
Q768
□□
【平30改】

国民年金第１号被保険者、健康保険法に規定する任意継続被保険者及び厚生年金保険法に規定する高齢任意加入被保険者は、一定期間の保険料を前納することができる。

★
Q769
□□
【予想】

国民年金法及び厚生年金保険法における保険料その他これらの法律の規定による徴収金に関する処分（厚生年金保険法にあっては、厚生労働大臣による処分に限る。）に不服がある者は、社会保険審査官に対して審査請求をすることができる。

A 765
□□
速P153、P156等

社会保険制度とは、保険の技術を用いて保険料を財源として給付を行う制度であり、疾病・負傷などの生活上の危険（リスク）による困窮をあらかじめ予防するものである。設問の内容は、生活保護制度のものである。

×

A 766
□□
速P155

社会保障協定は、基本的には、年金制度の二重加入を防止するためのものであるが、相手国によって、医療保険、労災保険、雇用保険も二重加入防止の対象とされている。（社会保障協定の実施に伴う厚生年金保険法等の特例等に関する法律２一）

×

A 767
□□
速P157、P158等

公的保険制度は、強制加入を原則としているが、国民年金など一部の制度には任意加入の仕組みも存在する。（国年法附５等）

×

A 768
□□
速ⅡP100、ⅡP218、ⅡP339

国民年金の第１号被保険者及び健康保険の任意継続被保険者は、保険料を前納することができるが、厚生年金保険の高齢任意加入被保険者は、前納することができない。（国年法93①、健保法165条①、厚年法附４の３等）

×

A 769
□□
速ⅡP224、ⅡP346

厚生年金保険法では、保険料その他この法律の規定による徴収金に関する厚生労働大臣による処分に不服がある場合には、直接社会保険審査会に対して審査請求をすることができる。（国年法101①、厚年法91）

×

5 社会保険の沿革と統計資料

★★
Q 770
□□
【予想】

国民年金法は、昭和34年11月１日から施行されたが、その当初は、無拠出制の福祉年金であった。その後、昭和36年４月１日から拠出制の年金として全面施行され、国民皆年金体制が実現した。

★
Q 771
□□
【平24】

確定給付企業年金法は、平成15年６月に制定され、同年10月から施行されたが、同法により基金型の企業年金の１タイプが導入された。

★★
Q 772
□□
【予想】

船員保険法は、大正14年に制定され、翌年から施行された。同法に基づく船員保険制度は船員のみを対象とし、年金等給付を含む総合保険であるが、健康保険に相当する給付は行っていなかった。

★
Q 773
□□
【平26】

高齢者の医療費の負担の公平化を目指して、老人保健法が昭和47年に制定され、翌年２月から施行された。同法においては、各医療保険制度間の負担の公平を図る観点から老人保健拠出金制度が新たに導入された。また、老人医療費の一定額を患者が自己負担することとなった。

★
Q 774
□□
【平26】

深刻化する高齢者の介護問題に対応するため、介護保険法が平成９年に制定され、平成12年４月から施行された。介護保険制度の創設により、介護保険の被保険者は要介護認定を受ければ、原則として費用の１割の自己負担で介護サービスを受けられるようになった。

A 770 □□ 速P162、P164

国民年金法は、昭和34年11月1日から無拠出制の福祉年金として施行された。その後、昭和36年4月1日から全面施行され、国民皆年金体制が実現した。（昭34.4.16法律141号等）

○

A 771 □□ 速P122、P163

確定給付企業年金法は、平成13年6月に制定され、平成14年4月から施行された。また、同法の企業年金は、基金型及び規約型の2タイプである。（平13.6.15法律50、確給法3①、29①、74①）

×

A 772 □□ 速P105、P165

船員保険法は、昭和14年に制定され、翌年から施行された。船員保険制度は、制定の当初から健康保険に相当する給付を行っており、労災保険、雇用保険、医療保険、年金保険の4つの部門を持った総合保険であった。（昭14.4.6法律73号）

×

A 773 □□ 速P165、P167

老人保健法は、昭和57年に制定され、翌年2月から施行された。同法は、老人医療費に要する費用について、国、地方公共団体が3割を負担し、各保険者が7割を拠出すること（老人保健拠出金制度）により、全国民が公平に負担することとした。（昭57.8.17法律80号）

×

A 774 □□ 速P116、P167

高齢化の進行等に伴う介護問題に対応するため、労災保険、雇用保険、医療保険及び年金保険に続く第5の社会保険制度として、平成12年4月に介護保険法が施行された。（平9.12.17法律123号）

○

★

Q775

□□

【平27改】

令和４年度の社会保障給付費の総額は137兆8,337億円であり、部門別にみると、「医療」が55兆7,908億円で全体の40.5％を占めている。次いで「年金」が48兆7,511億円で全体の35.4％、「福祉その他」は33兆2,918億円で24.2％となっている。

Q776

□□

【予想】

一般に、総人口に占める65歳以上人口の割合が７パーセントを超えると「高齢化社会」、14パーセントを超えると「高齢社会」、21パーセントを超えると「超高齢社会」とされる。

★

Q777

□□

【予想】

我が国は、急速に少子化が進んでおり、平成17年の合計特殊出生率は1.26と過去最低を更新した。その後合計特殊出生率はやや上昇し、令和５年においては1.33となった。

よくある質問

質問　選択式の出題が難しく内容が分からなかった場合、どう対処すればよいのでしょうか。

回答

まずは、「埋めることができる空欄」を１つでも多く探し出し、確実に埋めてください。

選択式では、５つの空欄のすべてが「難しい空欄」で構成されることは稀です。大半の設問は、空欄のうち最低でも１、２個が基本的な問題です。落ち着いて問題を読み、科目ごとの合格基準点である３点を取ることを最優先で考えましょう。

A 775 □□ 速P168

令和４年度の社会保障給付費を部門別にみると、「年金」が55兆7,908億円（40.5%）、「医療」が48兆7,511億円（35.4%）、「福祉その他」が33兆2,918億円（24.2%）となっている。（国立社会保障・人口問題研究所「社会保障費用統計」） ×

A 776 □□ 速P168

総人口に占める65歳以上人口の割合を高齢化率という。令和５年10月１日現在の日本の高齢化率は29.1パーセントであり、「超高齢社会」に入っている。 ○

A 777 □□ 速P169

我が国の合計特殊出生率は、平成17年に過去最低の1.26を記録した。その後合計特殊出生率はやや上昇したが、令和４年においては再び1.26となり、令和５年においてはさらに低下して1.20となり過去最低を更新した。（厚生労働省「令和５年人口動態統計」） ×

今まで見たことのない内容の問題であっても、あせらずに、前後の文脈等から解答を推測しましょう。また、どうしても「１点」が欲しい場合には、複数の解答欄に同じ選択肢番号を入れることも有効な作戦です。

たとえば、『空欄A・Bには、【都道府県労働局長】か【厚生労働大臣】が入るのは分かるが、どちらがAに入るか確信が持てない』といった場合に、空欄A・Bの両方の解答欄に【厚生労働大臣】の選択肢番号を入れてしまうのです。こうすると２点は取れませんが、貴重な「１点」を確実に得点することができます。救済措置もありますから、あきらめないことが重要です。

POINTマスター

社会保険に関する一般常識

1 主な法令の目的条文等

①国民健康保険法（法1、2）

・この法律は、国民健康保険事業の健全な運営を確保し、もって社会保障及び国民保健の向上に寄与することを目的とする。
・国民健康保険は、被保険者の疾病、負傷、出産又は死亡に関して必要な保険給付を行うものとする。

②高齢者医療確保法（法1、2①）

・この法律は、国民の高齢期における適切な医療の確保を図るため、医療費の適正化を推進するための計画の作成及び保険者による健康診査等の実施に関する措置を講ずるとともに、高齢者の医療について、国民の共同連帯の理念等に基づき、前期高齢者に係る保険者間の費用負担の調整、後期高齢者に対する適切な医療の給付等を行うために必要な制度を設け、もって国民保健の向上及び高齢者の福祉の増進を図ることを目的とする。
・国民は、自助と連帯の精神に基づき、自ら加齢に伴って生ずる心身の変化を自覚して常に健康の保持増進に努めるとともに、高齢者の医療に要する費用を公平に負担するものとする。

③船員保険法（法1）

この法律は、船員又はその被扶養者の職務外の事由による疾病、負傷若しくは死亡又は出産に関して保険給付を行うとともに、労働者災害補償保険による保険給付と併せて船員の職務上の事由又は通勤による疾病、負傷、障害又は死亡に関して保険給付を行うこと等により、船員の生活の安定と福祉の向上に寄与することを目的とする。

④介護保険法（法１）

この法律は、加齢に伴って生ずる心身の変化に起因する疾病等により要介護状態となり、入浴、排せつ、食事等の介護、機能訓練並びに看護及び療養上の管理その他の医療を要する者等について、これらの者が尊厳を保持し、その有する能力に応じ自立した日常生活を営むことができるよう、必要な保健医療サービス及び福祉サービスに係る給付を行うため、国民の共同連帯の理念に基づき介護保険制度を設け、その行う保険給付等に関して必要な事項を定め、もって国民の保健医療の向上及び福祉の増進を図ることを目的とする。

⑤確定給付企業年金法・確定拠出年金法（法１）

<table>
<tr><th>確定給付企業年金法</th><th>確定拠出年金法</th></tr>
<tr><td>この法律は、少子高齢化の進展、産業構造の変化等の社会経済情勢の変化にかんがみ、事業主が従業員と給付の内容を約し、高齢期において従業員がその内容に基づいた給付を受けることができるようにするため、確定給付企業年金について必要な事項を定め、</td><td>この法律は、少子高齢化の進展、高齢期の生活の多様化等の社会経済情勢の変化にかんがみ、個人又は事業主が拠出した資金を個人が自己の責任において運用の指図を行い、高齢期においてその結果に基づいた給付を受けることができるようにするため、確定拠出年金について必要な事項を定め、</td></tr>
<tr><td colspan="2">国民の高齢期における所得の確保に係る自主的な努力を支援し、もって公的年金の給付と相まって国民の生活の安定と福祉の向上に寄与することを目的とする。
（※この部分は２法共通）</td></tr>
</table>

⑥社会保険労務士法（法１、１の２）

- この法律は、社会保険労務士の制度を定めて、その業務の適正を図り、もって労働及び社会保険に関する法令の円滑な実施に寄与するとともに、事業の健全な発達と労働者等の福祉の向上に資することを目的とする。
- 社会保険労務士は、常に品位を保持し、業務に関する法令及び実務に精通して、公正な立場で、誠実にその業務を行わなければならない。

2 高齢者医療確保法の各種計画等のまとめ

<table>
<tr><th>種類</th><th>作成の主体</th><th>計画の期間</th></tr>
<tr><td>医療費適正化基本方針</td><td rowspan="2">厚生労働大臣</td><td>――</td></tr>
<tr><td>全国医療費適正化計画</td><td rowspan="2">6年ごとに6年を1期とする</td></tr>
<tr><td>都道府県医療費適正化計画</td><td>都道府県</td></tr>
<tr><td>特定健康診査等基本指針</td><td>厚生労働大臣</td><td>――</td></tr>
<tr><td>特定健康診査等実施計画</td><td>保険者</td><td>6年ごとに6年を1期とする</td></tr>
</table>

3 確定給付企業年金・確定拠出年金の種類・給付等

<table>
<tr><th></th><th colspan="2">確定給付企業年金</th><th colspan="2">確定拠出年金</th></tr>
<tr><td>種類</td><td colspan="2">①規約型企業年金
②基金型企業年金</td><td colspan="2">①企業型年金
②個人型年金</td></tr>
<tr><td rowspan="2">給付</td><td>法定給付</td><td>①老齢給付金
②脱退一時金</td><td>法定給付</td><td>①老齢給付金
②障害給付金
③死亡一時金</td></tr>
<tr><td>任意給付</td><td>③障害給付金
④遺族給付金</td><td>暫定措置</td><td>④脱退一時金</td></tr>
<tr><td>裁定</td><td colspan="2">事業主又は企業年金基金が行う</td><td colspan="2">企業型（個人型）記録関連運営管理機関等が行う</td></tr>
</table>

4 社会保険労務士の懲戒の種類

懲戒処分には次の3種類がある（厚生労働大臣が処分をする）。

①	戒告
②	1年以内の開業社会保険労務士・開業社会保険労務士の使用人である社会保険労務士又は社会保険労務士法人の社員・使用人である社会保険労務士の業務の停止
③	失格処分（社会保険労務士の資格を失わせる処分をいう。）

★社会保険労務士法人の違法行為等についての処分には、①戒告、②1年以内の業務の全部又は一部の停止命令、③解散命令がある。

5 社会保険の主な沿革

①年金制度の主な沿革

年	主な内容
昭和14年	船員保険法制定（翌年施行）
昭和16年	労働者年金保険法制定（翌年施行）
昭和19年	厚生年金保険法制定（労働者年金保険法を改称）
昭和34年	国民年金法制定（同年11月に施行）
昭和36年	国民年金法全面施行（同年４月施行） →国民皆年金体制の実現
昭和48年	物価スライド制・賃金スライド制の導入等
昭和61年	基礎年金制度の導入等（同年４月施行）
平成元年	完全自動物価スライド制の導入等
平成13年	確定拠出年金法施行
平成14年	確定給付企業年金法施行
平成16年	マクロ経済スライド制の導入等
平成27年	被用者年金の一元化

②医療保険制度の主な沿革

年	主な内容
大正11年	健康保険法制定（昭和２年全面施行）
昭和13年	旧国民健康保険法制定
昭和14年	船員保険法制定（翌年施行）
昭和33年	新国民健康保険法制定
昭和36年	国民皆保険体制の実現
昭和48年	高額療養費支給制度と老人医療費支給制度の開始
昭和57年	老人保健法制定（翌年施行）
昭和59年	退職者医療制度の創設
平成12年	介護保険法施行（制定は平成９年）
平成20年	高齢者医療確保法施行（老人保健法を改称）

著者紹介

ユーキャン社労士試験研究会

本会は、ユーキャン社労士通信講座で、教材の制作や添削・質問指導、講義を担当している現役講師の中から、選りすぐりの精鋭が集まり結成されました。通信講座で蓄積したノウハウを活かし、分かりやすい書籍作りのために日々研究を重ねています。

■ 常深《つねふか》　孝英《たかひで》（監修）
■ 窪田《くぼた》　信一郎《しんいちろう》
■ 中岡《なかおか》　勇二《ゆうじ》
■ 原沢《はらさわ》　徹《とおる》
■ 中丸《なかまる》　知子《ともこ》
■ 近藤《こんどう》　眞理子《まりこ》
■ 濱田《はまだ》　寿剛《のぶたか》

似顔絵制作：kenji

— MEMO —

●法改正・正誤等の情報につきましては、下記「ユーキャンの本」ウェブサイト内「追補（法改正・正誤）」をご覧ください。
https://www.u-can.co.jp/book/information

●本書の内容についてお気づきの点は
・「ユーキャンの本」ウェブサイト内「よくあるご質問」をご参照ください。
https://www.u-can.co.jp/book/faq
・郵送・FAXでのお問い合わせをご希望の方は、書名・発行年月日・お客様のお名前・ご住所・FAX番号をお書き添えの上、下記までご連絡ください。
【郵送】〒169-8682 東京都新宿北郵便局 郵便私書箱第2005号 ユーキャン学び出版 社労士資格書籍編集部
【FAX】03-3378-2232
◎より詳しい解説や解答方法についてのお問い合わせ、他社の書籍の記載内容等に関しては回答いたしかねます。

●お電話でのお問い合わせ・質問指導は行っておりません。

2025年版 ユーキャンの 社労士 これだけ！ 一問一答集

2011年 1月28日 初　版 第1刷発行
2024年11月 8日 第15版 第1刷発行

編　者　ユーキャン社労士試験研究会
発行者　品川泰一
発行所　株式会社 ユーキャン 学び出版
〒151-0053
東京都渋谷区代々木1-11-1
Tel 03-3378-1400
DTP　株式会社 明昌堂
発売元　株式会社 自由国民社
〒171-0033
東京都豊島区高田3-10-11
Tel 03-6233-0781（営業部）

印刷・製本　望月印刷株式会社

※ 落丁・乱丁その他不良の品がありましたらお取り替えいたします。お買い求めの書店か自由国民社営業部（Tel 03-6233-0781）へお申し出ください。

 ISBN978-4-426-61584-0